# BERT HELLINGER
## MEU TRABALHO. MINHA VIDA.

Bert Hellinger
com Hanne-Lore Heilmann

# BERT HELLINGER
## MEU TRABALHO. MINHA VIDA.

A autobiografia do criador da **Constelação Familiar**

*Tradução*
Karina Jannini

Editora
Cultrix
SÃO PAULO

Título do original: *Mein Leben. Mein Werk.*

Copyright © 2018 Ariston Verlag, uma divisão da Verlagsgruppe Random House GmbH, Munique, Alemanha – www.randomhouse.de.

Esta edição foi negociada por meio da Ute Korner Literary Agent – www.uklitag.com.

Copyright da edição brasileira © 2020 Editora Pensamento-Cultrix Ltda.

1ª edição 2020. / 4ª reimpressão 2023.

Todos os direitos reservados. Nenhuma parte desta obra pode ser reproduzida ou usada de qualquer forma ou por qualquer meio, eletrônico ou mecânico, inclusive fotocópias, gravações ou sistema de armazenamento em banco de dados, sem permissão por escrito, exceto nos casos de trechos curtos citados em resenhas críticas ou artigos de revistas.

A Editora Cultrix não se responsabiliza por eventuais mudanças ocorridas nos endereços convencionais ou eletrônicos citados neste livro.

Caso esta publicação contenha links para páginas de terceiros na web, não nos responsabilizamos por seu conteúdo, uma vez que não somos seus proprietários, apenas remetemos à sua localização no momento da primeira edição.

Procuramos identificar, nomear e honrar todos os proprietários de direitos autorais, como é de praxe no meio editorial. Caso isso não tenha sido possível em algum caso isolado, em razão da situação das fontes, obviamente atenderemos às reivindicações fundamentadas.

Foto da capa © Olff Appold
Fotos: Arquivo particular Hellinger
Redação: Dra. Diane Zilliges

**Editor:** Adilson Silva Ramachandra
**Gerente editorial:** Roseli de S. Ferraz
**Preparação de originais:** Karina Gercke
**Produção editorial:** Indiara Faria Kayo
**Editoração eletrônica:** S2 Books
**Revisão:** Claudete Agua de Melo

Dados Internacionais de Catalogação na Publicação (CIP)
(Câmara Brasileira do Livro, SP, Brasil)

---

Hellinger, Bert, 1925-2019
    Bert Hellinger : Meu trabalho. Minha vida. A autobiografia do criador da Constelação Familiar / com Hanne-Lore Heilmann ; tradução Karina Jannini. -- São Paulo : Cultrix, 2020.

    Título original: Mein Leben. Mein Werk
    Bibliografia.
    ISBN 978-85-316-1556-6

    1. Hellinger, Bert, 1925-2019 2. Psicoterapeutas - Autobiografia 3. Psicoterapia familiar I. Heilmann, Hanne-Lore. II. Título.

19-32071                                                    CDD-616.89156092

---

Índices para catálogo sistemático:
1. Constelação familiar : Psicoterapeutas :
Biografia : Ciências médicas 616.89156092

Maria Paula C. Riyuzo - Bibliotecária - CRB-8/7639

Direitos de tradução para o Brasil adquiridos com exclusividade pela
**EDITORA PENSAMENTO-CULTRIX LTDA.**, que se reserva a propriedade literária desta tradução.
Rua Dr. Mário Vicente, 368 — 04270-000 — São Paulo, SP
Fone: (11) 2066-9000
http://www.editoracultrix.com.br
E-mail: atendimento@editoracultrix.com.br
Foi feito o depósito legal.

# Sumário

Prefácio de Bert Hellinger ........................................................................11

Prefácio de Hanne-Lore Heilmann ..........................................................15

1 Infância e Juventude ..........................................................................20
2 *Arbeitsdienst* e Vida de Soldado ......................................................42
3 Vida na Ordem e Ordenação .............................................................60
4 Como Missionário na África do Sul ..................................................65
5 Retorno à Alemanha e Saída da Ordem .............................................79
6 Capacitação Terapêutica e Casamento .............................................102
7 A Descoberta da Constelação Familiar .............................................129
8 A Constelação Familiar Clássica ......................................................135
9 A Diferenciação das Consciências ....................................................138
10 A Primeira Ordem do Amor: o Direito ao Pertencimento ...............144
11 A Segunda Ordem do Amor: a Hierarquia .......................................152
12 A Terceira Ordem do Amor: o Equilíbrio Entre Dar e Receber ..........157
13 As Ordens do Amor Entre o Homem e a Mulher .............................160
14 A Relação Entre Pais e Filhos .........................................................171
15 O Aborto .........................................................................................183
16 O Que Adoece nas Famílias ............................................................189
17 O Pano de Fundo Sistêmico das Diferentes Doenças .......................200
18 Êxitos e Nova Felicidade .................................................................205
19 Constelações Familiares com Judeus em Prol da Reconciliação ..........215
20 As Hostilidades ...............................................................................234
21 A Nova Constelação Familiar ..........................................................267
22 Tudo Segue em Frente .....................................................................274
23 O Futuro .........................................................................................283

Em Vez de um Posfácio ..................................................................................286

Agradecimentos de Bert Hellinger e de Hanne-Lore Heilmann .......................288

Bibliografia ..................................................................................................291

*Para Sophie, meu grande amor*

**Palavras primordiais, órfico**

*Como no dia em que te deu ao mundo,*
*Estava o Sol saudando os planetas,*
*Cresceste de imediato, sem cessar,*
*Cumprindo a lei segundo a qual chegaste.*
*Assim tens de ser, de ti não podes escapar,*
*Assim já diziam as sibilas, assim os profetas;*
*E nenhum tempo, nenhum poder destrói*
*A forma cunhada que vivendo se desenvolve.*

Johann Wolfgang von Goethe

# Prefácio de Bert Hellinger

Quem, como eu, faz uma retrospectiva de quase um século de vida, tem mesmo muito o que contar. Por isso, há tempos minha esposa Sophie me pediu para escrever minha autobiografia, mas recusei sem pestanejar. Em minha opinião, o que eu tinha a dizer já constava dos mais de cem livros escritos por mim. Isso porque, com o fim do Terceiro *Reich*, minha trajetória de vida já não era determinada por circunstâncias externas, e sim por meus conhecimentos e pensamentos, que segui com firmeza e compartilhei de várias maneiras.

Como não sou estrela do *rock* nem ator de Hollywood, que gostam de expor sua vida privada, eu não via nenhuma razão para falar mais a meu respeito. Contudo, alguns fatos ocorridos em minha vida despertaram boatos e especulações. Um ex-sacerdote de quase 80 anos que se separa da mulher para se casar com outra bem mais jovem logo se torna, junto com sua companheira, objeto de conjecturas. Nem Sophie nem eu chegamos a nos pronunciar a respeito. Tampouco rebati ataques à minha pessoa. Em vez disso, concentrei-me em meu trabalho, pois tenho a convicção de que aquilo que tem efeito acaba prevalecendo. E assim aconteceu.

O que, então, teria me levado a mudar de ideia e escrever minha biografia? Em primeiro lugar, a perspectiva da minha idade e o percurso necessariamente vinculado a ela. Em 2018, transferi para Sophie todas as minhas atividades profissionais, como as escolas e a editora que levam meu nome. Há quase vinte anos desenvolvo com ela a constelação familiar e dou palestras no mundo inteiro.*

Contudo, cabe perguntar até quando terei condições de realizar esse trabalho. Embora eu goze de boa saúde, sinto que os anos cobram seu tributo. A força diminui, corpo e mente pedem períodos maiores de recuperação. Isso não me deixa triste, pois acho que após tantos anos de trabalho intensivo também mereço mais descanso. Por isso, já neste ano limitei minhas viagens, deixando cada vez mais a cargo de Sophie a condução dos seminários. Nesse meio-tempo, ela seguiu à frente, e eu atrás – também na evolução ulterior da constelação familiar. O caminho que ela tomou e os conhecimentos que busca enchem-me de admiração e alegria.

Ao assumir todas as minhas atividades profissionais, minha mulher também recebeu um pesado fardo, que exige muito de seu tempo, de sua energia e de sua inspiração. Sua disposição para se embrenhar em tudo isso é um sinal de seu amor por mim e de sua identificação com a constelação familiar. Quem teve a chance de encontrar uma parceira como essa tirou a sorte grande.

Mas será que estou autorizado a impor-lhe esse outro encargo de falar por mim mais tarde, quando eu já não estiver aqui, sendo que isso pode acontecer a qualquer momento? Responder em meu lugar a perguntas relacionadas à minha pessoa? Por assim dizer, resolver por mim o que já não tenho vontade de realizar? Não tenho o direito de

---

* No dia 19 de setembro de 2019, próximo de completar 94 anos, Bert Hellinger faleceu. A Editora Cultrix preferiu manter o texto do autor no presente, sem criar toda uma mudança nos tempos verbais de sua escrita, por ser sua autobiografia, seu testamento final, deixando assim a obra para o leitor com o sabor de uma longa conversa sobre as memórias do criador da Constelação Familiar.

fazer isso. E ainda que ela assumisse todas essas tarefas em meu nome, receberia crédito? Não a acusariam de parcialidade, expondo-a a mais dificuldades? Por essa razão, chegou a hora de eu mesmo explicar minha história e, assim, esclarecer alguns pontos.

Ao mesmo tempo, eu tinha consciência de que, para uma obra tão abrangente como minha autobiografia, precisaria de ajuda. Na minha idade, é muito difícil passar semanas sentado na frente do computador para transpor ao papel as próprias vivências. Então, um feliz acaso veio em meu auxílio, embora eu não acredite em acasos, mas concorde, antes, com os conceitos de sincronicidade ou coincidência, empregados por Carl Gustav Jung.

Depois de passarmos algum tempo tratando do tema da autobiografia, Sophie e eu recebemos certa noite um telefonema de Christina Niederkofler, amiga muito próxima e diretora da Hellingerschule* na Itália. Havia muitos anos Christina conhecia a jornalista e escritora Hanne-Lore Heilmann, que durante sua formação em constelação familiar participara de vários seminários na Itália. Nesse dia, Hanne-Lore Heilmann dirigira-se a ela com a ideia de escrever minha biografia e pedira-lhe para intermediar um encontro com minha mulher e comigo. Já no dia seguinte, Christina veio até nossa casa para conversar melhor sobre o assunto. Quatro dias depois, Hanne-Lore Heilmann chegou para passar duas semanas conosco. Sugerimos-lhe que colaborasse com a autobiografia que eu havia planejado, ideia com a qual ela concordou de imediato.

Poucos dias depois também recebemos por vários dias a visita de meu grande amigo Rüdiger Rogoll, neurologista, psiquiatra, psicoterapeuta e, no passado, um dos mais conhecidos especialistas em análise transacional da Europa. Quem, como eu, faz a retrospectiva de uma vida tão longa, percebe que muitas lembranças estão recolhidas

---

* Instituição educacional fundada por Sophie Hellinger. (N. T.)

e trancadas no quarto dos fundos da memória. A isso se acrescenta o fato de que minha visão e minha orientação sempre se voltaram para a frente. Para ter acesso às minhas lembranças, é necessária uma chave especial. E meu amigo Rüdiger Rogoll tinha essa chave. Conhecia-me desde os anos 1970 e partilhou muitos acontecimentos comigo. Desse modo, abriu muitos dos quartos da minha memória com a frase: "Você se lembra quando...". E, de repente, lá estava a lembrança de volta. Porém, foi sobretudo Sophie a me acompanhar nessa viagem ao passado.

Nos meses seguintes, Hanne-Lore Heilmann visitou-nos com frequência para me ajudar na compilação das etapas da minha vida, e Rüdiger Rogoll também sempre acabava aparecendo. Assim, em meio a esse quarteto, a história da minha vida foi se desenrolando pedaço por pedaço. Todos nós éramos unidos não apenas por um objetivo em comum, mas também por consideração, respeito e afeto mútuos. Impossível desejar um trabalho mais bonito.

Desse modo, espero que a harmonia que acompanhou o surgimento deste livro também exerça influência sobre o leitor e que, com minha autobiografia, ele possa encontrar o caminho para uma vida mais plena e feliz.

# Prefácio de Hanne-Lore Heilmann

—⁓—

Há cerca de quinze anos, meu bom amigo Holger Richter, diretor de programação de longa data da Rádio RTL, em Luxemburgo, contou-me de suas experiências com as constelações familiares de Bert Hellinger. O que ouvi me fascinou tanto que assisti a um seminário. Como qualquer pessoa, eu também tive um problema na vida, que esperava resolver com uma constelação familiar. O que presenciei nesse seminário me impressionou profundamente. Mais do que isso: não saiu da minha cabeça. Comecei a me ocupar de maneira mais intensiva do método de Hellinger e acabei me inscrevendo como aluna na Hellingerschule, a fim de aprender a ser uma consteladora.

Hoje posso dizer com total convicção: nada mudou tanto minha vida quanto as constatações de Bert Hellinger. Por isso, para mim, existe uma vida antes e outra depois de Hellinger. Muitas das minhas decisões foram influenciadas por suas ideias. E o que talvez seja ainda mais importante: graças às suas constatações sobre as ordens da vida, minha compreensão das outras pessoas aumentou. O que antes me irritava em alguém, hoje consigo ver sob outra luz. Desse modo, sou grata a Bert Hellinger não apenas por um conhecimento maior sobre a alma humana, mas também pelo aumento da minha paz interior.

Durante minha formação como consteladora familiar nos seminários em Brixen, no sul do Tirol, conheci Christina Niederkofler, diretora da Hellingschule na Itália. Desde essa época, tornamo-nos amigas muito próximas. Também foi ela quem me colocou em contato com Bert e Sophie Hellinger, permitindo que a ideia dessa autobiografia tomasse forma.

A possibilidade de colaborar com a biografia de Bert Hellinger me encheu de profunda gratidão. No entanto, eu gostaria sobretudo que minha colaboração fosse entendida como uma deferência à obra de Bert Hellinger.

Nos últimos dois anos, passei muito tempo na casa de Bert e Sophie Hellinger, em Berchtesgaden, na Alemanha, e pude reconhecer neles duas pessoas extraordinárias. Eu nunca tinha encontrado uma pessoa tão boa como Bert Hellinger. Também fiquei muito impressionada com sua esposa Sophie, que com infindável energia dedica sua vida à constelação familiar e nesse meio-tempo a conduziu a novas dimensões com suas próprias constatações.

Tive a oportunidade de vivenciar muitos momentos intensos e belos na casa dos Hellinger. Minha lembrança ficou marcada especialmente por uma noite de verão, quando estávamos sentados no terraço com vista para a Watzmann, também conhecida como Montanha do Destino, que já fez mais de cem vítimas. Bert Hellinger entoou a canção de ninar *A Lua Surgiu* (*Der Mond ist aufgegangen*), de Matthias Claudius. Sabia todas as estrofes de cor:

*A lua surgiu,*
*as estrelinhas douradas brilham*
*no céu luminoso e claro.*
*A floresta está escura e silenciosa,*
*e dos prados se eleva*

*a bela névoa branca.*
*Como está quieto o mundo,*
*envolvido no crepúsculo*
*tão acolhedor e gracioso,*
*como um quarto tranquilo,*
*onde as preocupações do dia*
*devem ser esquecidas no sono.*

*Vede a lua ali no alto?*
*Dela só se vê a metade,*
*no entanto, é redonda e bela.*
*Assim são muitas coisas,*
*das quais rimos, confiantes,*
*porque nossos olhos não as veem.*

*Nós, orgulhosos filhos dos homens,*
*somos vaidosos e pobres pecadores*
*e não sabemos muito.*
*Tecemos uma teia de ar,*
*buscamos mil artifícios*
*e passamos longe do objetivo.*

*Deus, faz com que Tua salvação olhe por nós,*
*não permitas que confiemos em coisas passageiras*
*nem nos alegremos com vaidades;*
*faz com que nos tornemos simples*
*e diante de Ti nesta terra*

*sejamos devotos e felizes como crianças.*
*Por fim, que nos leves deste mundo*
*sem aflições,*
*mediante uma morte branda;*
*e depois que nos levares,*
*que nos permitas chegar ao céu,*
*ó nosso Senhor, nosso Deus.*

Na última estrofe, Sophie Hellinger uniu-se a ele em voz baixa, e ambos cantaram juntos no crepúsculo:

*E assim, irmãos, repousai*
*em nome de Deus;*
*Frio é o ar da noite.*
*Poupa-nos, Deus, das nossas penas*
*e permite-nos dormir em paz.*
*A nós e a nossos vizinhos aflitos!*

Após um momento de silêncio, Bert Hellinger disse: "Foi um dia maravilhoso".

Era o que sempre dizia ao final de cada dia.

Certa vez, quando Sophie Hellinger foi me buscar no aeroporto de Salzburgo, disse-me no caminho para sua casa: "Agora este é seu segundo lar". Isso me emocionou muito.

Obrigada, Sophie.
Obrigada, Bert Hellinger.

Com minha autobiografia, iniciei uma viagem. Uma viagem ao passado, que me conduz ao presente. O homem encontra a criança, a velhice encontra a juventude, o fim próximo encontra o começo. Percorri minha vida, que se encerrará em um círculo ao qual ainda falta um último pedaço. Esse pedaço é o futuro, do qual me resta apenas um pouco. Olho para ele sem melancolia, pois muito tempo me foi dado. Um tempo rico, que pude moldar enquanto ele me marcava. Com todos os acontecimentos e todas as pessoas, com todos os conhecimentos e pensamentos. Assim, hoje olho esse tempo com muita gratidão e humildade. Ele foi bem-intencionado comigo.

# 1

## Infância e Juventude

Nasci em 16 de dezembro de 1925, em uma noite de lua nova, na pacata cidade de Leimen, perto de Heidelberg. Meus pais, Albert e Anna, deram-me o nome de Anton. Embora eu não entenda muito de astrologia, parece que ela estava certa em suas previsões – talvez fortuitas – em relação à data de meu nascimento: segundo dizem, quem nasce em noite de lua nova tende a marcar o mundo com seus ideais e sua personalidade. Afinal, dizem que o sagitariano não se submete, permanece sempre o que é, gosta de arrebatar os outros com seu entusiasmo, mas também de desafiá-los. Além disso, defende incondicionalmente aquilo que considera verdadeiro e correto.

Ao longo de minha vida, exprimi o que considero verdadeiro e correto. Muitas vezes sendo advertido das consequências, com as quais sempre estive disposto a arcar. Não me dispus a me curvar, apenas a obedecer. Quem se curva perde sua grandeza e sua dignidade. Assim, já na juventude, não me curvei ao cruel sistema dos nacional-socialistas e me tornei alvo por ser considerado um potencial inimigo público. No entanto, obedeci às leis da Igreja Católica, pois estavam em sintonia com minha consciência. Quando já não pude obedecer-lhes, renunciei ao sacerdócio contra todas as resistências. Do mesmo modo, nunca me preocupei com as opiniões alheias, pois estas são padrões estanques de pensamento, presos a preconceitos e cujo único objetivo é encontrar aprovação. Mais tarde, munidos de suas opiniões, alguns me atacaram, mas não me desviaram do meu caminho. Sempre estive aberto ao melhor argumento em contrário.

Ao lembrar minha infância, vejo que passei muito tempo dividido. Em função de minhas condições de vida em diferentes épocas, e até em idade avançada, como outras pessoas, várias vezes eu também me posicionei de uma nova maneira em relação a meus pais. Somente assim consegui compreender a dimensão do amor deles.

Na metade de minha vida, dediquei-me a meus pais com gratidão e humildade. Todo mundo acredita, por exemplo, que o relacionamento com a própria mãe é bom. Porém, ao examiná-lo com mais profundidade, reconhece que essa mera opinião não é suficiente. Não se trata apenas de pensar ou achar que o relacionamento com a própria mãe é bom, e sim de sentir isso intensamente em seu íntimo e com plena convicção. Quanto mais alguém enfrenta situações como essas, por exemplo, o que vivenciou com a própria mãe, tanto mais frequentes serão suas lembranças de mágoas antigas que ainda não cicatrizaram. Somente quando as esquecer e não se lembrar mais delas – mesmo que queira – é que se poderá falar de cura.

Tenho a firme convicção de que todo indivíduo pode observar processos como esses em si mesmo. Também tenho certeza de que, por meio de diferentes constelações, é possível entrar em ressonância com a própria mãe e, assim, permitir que aflorem situações reprimidas, das quais já não se tem consciência. De certo modo, um acontecimento antigo é acionado e resolvido em suas consequências. Trata-se de um processo que dura a vida inteira. Com efeito, cada passo tem seu próprio ponto de partida, sempre determinado pela relação modificada com a mãe, do mesmo modo como nunca se pode entrar na mesma água de um rio.

Passei os primeiros anos da minha vida até o início da escola em Leimen, cidade natal de meus pais, que na época contava com apenas quatro mil almas. Meu pai era engenheiro e trabalhava na fábrica de cimento local, atualmente conhecida como Heidelberg Cement AG. Meu avô materno já havia sido funcionário dessa mesma fábrica, porém como trabalhador braçal.

A família vivia em um bairro operário, antigamente chamado de "colônia operária". Tal como os conhecidos bairros da siderúrgica Krupp, em Essen, a partir de 1900 esse bairro foi erguido na propriedade particular de Friedrich Schott, patriarca da empresa. Ele próprio chamou esse projeto de construção de "habitações para bons e beneméritos trabalhadores". Além disso, toda família havia recebido da fábrica um pedaço de terra, no qual eram plantados frutas e legumes para a própria subsistência. Meu avô também tinha algumas galinhas e um porco. Por assim dizer, era uma transição da era rural para a industrial. Da manhã à noite, o trabalho na fábrica determinava o dia, estendendo-se posteriormente para o campo.

Quando nasci, meu avô já havia se aposentado. No entanto, como convivi por muito tempo com meus avós antes de ingressar na escola, cresci nesse ambiente e nessa vida de pessoas simples. Para nós, crianças – e éramos muitas –, isso era um idílio. Tínhamos à nossa disposição um prado e uma praça com árvores que davam sombra. E com muita naturalidade podíamos entrar e sair da casa de diferentes famílias, como se a elas pertencêssemos. Era quase uma grande família.

A vida dessas pessoas tinha algo especialmente acolhedor e sincero. Isso me marcou por toda a vida. Até hoje sinto Leimen como meu lar. Ainda hoje me lembro do zumbido monótono do teleférico e do leve estalo de suas 265 caçambas verdes, que balançavam lentamente ao passarem pelos postes, transportando o calcário altamente concentrado por cima dos telhados de Leimen, pelos 6 quilômetros que separavam as pedreiras da fábrica de cimento.

Sempre tive simpatia pelo que é simples e modesto. Mesmo nos tempos de prosperidade, as tentações do dinheiro nunca me atraíram. O apego pela minha terra e o trabalho persistente e disciplinado determinaram minha vida. O que me deixa feliz não é a gastronomia refinada, mas uma boa batata ou uma das refeições preparadas por minha esposa, especialista em ervas. Em vez de um sedã novo, é um automóvel de vinte anos que se encontra em nossa garagem. Ele ainda cumpre muito bem sua função. Por que comprar um novo?

Meu luxo é uma bela casa com vista para o imponente cenário da Watzmann. Muitos alpinistas perderam a vida nessa Montanha do Destino. Em nossa residência, há quartos de hóspedes para amigos e parentes, que costumam nos visitar e com os quais comemos na cozinha ou na varanda, sentados a mesas simples de madeira. Com frequência acompanham Sophie e eu no passeio diário da tarde ao longo de um riacho nas proximidades. Ele nos dá força e paz interior. O prazer de estar em meio à natureza e a comunhão harmônica e inspiradora com outras pessoas são imunes ao poder do dinheiro.

Quando eu tinha 5 anos, meus pais se mudaram para Colônia com meu irmão Robert, dois anos mais velho, e minha irmã Marianne, dois anos mais nova, deixando-me com meus avós até eu iniciar a escola. Nunca soube do real motivo disso. Suponho que, desse modo, meus pais quisessem amenizar um pouco a despedida para meus avós. Embora eu gostasse de viver com eles, a separação dos meus pais foi para mim um profundo corte. Senti-me abandonado e preterido, pois Robert pôde mudar-se para a casa nova. O fato de Marianne também ter podido ficar com meus pais não contou muito para mim. Afinal, ela era a caçula. Já meu irmão era visto por mim como um concorrente.

Por muito tempo, a obrigação de ficar com meus avós prejudicou sobretudo meu relacionamento com minha mãe. Mais tarde, muitas vezes observei esse efeito dentro das constelações familiares de clientes que viveram uma situação semelhante. A essa situação dei o nome de "movimento interrompido precocemente em direção à mãe".

O que esse movimento interrompido em direção à mãe significa para o indivíduo? A vida vem até nós passando primeiro pela mãe. Assim como aceitamos nossa mãe, aceitamos nossa vida. Seja o que for que tenhamos a criticar em nossa mãe, temos a criticar também em nossa vida. Quem se afasta da própria mãe, afasta-se da vida. Por isso, o primeiro êxito da vida se dá em nosso relacionamento com nossa mãe. Quem aceitou a própria mãe transmite alegria, é amado e logo atrai outras pessoas. A harmonia com a mãe é a chave para a felicidade.

No entanto, para muitos, ao ato de aceitar a própria mãe opõe-se uma experiência prévia. Até o quinto ano de vida, geralmente no período de três a quatro anos, são separados de sua mãe. É o caso, por exemplo, de uma criança que é entregue para outra pessoa por um período ou que ficou doente e a mãe não pôde visitar, ou ainda quando a mãe precisou se recuperar após ter adoecido. A separação é vivida pela criança como uma grande dor. "Onde ela está? Estou perdida?", pergunta-se interiormente. Esse é um trauma, pois o movimento necessário não é possível.

O desamparo de estar sem a mãe e o desespero de não poder ir até ela quando ela é tão necessária conduzem a criança a uma decisão interior. De repente, ela tem outra imagem interior da mãe, que está vinculada à dor e a uma crítica. Muitas vezes, a dor da separação também se transforma em raiva ou desespero. Nesse caso, a criança pensa: "Vou desistir dela". "Vou ficar sozinha". "Vou manter distância dela". "Vou me afastar dela". "Vou me retrair; ninguém está realmente disponível para mim; estou por conta própria".

Depois disso, a criança muda. Quando a mãe retorna, a criança a rejeita ao lembrar-se da dor e se retrai. Por exemplo, já não permite que a mãe a toque, fecha-se diante dela e de seu amor. Quando a mãe tenta aproximar-se e tomá-la nos braços, a criança a rejeita interior e muitas vezes também externamente. A mãe acha, então, que fez algo errado e acaba por também se retrair. Assim, ambas já não conseguem se entender bem.

Isso também exerce influência na vida posterior. Muitas vezes, até mesmo como adulto uma criança como essa tem medo de proximidade. Ao se aproximar de alguém, lembra-se da dor do passado e interrompe o movimento. No relacionamento de casal, por exemplo, em vez de procurar o outro, espera que o outro a procure. No entanto, a proximidade costuma ser pouco tolerada. Em vez de receber o outro com alegria, rejeita-o de diversas maneiras. Embora sofra com esse tipo de trauma, a pessoa reluta em se abrir e, quando o faz, geralmente é por pouco tempo. Muitas vezes, passa por situação semelhante até mesmo com seu próprio filho.

Não obstante todo o medo, quando a pessoa retorna à situação de separação e recupera o movimento interrompido interiormente ou em uma constelação familiar, ela consegue resolver esse tipo de trauma tanto no sentimento quanto na lembrança. Apesar da dor crescente, da decepção e da raiva do passado, com pequenos passos, caminha até a mãe e chega ao amor, até cair em seus braços, ser abraçada e segurada por ela e finalmente tornar a unir-se a ela.

Eu mesmo só consegui reconhecer plenamente as realizações de minha mãe na metade de minha vida, em uma terapia nos Estados Unidos. O terapeuta havia desenhado três quadrados no chão. Em seguida, tive de me colocar no centro de cada quadrado e, depois disso, dizer em qual deles me sentia melhor. Porém, para mim, os três eram iguais. O terapeuta me explicou que um quadrado representava a melhor mãe do mundo, outro, a pior mãe do mundo, e o terceiro, minha mãe. Não pude deixar de rir de mim mesmo nem desses supostos julgamento. De repente, senti como se tivesse renascido, com vigor e força. Percebi que minha crítica à minha mãe me impedia de ir até ela. Por ainda ter expectativas a seu respeito, na verdade, permaneci uma criança, ainda não tinha me tornado um verdadeiro adulto.

Além disso, por meio da meditação, voltei à época anterior ao meu trauma. Lembrei-me das experiências felizes com minha mãe, cheias de confiança, de ser segurado e alimentado por ela com um olhar repleto de amor. Lembrei-me desses aparentes pormenores, através dos quais me sentia protegido, alheio ao mundo. Com a nova imagem no coração, olhei para minha mãe após o trauma. Agarrei-me a essa imagem positiva e permiti que ela ganhasse um amplo espaço em minha alma, suplantando a outra, impregnada pela crítica. Desconsiderei minha decisão anterior e disse para minha já falecida mãe: "Vou voltar para você".

Somente nessa época compreendi que minha mãe sempre esteve ao meu lado. Sem reclamar, fez tudo: lavou, cozinhou, costurou e, durante o nazismo, chegou a defender como uma leoa seu filho contrário ao regime.

Mesmo reconhecendo a importância que minha mãe tivera para mim, eu ainda não estava em total harmonia com ela. Sobretudo ao chegar à idade avançada, muitas vezes sentia-me invadido pela tristeza e pelo abandono quando pensava que meu irmão devia ter sido o filho preferido dela. Em um sábado, poucas semanas antes do meu aniversário de 92 anos, fui novamente acometido por esse sentimento. Então, Sophie me disse: "Venha, vamos constelar isso". Ela e uma amiga que estava nos visitando entraram na constelação como representantes, e mais tarde fui inserido. A realidade veio à tona, e senti o grande amor que minha mãe sempre tivera por mim. Sim, esse amor sempre estivera presente, assim como meu amor por ela. Desde essa experiência, minha alma se encheu de uma paz profunda.

O que isso nos mostra? Que até mesmo com quase 100 anos ainda permanecemos crianças; que até mesmo para um quase centenário o relacionamento com a mãe é decisivo para o bem-estar da alma. A importância da mãe para nossa vida é incrivelmente grande.

Onde começa, então, nossa alegria com nosso próprio ser? Ela começa com a alegria que sentimos com nossos pais. Imagino que Deus olhe para nossos pais tal como os fez. Como demonstra sua alegria com eles? Com que faísca divina? Ele gosta muito deles.

Somente quando nós também gostarmos de nossos pais como eles são é que gostaremos de nós e dos outros. Aqui encontramos a grande alegria, uma alegria arrebatadora. Levados por ela, damo-nos as mãos e dançamos a dança da vida. Essa alegria é espiritual, abrangente e incondicional. É a pura alegria de viver e a pura felicidade.

Pouco antes de meu ingresso na escola, meus pais me levaram para Colônia. Obviamente foi uma grande mudança – saí de um idílio quase rural para uma cidade grande e pulsante. Porém, a criança logo se adapta às novas circunstâncias e, de certo modo, é absorvida por elas. Afinal, não restam alternativas. Quando está com os pais, a criança se move em terreno seguro. O novo não parece tão ameaçador, mas um enriquecimento estimulante, ao qual ela se dedica com curiosidade.

Quando cheguei a Colônia, a cidade havia passado por um crescimento impressionante com o prefeito Konrad Adenauer. Após a retirada das tropas de ocupação inglesas, ele cuidara para que o aeroporto Butzweilerhof fosse ampliado e transformado em um centro de tráfego no Ocidente. Já em 1928 havia conexões regulares para Berlim, Paris, Amsterdã, Genebra, Londres, Bruxelas, Copenhague, Hamburgo e Munique. Em 1929, iniciou-se a construção da rodovia

Colônia-Bonn, e em 1930 até mesmo Henry Ford visitou a cidade pessoalmente para lançar a pedra fundamental da nova fábrica da Ford Motor Company AG, até então estabelecida em Berlim. Fiquei fascinado sobretudo com o arranha-céu Hansahochhaus, cuja construção havia sido concluída em 1925 no bairro de Neustadt-Nord. Para a época, tinha inacreditáveis dezessete andares e, com seus 65 metros de altura, por pouco tempo foi o prédio mais alto da Europa. Eu também ficava feliz quando minha mãe me levava à loja de departamentos Tietz. Nela se era transportado de um andar a outro pela primeira escada rolante totalmente automática da Alemanha – para mim, mais uma experiência.

E, é claro, havia a catedral de Colônia. Esse imponente templo gótico, com sua fachada de duas torres e 7.100 metros quadrados, a maior do mundo, representava o poder papal de Roma e a importância da fé católica na região. Ao mesmo tempo que se erguia de maneira impressionante e impunha respeito no coração de Colônia, parecia-me familiar e próxima ao mesmo tempo. Pois já aos 15 anos eu tomara a decisão de me tornar padre.

Essa ideia simplesmente me veio. Por certo, no começo fui influenciado por meu avô. No período em que vivi em sua casa, ele ia à missa todo dia de manhã, às seis horas. Eu ficava muito impressionado com a profunda devoção e a paz interior que a celebração da Eucaristia provocava nele. Na época, acho que eu pensava em como deveria ser bonito se eu mesmo estivesse no altar, causando esse tipo de efeito nos fiéis. Como criança, obviamente não conseguia reconhecer a verdadeira abrangência da vocação ao sacerdócio.

No entanto, mais tarde, na puberdade, essa aspiração não foi substituída por nenhuma outra ideia. Minha decisão deve ser vista no nível de minha relação com Deus, por certo em como eu o concebia na época. Na casa de meus pais eu me encontrava em terreno religioso. Nesse sentido, minha decisão não foi isenta de influências. Meu pai e, de maneira muito especial, minha mãe, eram fortemente ligados à fé católica. Minha mãe também foi quem me fortaleceu em minha decisão. Antigamente, a vocação ao sacerdócio estava vinculada a uma grande reputação – não apenas para quem se sentisse convocado a dar esse passo, mas também para toda a família, que, assim, se sentia mais próxima de Deus. Ao mesmo tempo, o ingresso de uma criança no sacerdócio era visto como uma espécie de garantia em relação a Deus, para que toda a família fosse protegida. Contudo, Sophie acredita que, inconscientemente, optei pela vocação ao sacerdócio para agradar à minha mãe. Talvez ela tenha razão – como em muitas coisas.

Com a típica maleta de couro marrom nas costas, contendo lápis e uma lousa de ardósia com uma esponja amarrada por uma fita, fui para a escola primária. Ela ficava no bairro de Ehrenfeld, onde se encontrava a fábrica Ferd. Mülhens, que produzia a famosa água de colônia 4711 e o perfume "Tosca" para "mulheres acima de 50". Estudava-se com afinco a escrita Sütterlin, que nos anos 1920 havia substituído a escrita cursiva alemã. O lema do período imperial continuava inalterado: "Unir as mãos, fazer silêncio, não apoiar a cabeça, aguçar os ouvidos".

Os quatro anos de escola primária foram uma tortura para mim. Todos os dias meu professor me batia com uma vara de madeira. Quando eu não conseguia ficar quieto em meu assento por causa das dores, o ritual recomeçava. Eu tinha de me levantar, ir para a frente da sala, deitar-me no banco e receber o castigo. Por que o professor implicava tanto comigo sempre foi um enigma para mim. Porém, na época, os professores eram considerados autoridades tão importantes que ninguém pensava em reclamar. Isso valia para os pais e mais ainda para os alunos.

Em casa também predominava um regime rigoroso, pelo qual sobretudo meu pai era responsável. Esforçado, sempre muito dedicado ao trabalho e disciplinado, não deixava escapar nada. Regularmente batia em mim com uma mangueira de borracha, uma punição dolorosa, que com sua intransigência me oprimia muito.

O quanto sofri com os castigos físicos na infância mostrou-se há catorze anos no México. Lá visitei um terapeuta corporal que conseguia ativar dolorosos acontecimentos do período entre 6 a 10 anos de idade premendo determinadas partes do corpo. As energias liberadas por esse procedimento eram dissipadas, e as tensões, dissolvidas por meio de uma massagem final. As dores e as feridas interiores, relembradas graças a esse tratamento, foram tão fortes que chorei ininterruptamente por duas horas. Precisei de dois dias para me recuperar e me reconectar com minha mãe em meu íntimo. Jamais poderia pensar que minhas vivências da infância seriam capazes de ter tais efeitos.

Por outro lado, meu pai me apoiou e incentivou ao longo dos anos em tudo o que eu quis fazer. Sem minha mãe, levava-me à ópera, a concertos e museus, ia comigo nadar e passear de bicicleta. Também me encorajava e exortava a praticar violino com mais afinco. No fundo, esperava que eu me tornasse músico, como meu avô e ele. Reagiu com ceticismo ao meu desejo de me tornar padre, que correspondia mais à intenção da minha mãe e dos pais dela. Já meu pai, mesmo sendo praticante, não era tão apegado à Igreja.

Décadas mais tarde, quando eu já me dedicava à psicoterapia, encontrei-me com Stanley Keleman, fundador da Psicologia Formativa e diretor do Center for Energetic Studies na Universidade de Berkeley, na Califórnia. Em uma conversa, reclamei do rigor de meu pai e da difícil infância que, do meu ponto de vista, havia sido condicionada por isso. Stanley Keleman olhou para mim, riu e disse: "Mas você é forte". Então entendi a força que meu pai me havia transmitido e quão importante ele havia sido para mim por meio de seu rigor. A partir desse momento, senti-me profundamente ligado a ele.

Ficamos consternados quando uma notícia toca fundo em nosso coração. Temos a mesma sensação quando reconhecemos que estávamos em um caminho que nos afastou dos outros, em vez de nos conduzir a eles. Igualmente consternados, damos meia-volta e retornamos a eles.

É claro que nossos pais também têm imperfeições e fraquezas. Do nosso ponto de vista atual, fizeram algumas coisas erradas. No entanto, vamos imaginar que tivéssemos tido pais ideais em todos os sentidos e que tudo tivesse corrido às mil maravilhas. Quão aptos estaríamos para a vida? Justamente os erros, os desafios e aquilo que, algumas vezes, também nos custou muito sofrimento nos dão uma força especial quando os aceitamos.

É um exercício que podemos fazer. Consideramos tudo o que aconteceu em nossa família. Vemos o que queremos ignorar, excluir e o quanto empobreceremos se nos comportarmos dessa maneira.

Então, fazemos o caminho inverso. Consideramos tudo tal como é e dizemos: "Sim. Foi assim. Aceito tal como foi. Agora vou tirar proveito disso. Vou aprender com isso e ganhar força".

Nesse momento é possível imaginar como é vir de uma família ideal. Conseguimos ter empatia pelos outros? Sentir compaixão? Ou estamos muito isolados da vida ativa? Se agora olharmos para nós mesmos e para outros que passaram por momentos difíceis, de que maneira eles poderiam sentir empatia por outras pessoas e quanta força ainda teriam para estar ao lado delas e amá-las?

30 de janeiro de 1933. Data em que Paul von Hindenburg, presidente do *Reich*, nomeou Hitler chanceler. Fazia um dia frio e úmido em Colônia, com montículos de neve nas calçadas. Ao meio-dia, a notícia foi anunciada pelo rádio. Venderam-se jornais extras, e multidões se aglomeraram na praça Neumarkt. À noite, meu pai entrou em casa e disse à minha mãe: "Hitler é chanceler do *Reich*". Meus pais ficaram muito tristes. Imaginavam que, a partir daquele momento, o caminho

estaria livre para a ditadura do nacional-socialismo. Na época, fiquei surpreso com a reação deles e perguntei por que todos estavam tão eufóricos, menos eles. Meu pai respondeu: "Todos que agora estão eufóricos mais tarde vão reconhecer o quanto nos custará o que nos espera. Estou com medo, muito medo".

Apesar do mau desempenho do NSDAP* nas eleições do *Reichstag*, em 6 de novembro de 1932, perderam-se as esperanças de que o fantasma pardo** logo iria embora. Na mesma noite, partidários embriagados da SA*** passaram gritando pelas ruas de Colônia e obrigando os pedestres a saudar Hitler. No dia seguinte, houve uma marcha dos camisas pardas de Deutz a Rudolfplatz com uma "consagração alemã" nos pavilhões de exposições. O evento foi observado com indiferença pelos habitantes da cidade e tratado com observações irreverentes. Porém, pouco depois, muitos ficariam entusiasmados com os nacional-socialistas. Nas semanas seguintes, centenas de comunistas e sociais-democratas de Colônia foram deportados, torturados e mortos pela SA. Tudo isso com a tolerância e até mesmo com a participação da polícia. Além disso, já em 1º de abril o chefe do departamento pessoal da cidade encarregou a administração de dar informações sobre todos os judeus, uma instrução que chegou a extrapolar as leis raciais de Nuremberg, aprovadas em 1935.

Graças à sua profunda fé, meus pais ficaram imunes às tentações do nacional-socialismo. Embora tenha sofrido muita pressão, durante todo o período nazista, meu pai se recusou a entrar para o partido. Era preciso ter muita coragem para isso.

Lembro-me de um domingo, poucas semanas após a tomada do poder. Meus pais queriam fazer conosco uma excursão a Bergisches

---

\* *Nazionalsozialistische Deutsche Arbeiterpartei*: Partido Nacional-Socialista dos Trabalhadores Alemães. (N. T.)

\*\* Em alemão, *der braune Spuk*, modo como era apelidado o nacional-socialismo. (N. T.)

\*\*\* *Sturmabteilung*: organização paramilitar ligada ao Partido Nacional-Socialista dos Trabalhadores Alemães. (N. T.)

Land. Após a missa matinal, ficamos esperando o bonde. Então, um homem da SA se aproximou e fez uma observação a meu pai. Não sei o que meu pai respondeu, mas deve ter desencadeado a fúria do homem da SA, que gritou com ele e quis prendê-lo. Tinha autoridade para tanto. Com efeito, pouco antes Hermann Göring, comissário do *Reich* para o Ministério do Interior da Prússia e, por conseguinte, diretor da polícia prussiana, nomeara a SA como "polícia auxiliar" do Estado.

Por sorte, o bonde chegou nesse momento delicado, e rapidamente embarcamos. O condutor logo fechou a porta e partimos. No entanto, o homem da SA nos perseguiu de bicicleta, aos berros. O condutor passou direto pelas estações seguintes, até o homem da SA ficar para trás. Os passageiros aplaudiram. Esse comportamento da população não duraria muito tempo.

1936 foi um ano de virada para mim. Conduziu-me por um caminho que determinaria metade da minha vida. Eu ainda não fazia nenhuma ideia disso. Os quatro anos de escola primária haviam terminado, e me transferi para o Aloysianum, seminário e internato dos missionários de Mariannhill, fundado em 1910, em Lohr am Main. Por uma conhecida, minha mãe havia ouvido falar da criação da ordem masculina romano-católica, atuante sobretudo em missões na África. Ao visitar o internato, viu que seria uma boa preparação para minha ambicionada vocação ao sacerdócio. Embora hesitante no começo, meu pai acabou aceitando a decisão de minha mãe e declarou-se pronto a arcar com os custos.

Para minha estadia no internato, minha mãe havia arrumado uma mala gigantesca, que ao ser carregada se arrastava pelo chão. Na estação de Colônia, ela me sentou no trem e simplesmente se despediu. Fiz sozinho a viagem para minha nova vida. Durante o trajeto, sentimentos conflitantes se alternaram em mim. Por um lado, medo, temor e desespero; por outro, uma agitação alegre e expectativa, algo no sentido de "finalmente!". Por sorte, no trem havia outras crianças que me distraíram de meus pensamentos e proporcionaram uma viagem divertida.

Enquanto o Aloysianum se tornou, por assim dizer, minha nova casa, frequentei a instituição Franz-Ludwig-von-Erthal, escola de ensino médio da região, onde se aprendia latim e que recebera esse nome do príncipe-bispo de Würzburg e Bamberg, nascido em Lohr am Main em 1730. Apesar das dificuldades econômicas dos anos 1930, até 1933 moraram cerca de 150 alunos no Aloysianum. Após a tomada do poder por Hitler, esse número regrediu devido à discriminação em relação às instituições monásticas de ensino.

Ainda hoje me lembro da construção de três andares, influenciada pelo barroco, com três edifícios transversais. Os corredores inundados de luz, as vidraças Jugenstil, as escadas com balaustradas em ferro fundido e corrimões de madeira, a igreja da instituição com cúpula em forma de cebola. No Aloysianum eu me sentia em casa. Foi um belo período para mim. Em nenhum momento senti saudade da família, pois nesse novo mundo eu tinha muito mais possibilidades e liberdades do que na casa dos meus pais. E, o mais importante: finalmente não apanhava mais!

Os padres eram bons, gostavam de nós e nos incentivavam. Nunca ficávamos entediados, sempre estávamos ocupados. Esporte, caminhadas, aulas de música, apresentações teatrais, acesso a uma grande biblioteca – tudo isso nos era oferecido. Ali aprendi a tocar violino, fui membro da orquestra da casa e cantava no coro. A estadia no internato havia sido um grande presente dos meus pais.

Percebi o quanto o Aloysianum significou para mim em um dia de verão no meu primeiro ano de internato. Fui com alguns amigos nadar no rio Meno. Na margem, encontramos uma grande prancha, com a qual descemos o rio como se estivéssemos em uma jangada. No entanto, os padres nos haviam proibido expressamente de fazer isso. De repente, vi meu professor preferido em pé, na margem. Ele também nos havia descoberto. Embora tivéssemos encerrado nosso passeio de jangada no mesmo instante, ele mandou nos chamar e pediu explicações. Explicou que nosso comportamento poderia ter lhe causado muitos problemas caso nos tivesse acontecido alguma coisa, pois o internato era responsável por nosso bem-estar e nossa segurança. Pelos cinco dias seguintes, iria refletir se informaria nossos pais sobre o incidente. Isso significaria uma repreensão por parte do internato.

Os dias que se seguiram foram um inferno para mim. Eu corria o risco de perder tudo o que tinha começado tão bem e me feito tão feliz. Após cinco dias, fomos novamente convocados pelo professor, que proferiu as palavras redentoras: nossos pais não seriam notificados – desde que prometêssemos nunca mais incorrer em tal aventura. Foi o dia mais feliz da minha vida, que na época tinha acabado de começar. No entanto, a reação do professor me mostrou outra coisa, que me encheu de profunda alegria: senti que o professor me amava, e eu o amava também.

Como na casa de meus pais, no internato eu também circulava em um campo seguro, protegido da ideologia do nacional-socialismo. Isso distinguia a nós, que lá vivíamos, dos outros jovens. Nenhum de nós foi para o *Jungvolk* ou para a *Hitlerjugend*.* Portanto, não tínhamos contato com o sistema.

Entretanto, em 1938 o Aloysianum pôde sentir a brutalidade do Estado nacional-socialista. Um dia depois que as tropas alemãs invadiram a Áustria, em 13 de março de 1938, Hitler mandou elaborar a "Lei da Reunificação da Áustria com o Império Alemão". Para o dia 10 de abril foi instaurado um plebiscito, que deveria ser realizado

---

* *Deutsches Jungvolk*: organização integrada à Juventude Hitlerista (*Hitlerjugend*) e destinada a jovens entre 10 e 14 anos. (N. T.)

tanto na antiga Áustria quanto no chamado "Antigo Império", ou seja, na Alemanha. Um apelo à população dizia: "Nenhum voto poderá ser invalidado por descuido. Por isso, informe-se cuidadosamente antes de votar. Faça um 'X' no círculo grande embaixo do 'sim'".

No entanto, alguns padres do internato, bem como algumas irmãs que trabalhavam na cozinha, não obedeceram e votaram "não". A opção deles foi notada. Na mesma noite, após uma passeata em que carregavam tochas, vários homens da SA se reuniram na frente do Aloysianum e picharam o muro com as seguintes inscrições, em letras garrafais: "Aqui moram traidores" e "Nós votamos 'não'". Em seguida, quebraram cerca de duzentas janelas. Em meu dormitório também voaram pedras. No dia seguinte, o diretor e o administrador do internato foram detidos preventivamente. Esse procedimento não se submetia a nenhum controle jurídico e era aplicado sobretudo contra opositores do regime. Na maioria das vezes, por eles esperava posteriormente um longo período de sofrimento, com frequência até o assassinato nos campos de concentração.

Para nós, alunos, as férias iniciaram nesse dia. Por duas semanas, fomos para casa.

Também nos anos seguintes fui testemunha no Aloysianum da insanidade do regime nacional-socialista. Começou com o famoso dia 1º de setembro de 1939, quando Hitler anunciou no *Reichstag*: "Revidaremos a partir das 5h45". Com a invasão da Polônia, estava deflagrada a Segunda Guerra Mundial, que custou a vida de quase 60 milhões de pessoas. Após uma política de "esperar para ver o que acontece", dois dias depois, Grã-Bretanha e França declararam guerra ao Império Alemão. Porém, já em 1938, a liderança do Partido havia iniciado clandestinamente os planos para a evacuação da população em áreas de fronteira, o que teria consequências graves para o Aloysianum.

Dois dias após o início da guerra, foram tomadas as primeiras providências para as medidas de evacuação. Pouco depois, as administrações regionais foram informadas de que, a qualquer momento, eram esperados refugiados vindos sobretudo da chamada "zona vermelha". Tratava-se de um cinturão fronteiriço de 20 quilômetros de largura, que se iniciava na margem esquerda do Reno, na região de colinas conhecida como Eifel, seguia pelo rio até abaixo de Karlsruhe e dali, na faixa de terra da margem direita, chegava até a fronteira com a Suíça. Em 3 de setembro, os habitantes, chamados de "repatriados", receberam a ordem militar de "liberar as áreas residenciais". Por um lado, desse modo seriam protegidos do iminente perigo de guerra; por outro, garantiriam a mobilidade da *Wehrmacht* (Forças Armadas). Só eram permitidos 30 quilos de bagagem por pessoa. As casas abandonadas não deveriam ser trancadas, e todo o gado deveria ser deixado no local.

Os repatriados foram levados para o interior do Império Alemão. O mesmo aconteceu conosco, no Aloysianum. Toda a parte inferior do edifício foi confiscada para se tornar alojamento para um grande grupo de pessoas. Somente pouco menos de um ano depois, após o término da Batalha da França e a assinatura do Segundo Armistício de Compiègne, é que os deportados puderam retornar à sua pátria.

Contudo, mesmo em seguida o Aloysianum continuou sendo utilizado pelos nacional-socialistas para suas finalidades insanas. Assim, em 1940, foi transformado em um campo de repatriados alemães do Leste. Já no início da Segunda Guerra Mundial, Hitler havia deixado claro que estava planejando uma reorganização completa da Europa. Em seu discurso de 6 de outubro, diante do *Reichstag*, anunciou uma "consolidação étnica de terras" no Leste e no Sudeste. Com o lema "De volta ao Império", os nazistas planejaram a construção de um grande império alemão. Por isso, colonos alemães e emigrantes de origem alemã, estabelecidos na Europa Oriental, deveriam ser reconduzidos às fronteiras do *Reich*. Entre eles, cerca de meio milhão de pessoas dos Países Bálticos, da Bessarábia, da Volínia, de Bucovina, de Dobruja, da Croácia, da Sérvia e até mesmo do sul do Tirol foram afetadas.

A pré-condição para essa migração em massa foi o Pacto Molotov-Ribbentrop (*Hitler-Stalin-Pakt*), de 1939, que estipulava quais regiões da Europa Oriental caberiam à União Soviética. Como indenização, os repatriados receberiam terras desapropriadas na Polônia ocupada pela Alemanha, no Protetorado da Boêmia e Morávia e na Baixa Estíria. Por isso, antes do ataque à União Soviética, poloneses e judeus das áreas reservadas aos "Volksdeutschen"* foram expulsos ou confinados em guetos.

Essa política de colonização estava estreitamente ligada ao holocausto. Assim, por exemplo, Adolf Eichmann atribuiu a uma série de deportações de judeus a seguinte abreviatura: "Ass.: Liberação para alemães da Lituânia". Como diretor do Departamento IV D 4 "Emigração e desocupação" (a partir de 1941, Departamento IV B 4 "Questões judaicas e de desocupação"), do Departamento Central de Segurança do *Reich* desde dezembro de 1939, Eichmann foi um dos principais responsáveis pelo assassinato de cerca de 6 milhões de pessoas. Por fim, Heinrich Himmler, que a partir de 1943 se tornou Ministro do Interior do *Reich* e um dos principais responsáveis pelo holocausto, já em outubro de 1939 havia sido nomeado "Comissário do *Reich* para o Fortalecimento da Nação Alemã", sendo, portanto, encarregado do programa "De volta ao Império".

Dez mil repatriados também foram levados para as regiões do *Reich*, mas grande parte deles, ao contrário das pretensiosas promessas, passou a viver em acampamentos. Para acomodá-los, as autoridades confiscavam, de preferência, construções da Igreja Católica. Assim,

---

\* "Alemães étnicos", ou seja, pessoas de origem alemã, mas que viviam fora do Império Alemão. (N.T.)

cerca de quatrocentas pessoas das mais diferentes origens, culturas e visões de mundo também encontraram no Aloysianum uma morada.

Na época, éramos apenas 55 alunos. Apenas um andar de dormitórios ainda podia ser utilizado por nós. Por fim, em 1941, os nazistas ordenaram o fechamento do internato. Para mim, era chegada a hora de voltar para a casa dos meus pais.

Nesse meio-tempo, minha família havia se mudado para Kassel, onde meu pai trabalhava em uma fábrica de armamentos. Passei a frequentar o tradicional Friedrichsgymnasium, a mais antiga escola de ensino médio da cidade, fundada em 1779, onde os irmãos Grimm também ingressaram em 1798. A partir de 1874, seu aluno mais importante fora o príncipe Guilherme da Prússia, futuro Imperador Guilherme II, que ali concluiu seus estudos, em 1877. Tal como a instituição Franz-Ludwig-von-Erthal, em Lohr am Main, no Friedrichsgymnasium também se dava especial valor ao latim. Isso era importante sobretudo em relação ao meu desejo de me tornar sacerdote. Até hoje, o latim é a língua oficial do Vaticano, embora perca cada vez mais espaço para o italiano. E foi somente no Concílio Vaticano II, de 1962 a 1965, que se decidiu abolir o latim como língua oficial no serviço religioso.

Em meu novo lar, encontrei-me novamente em ambiente de opositores do regime. Ao nosso lado vivia a família de Franz-Josef Wuermeling, com cujo filho travei uma estreita amizade. Desde 1931, o senhor Wuermeling, católico fervoroso, era membro do Conselho Regional e chefe do Departamento de Finanças da administração provincial de Kassel. Estava entre os poucos funcionários de sua época que, após a tomada do poder por Hitler, se recusaram terminantemente a se filiar ao NSDAP. Por falta de confiabilidade política, em 1939 foi aposentado compulsoriamente. Mais tarde se tornaria o primeiro chefe da chancelaria do governo Adenauer, após a fundação da República Federal da Alemanha, e de 1953 a 1962, assumiria o Ministério da Família. Na Alemanha do pós-guerra, Wuermeling era bem conhecido, sobretudo das famílias numerosas, pois foi ele quem introduziu as passagens de trem com desconto, que no jargão burocrático eram chamadas de "atestado para redução de preço da passagem para famílias com muitos filhos" e, na linguagem popular, simplesmente de "Wuermeling".

A casa dos Wuermeling era frequentada por muitos jesuítas. O modo de falar e conversar, a mente aberta e a excelência intelectual, a formação profundamente teológica e filosófica, mas também a disciplina deles me impressionaram sobremaneira. À diferença de outras ordens, renunciavam aos trajes religiosos e não viviam reclusos em mosteiros. Não eram obedientes no sentido tradicional, pois cada um deles era autônomo. Com grande respeito, vi-me diante da liberdade intelectual deles. Não sem razão, até hoje os jesuítas são considerados os expoentes intelectuais da Igreja Católica. Na época, seu carisma me fez bem, pois eles eram o contrário dos nacional-socialistas. Durante o período do nazismo, eram vistos como "inimigos públicos". Muitos foram proibidos de fazer sermões, mandados para campos de concentração e assassinados.

Minha admiração pelos jesuítas foi tão grande que pensei em me tornar um deles. No entanto, algo me impedia: muitos jesuítas tinham de se tornar professores, e isso eu não conseguia imaginar para mim. Para lecionar durante décadas, eu não precisaria entrar para uma ordem nem me tornar sacerdote. Assim pensava eu na época. Então, preferi unir-me aos missionários de Mariannhill. Contudo, muitas vezes a vida nos reserva justamente o que não desejamos nem poderíamos imaginar. Nunca eu poderia acreditar que um dia me tornaria professor na África do Sul.

Na época, também ingressei em um pequeno grupo católico de jovens, que havia sido proibido e que, aparentemente, era observado pela Gestapo. Os encontros regulares eram clandestinos. Porém, sempre apareciam membros da Juventude Hitlerista em minha casa para me levar para prestar serviço. Minha mãe sempre dizia que eu não estava. Entretanto, a certa altura, minha ausência se transformou em uma ameaça iminente para minha família. A pedido dos meus pais, a cada quatorze dias passei a tocar violino em uma orquestra da Juventude Hitlerista.

Em 1943, um ano antes de concluir a escola, terminei o sétimo ano do ensino médio. Já em 1936 esse período havia sido reduzido para oito anos. Por trás dessa redução estava o fato de que, desse modo, a *Wehrmacht* podia ser equipada o mais rápido possível com aspirantes que estivessem disponíveis mais cedo. Como meus colegas, também fui convocado para o *Arbeitsdienst.*[*] No mesmo ano, o Friedrichsgymnasium foi destruído por um bombardeio. O fim do meu período escolar também foi o fim da minha juventude. Pela frente eu tinha anos de horror, medo da morte, fome e luto.

---

[*] *Reichsarbeitsdienst* (Serviço de Trabalho do *Reich*) ou simplesmente *Arbeitsdienst* (Serviço de Trabalho). Organização criada em 1935, que convocava os jovens para a prestação de serviços obrigatórios por seis meses. (N. T.)

# 2

## *ARBEITSDIENST* E VIDA DE SOLDADO

Concluído o sétimo ano, todos nós fomos convocados para o *Reichsarbeitsdienst* (RAD). Meus colegas e eu ficamos responsáveis pela unidade regional XXII, que incluía o norte do Estado de Hessen e a cidade de Kassel. Sua insígnia era um ramo de carvalho, que deveria simbolizar a riqueza florestal de Hessen.

O *Arbeitsdienst* não era uma ideia dos dirigentes nacional-socialistas. Eles a tinham, por assim dizer, "roubado" da Bulgária. Parceiro da Alemanha, esse país teve de reduzir seu exército e enfrentar uma grave crise econômica após perder a Primeira Guerra Mundial. Assim, já em 1920 introduziu um serviço obrigatório, que anualmente empregava cerca de 30 por cento da população sem remuneração em obras de utilidade pública, sobretudo na pavimentação de ruas. Desse modo, podia-se contar com os desempregados disponíveis nas ruas, realizar projetos necessários a baixo custo e educar os jovens para se tornarem cidadãos leais. Políticos e economistas alemães conservadores, mas também a centro-esquerda, acompanharam com interesse o programa búlgaro e declararam-se a favor de introduzir o mesmo sistema no país.

No entanto, somente em 26 de junho de 1935 foi promulgada a lei para o *Reichsarbeitsdienst*, que habilitava a organização como um importante instrumento para a economia e em parte também para a educação no sentido do nacional-socialismo. A princípio, para o *Arbeitsdienst* eram convocados exclusivamente homens entre 18 e 25 anos por seis meses; com o início da Segunda Guerra Mundial a obrigação também se estendeu às mulheres jovens. Embora a lei se referisse a todos os jovens, segundo o § 7 estava excluído "quem não fosse de origem ariana ou fosse casado com uma pessoa de origem não ariana". Contudo, se houvesse "não arianos dignos do serviço militar", a eles era expressamente proibido assumir a posição de dirigente.

Embora a lei de 1935 declarasse de maneira explícita que o *Reichsarbeitsdienst* era um "serviço de honra ao povo alemão" e que "educaria a juventude alemã no espírito do nacional-socialismo para a comunidade nacional, para o verdadeiro profissionalismo e, sobretudo, para o devido respeito ao trabalho manual", inicialmente o *Arbeitsdienst* se limitou às obras de utilidade pública. A partir de 1938, também se transformou em serviço de assistência militar, como a construção da Linha Siegfried (Westwall)e, após o início do conflito, foi utilizado na elaboração de uma formação militar. Na última etapa da guerra, com os membros chegou-se até mesmo a formar pequenas unidades do exército, as chamadas "Divisões do *Reichsarbeitsdienst*".

Nos Julgamentos de Nuremberg, o RAD mal foi mencionado, tampouco foi apresentado como "organização criminosa". No âmbito do processo de desnazificação, apenas seu diretor, Konstantin Hierl (1875-1955), líder dos trabalhadores do *Reich* e mais tarde ministro do *Reich* sem pasta, foi condenado em 1948 como "principal culpado" a cinco anos de trabalhos forçados.

O *Arbeitsdienst* era subdividido em unidades regionais, grupos e seções, uma estruturação que se assemelhava à hierarquia militar. Obviamente, também não podiam faltar os uniformes, cuja confecção era semelhante à do exército, porém na cor marrom, e não cinza. Na manga esquerda era exibida a suástica e a insígnia da RAD, uma pá emoldurada por duas espigas de cevada. O conjunto deveria simbolizar os soldados, os trabalhadores rurais e os operários, o que na terminologia do nacional-socialismo também podia ser traduzido por disciplina, rendimento obtido com "sangue e solo",* bem como senso de dever. Como trabalho de cooperação, o *Arbeitsdienst* correspondia ao objetivo educacional do típico nacional-socialista. Vale notar sobretudo a peça do uniforme que cobria a cabeça, uma peculiar mistura de chapéu e gorro, vulgarmente chamada de "bunda com alça".

Como no exército, não se podia deixar a própria área de serviço sem autorização. Contudo, certo dia saí às escondidas. Era muito grande a saudade dos meus pais, que eu queria visitar pelo menos por algumas horas. Tive sorte: ninguém notou minha ausência, mas se ela tivesse chamado a atenção de algum colega, ninguém me denunciaria.

Não obstante, eu me movia em ambiente perigoso. Já ao final do meu primeiro dia no *Arbeitsdienst*, um diretor dirigiu-se diretamente a mim e me envolveu em uma conversa. Com habilidade, começou a falar de Hegel e Nietzsche. Aos 17 anos, eu não sabia muita coisa, mas já tinha ouvido falar desses dois filósofos. Ainda me lembro muito bem das palavras do diretor. "Hegel previu o Estado atual", declarou. E eu respondi: "Hegel odiava o Estado". Em seguida, ele literalmente disparou: "*O senhor* é quem odeia o Estado". Nesse momento ficou claro para mim que não se tratava de uma conversa normal, e sim de um interrogatório. Como descobri mais tarde, o homem era da Gestapo.

---

\* Em alemão, *Blut und Boden*, ideologia do nacional-socialismo que se baseava na consanguinidade e na proveniência geográfica como elementos fundamentais para a identidade da raça ariana. (N. T.)

Eu viria a sentir as consequências dessa conversa um ano mais tarde. Nesse meio-tempo, fui convocado para a *Wehrmacht*. Como todos os alunos do ensino médio em serviço militar, também ganhei de presente, por assim dizer, o último ano letivo. Normalmente, seria o momento de receber meu certificado de conclusão de curso. Para tanto, exigiram um atestado de boa conduta relativo ao *Arbeitsdienst*. Acontece que o meu dizia: "Potencial inimigo público". Isso significava que, se a Alemanha vencesse a guerra, eu seria fuzilado. Naquele momento, ainda podiam me usar como bucha de canhão. Porém, não queriam me dar meu certificado de conclusão do ensino médio.

Devo a minha mãe o fato de ter recebido meu diploma. Ela lutou como uma leoa por mim. Sem pestanejar, foi tirar satisfação com o reitor da instituição e disse: "Agora meu filho está na *Wehrmacht*. Está arriscando sua vida. E vocês não querem dar o diploma a ele?" O reitor ficou extremamente desconfortável com a situação, chegou a envergonhar-se e acabou entregando o certificado à minha mãe.


Como soldado de infantaria, fui posicionado na linha de frente ocidental na França, ou seja, na missão de combate. Entre nossos equipamentos havia, entre outras coisas, capacetes de aço, botas com sola de couro e cravos de ferro, máscara de gás M 30, mochila e, dependendo do caso, fuzil ou submetralhadora.

Foi uma longa época de mortes, não apenas na linha de frente, mas também no país. Muitos colegas morreram ao meu lado ou foram gravemente feridos. Na época, uma companhia era composta por apenas sessenta a setenta soldados. Após oito dias de operação, talvez ainda restassem vinte. Os outros tinham morrido, sido feridos ou capturados. Então, simplesmente se formava uma nova companhia, que era enviada à batalha e, após oito dias, mais uma vez restavam apenas vinte. E assim por diante. São experiências que marcam profundamente. Em tempos de guerra, fazem parte da vida normal. Não há espaço para o luto.

Toda companhia era uma comunidade. Dependíamos uns dos outros, precisávamos uns dos outros e cuidávamos uns dos outros. Nosso apoio era mútuo. Vivíamos em grande camaradagem, e não havia diferenças de classe. Todos eram iguais. Para mim, isso era novidade. Antes da guerra, os estudantes do ensino médio ficavam entre si. Naquele momento, no campo de batalha, todos os níveis de escolaridade estavam unidos. Em um ambiente em que se tratava de vida e de morte, o diploma de segundo grau já não tinha importância. Fiquei muito impressionado ao perceber as diferenças entre cada pessoa, quantas experiências distintas cada uma delas trazia da vida antes da guerra. No entanto, ali estávamos unidos e próximos uns dos outros.

No entanto, uma coisa nos tornava iguais: nenhum de nós havia tido juventude, que nos fora roubada por Hitler e seus promotores bélicos. Não havia espaço para a descoberta de si mesmo, tão valorizada a partir da geração que veio depois da minha. Às vezes penso que essa geração estava inexplicavelmente ligada a nós, os sem juventude. Como se tivesse recuperado, com entusiasmo e intensidade, aquilo que nos fora negado. Revolução estudantil e Kommune 1,* Beatles e Rolling Stones, movimento *hippie* e *Flower Power* – quase no mundo inteiro, tudo isso passou como um furacão pela sociedade determinada por regras, normas e proibições. Meu Deus, como estava distante da minha geração o *slogan* "imagine só: é guerra e ninguém vai participar"!** Afinal, fomos entregues à matança e, muitos de nós, à morte. Metade dos meus colegas de classe morreu na Segunda Guerra Mundial – algo que, na época, não era nada especial. Eu mesmo ti-

---

\* Comunidade com motivação política, fundada em 1967 em Berlim Ocidental. [N. T.)
\*\* Em alemão, *Stell dir vor, es ist Krieg, und keiner geht hin*. Lema que se difundiu na Alemanha nos anos 1970, a partir do *slogan* pacifista *Suppose They Gave a War and No One Came?*, popularizado durante a Guerra do Vietnã por Charlotte E. Keyes, em seu artigo publicado na revista *McCall's*, em 1966. (N. T.)

nha a sensação de estar envolvido em uma situação da qual não podia escapar. Acima de mim reinava um poder ao mesmo tempo sinistro e secreto, que me expunha constantemente ao risco de vida. Ainda hoje me admiro por ter conseguido sair ileso de tudo aquilo. Muitas vezes escapei da morte por pouco, por exemplo, quando tivemos de atravessar um campo minado, pois não havia outro meio de nos salvarmos.

A morte simplesmente estava sempre ao nosso lado. A qualquer momento, podíamos ser atingidos por um tiro e nunca sabíamos se sobreviveríamos a uma batalha. Se tudo corresse bem, podíamos respirar aliviados. Tudo se concentrava no momento. No entanto, essa onipresença constante da morte também nos tirava o medo dela.

Até hoje, a proximidade com a morte é algo familiar para mim. Graças a ela, não concebo a morte como algo assustador e aceito meu próprio fim. Ao mesmo tempo, essa proximidade com a morte deu uma forma mais intensa à minha vida – uma experiência partilhada pela maioria dos sobreviventes de guerra. Essas pessoas têm em comum uma força especial, uma aceitação que permite configurar o próprio ser. Onde mais as mulheres que trabalhavam nos escombros encontrariam forças para reduzir o entulho e retirar a argamassa dos tijolos após o horror dos bombardeios noturnos? Onde os soldados que regressavam da guerra encontrariam forças para construir uma nova existência a partir do nada, depois de anos de encarceramento debilitante?

As pessoas também adquirem forças por meio de seu destino, das tarefas que são obrigadas a dominar e da superação do sofrimento. Além disso, parece que são sobretudo as pessoas com quem estiveram ligadas que lhes dão peso, força e amplitude, como em um círculo invisível ao seu redor. Sobreviventes do holocausto, por exemplo, parecem rodeados pelos mortos aos quais seu destino estava interligado, como se no presente constituíssem uma força silenciosa com eles. É como se os sobreviventes, ainda em vida, também pertencessem aos mortos, como se estes fossem lembrados neles e como se também nos fizessem recordar a outra realidade, mais poderosa e sombria. Vemos algo semelhante nos soldados sobreviventes de guerra. Eles também estiveram ligados a muitos mortos e cercados por eles, tantos os amigos quanto os inimigos.

No que se refere a mim: de onde, senão dessa experiência de proximidade com a morte, tirei força para tomar decisões reprovadas por outras pessoas, mas que foram decisivas para meu ulterior modo de viver?

Escrevi muitas histórias. Uma delas trata dessa proximidade com a morte.

## O convidado

Em um lugar muito distante, onde em outros tempos foi o Velho Oeste, um homem caminhava com uma mochila nas costas pelo território extenso e deserto. Após horas de marcha – o sol já estava a pino, e sua sede aumentava –, viu no horizonte uma fazenda. "Graças a Deus", pensou, "finalmente alguém em meio a essa solidão. Vou até lá pedir alguma coisa para beber; quem sabe nos sentamos na varanda e conversamos antes de eu seguir viagem." E começou a imaginar como seria bom.

Porém, ao se aproximar, viu que o fazendeiro estava trabalhando no jardim diante da casa e foi tomado pelas primeiras dúvidas. "Provavelmente tem muito o que fazer", pensou, "e se eu disser o que quero, vou incomodá-lo; e ele poderia achar que sou insolente." Ao chegar perto do portão do jardim, apenas acenou para o fazendeiro e seguiu em frente.

O fazendeiro, por sua vez, já o tinha visto de longe e ficado feliz. "Graças a Deus", pensou, "finalmente alguém em meio a essa solidão. Tomara que venha até mim. Podemos beber alguma coisa juntos e conversar, antes de ele seguir viagem." E entrou em casa, para colocar as bebidas para gelar. Porém, ao ver o forasteiro se aproximar, também começou a ter dúvidas. "Certamente está com pressa, e se eu disser o que quero, vou incomodá-lo, e ele poderia achar que estou me impondo. Mas talvez esteja com sede e queira mesmo passar aqui. É melhor eu ir para o jardim na frente de casa e fingir que estou trabalhando. Ali, ele vai me ver e, se realmente quiser vir aqui, vai me dizer." Então, quando o outro apenas passou acenando e continuou seu caminho, disse a si mesmo: "Que pena!"

Entretanto, o forasteiro seguiu em frente. O sol subiu ainda mais, sua sede aumentou, e ele levou várias horas até avistar outra fazenda no horizonte. Disse a si mesmo: "Desta vez vou até o fazendeiro, incomodando ou não. Estou com tanta sede que preciso beber alguma coisa".

Porém, também esse fazendeiro o viu de longe e pensou: "Tomara que não venha aqui. Era só o que faltava. Tenho muito o que fazer, não posso dar atenção a outras pessoas". E continuou seu trabalho, sem levantar o olhar.

O forasteiro o viu no campo, foi até ele e disse: "Estou com muita sede. Por favor, pode me dar algo para beber?" O fazendeiro pensou: "Não posso lhe negar isso; afinal, sou um ser humano". Levou-o até sua casa e lhe deu algo para beber. O forasteiro disse: "Eu estava olhando seu jardim. Dá para ver que quem trabalha aqui é um conhecedor no assunto, que gosta de plantas e sabe do que elas precisam". O fazendeiro respondeu: "Vejo que você também entende algo a respeito". Então, sentou-se, e ambos conversaram por um bom tempo. Em seguida, o forasteiro se levantou e disse: "Já está na minha hora". Mas o fazendeiro não quis deixá-lo ir: "O sol já se pôs. Fique aqui esta noite, assim nos sentamos ainda na varanda e conversamos, antes de você continuar sua viagem amanhã". O forasteiro concordou.

À noite, ficaram sentados na varanda, e a terra extensa repousava como que radiante sob a luz tardia. Quando escureceu, o forasteiro começou a contar como o mundo havia mudado para ele desde que percebera que em toda parte era acompanhado por alguém. No começo, não acreditou que alguém sempre andasse com ele, que parasse quando ele também ficava parado e se erguesse quando ele partia. E precisou de tempo até compreender quem era esse acompanhante. "Meu acompanhante de todas as horas é minha morte", disse. "Acostumei-me tanto à sua presença que já não quero ficar sem ela. É minha melhor e mais fiel amiga. Quando não sei o que é certo nem como continuar, paro por um instante e peço-lhe uma resposta. Exponho-me a ela como um todo, de certo modo com o máximo da minha superfície. Sei que ela está ali, e eu, aqui. E sem me apegar a quaisquer desejos, espero que ela me mande alguma indicação. Quando estou concentrado e a enfrento com coragem, após certo tempo, recebo dela uma palavra, que ilumina como um relâmpago o que estava na escuridão – e eu também sou iluminado."

Esse discurso soou estranho ao fazendeiro, que passou um longo tempo observando a noite em silêncio. Em seguida, ele também viu quem o acompanhava, sua morte – e curvou-se diante dela. Foi como se o que restasse de sua vida tivesse mudado, tornando-se precioso e transbordante como o amor, que conhece a despedida.

No dia seguinte, comeram juntos, e o fazendeiro disse: "Mesmo que você vá embora, ficarei com um amigo". Então, saíram da casa e deram-se as mãos. O forasteiro seguiu seu caminho, e o fazendeiro foi para o campo.

Na fase final da Segunda Guerra Mundial, a linha de frente ocidental, em comparação com a oriental, era o cenário de guerra mais importante. Em 6 de junho de 1944, os aliados ocidentais desembarcaram na Normandia sob o comando supremo de Dwight D. Eisenhower, futuro presidente dos Estados Unidos, e libertaram a França e a Bélgica. Como a princípio os Aliados não conseguiram entrar no interior da Alemanha, temporariamente a linha de frente se estabilizou na Linha Siegfried, cuja principal linha de batalha ficava a leste de Aachen. Apenas quatro divisões com cerca de 18 mil homens, bem como a tropa da guarnição sob o comando do coronel Maximilian Leyherr, estavam em missão no local. Entre elas, também eu.

Já em 12 de setembro de 1944, o VII Corpo do Exército dos Estados Unidos atravessou a fronteira alemã. No início de outubro, o XIX Corpo do mesmo exército começou a atacar Aachen. Cerca de 13 mil soldados da *Wehrmacht*, bem como cinco mil homens mal treinados e insuficientemente armados do *Volkssturm*,* viram-se diante da superioridade dos soldados americanos. Após intensas batalhas, as tropas alemãs capitularam em 21 de outubro de 1944. No lado inimigo foram 2 mil mortos e 2 mil feridos; no alemão, 4 mil mortos e 2 mil feridos. Um em cada três soldados alemães tombou ou foi ferido. Mas eu sobrevivi à grande batalha em Aachen. Ileso. Quem não morria acabava na prisão americana. Foi o que aconteceu comigo.

Com 1.600 prisioneiros, fui encarcerado em um campo na cidade belga de Charleroi. Tratava-se, ao mesmo tempo, de um enorme depósito de reabastecimento do Exército americano, com uma grande quantidade de trilhos. Todos os dias, tínhamos de realizar um trabalho braçal por dez horas. Durante o ano em que fiquei preso, carregamos e descarregamos cerca de 1 milhão de toneladas de reabastecimento de alimentos, que eram transportados de trem até seus destinos. Com efeito, após a conquista de Aachen, Eisenhower e suas tropas avançaram até a linha de frente ao longo do rio Rur, a leste da cidade. Em

---

* Literalmente, "tormenta do povo". Organização composta por tropas civis, criada por Hitler em 1944 para auxiliar o Exército alemão a conter o avanço do Exército Vermelho e dos Aliados. (N. T.)

janeiro/fevereiro de 1945, as tropas conseguiram romper a linha de frente e avançar rumo ao norte.

A alimentação no campo era horrível. Por ordem especial de Eisenhower, nossa ração diária fora reduzida pela metade. De fato, depois que os crimes cometidos pelos nazistas nos campos de concentração foram descobertos pelos Aliados, Eisenhower ordenou que os presos de guerra alemães (*Prisoners of War/POW*) fossem classificados como "forças inimigas desarmadas" (*Disarmed Enemy Forces/DEF*). Em 23 de julho de 1944, o campo de concentração Majdanek e, em 27 de janeiro de 1945, o de Auschwitz foram libertados pelas tropas soviéticas; em 11 de abril de 1945, foi a vez do campo de concentração de Buchenwald e, em 29 de abril de 1945, do de Dachau – para mencionar apenas alguns.

Para nós, a ordem de Eisenhower significou que não éramos protegidos pela Convenção de Genebra de 1929, que regulamentava um tratamento, um alojamento e uma alimentação dignos. Isso porque, por definição, não éramos prisioneiros de guerra, mas *Disarmed Enemy Forces*. Por acaso tínhamos o direito de reclamar? Certamente não. Afinal, os nazistas aceitaram conscientemente a morte por inanição de 100 mil prisioneiros de guerra soviéticos e arrastaram milhões de civis para os trabalhos forçados.

Para sobreviver no campo, era preciso roubar comida. Com a magra ração que nos cabia, não era possível sobreviver às várias horas diárias de carregamento de engradados e caixas pesadas. No entanto, aqueles que eram pegos roubando recebiam uma dura punição: trinta dias de prisão. Em vez das dez, tinham de trabalhar doze horas todos os dias. À noite, eram confinados com cinquenta homens em um pequeno cômodo, sem a possibilidade de se sentarem, muito menos de se deitarem. A ração diária era ainda mais reduzida: cinco biscoitos *cracker* pela manhã, quatro no almoço e mais cinco à noite. Ninguém resistia por trinta dias. A maioria sucumbia já após dez ou quatorze dias. Desesperados, cinco colegas tentaram fugir. Todos foram pegos, colocados contra a parede e fuzilados.

É claro que eu também roubei comida – não havia escolha. Quando fui pego pela primeira vez, saí da prisão após cinco dias. Não entendi por quê. Mais tarde, fui pego roubando novamente. Era inverno, e mais uma vez as medidas punitivas haviam sido intensificadas: primeiro, vinha o espancamento, depois era preciso cavar uma cova. Em seguida, a cabeça era raspada e se era colocado em um barracão sem janela. Obviamente, não havia cobertor para a passar a noite. A alimentação consistia de pão e água. E mais uma vez aconteceu algo estranho: não fui espancado nem tive a cabeça raspada. Na época, pensei: "Se eu não sair daqui careca, então, isso é um sinal para mim: tenho de fugir". E assim seria.

Nesse período, um soldado americano sempre fazia a guarda perto de mim e se postava à minha frente, como para me proteger. Por quê? Muitas vezes meus colegas zombavam dele, que, pelo que supúnhamos, não entendia alemão. "Esse aí é veado", diziam. Ou, então, gozavam de seus cabelos ruivos. Eu não gostava disso. Sempre os exortava a pararem com esse falatório depreciativo e desrespeitoso. "Vocês não deveriam falar assim", admoestava-os.

Quem se mostra arrogante em relação aos outros, perde a conexão com eles. Afasta-se deles, que também acabam se afastando. Por isso, a soberba é algo que torna o indivíduo solitário e desconfiado. O arrogante tem de temer que os outros o repudiem, que contem secretamente com o fato de que ele cairá de seu pedestal até voltar a se tornar igual aos outros. Sim, ele mesmo espera secretamente por sua própria queda, pois, em longo prazo, sua alma não suporta essa soberba. Por isso, acaba cometendo erros que os outros não compreendem, mas que estão em sintonia com sua alma. Não suportamos por muito tempo as personalidades arrogantes. Os outros também não. Contudo, aquele que se humilha e se coloca abaixo das outras pessoas também perde a conexão com elas, que sentem a pretensão nesse tipo de humildade e a recusa em agir em conformidade com a grandeza humana. A verdadeira grandeza é exigente, mas de modo benéfico. Com efeito, assim como reconhece os outros, ela também espera esse reconhecimento por parte deles.

Somente mais tarde soube por um amigo, que ainda ficou um bom tempo no campo, que esse "americano" era alemão. Por ser judeu, tinha fugido para os Estados Unidos antes dos nazistas, chegou no Dia D (*D-Day*) à praia na Normandia em um navio de desembarque e foi empregado como guarda de seus antigos inimigos. Entendia tudo o que dizíamos, sem demonstrar a menor expressão. Porém, reconheceu que eu o defendia e o respeitava. Como agradecimento, cuidava de mim e me protegia.

Na época, cerca de um milhão e meio de judeus lutaram nos exércitos dos Aliados, cerca de 550 mil apenas entre os americanos. Muitos deles tinham emigrado da Alemanha para os Estados Unidos, entre eles alguns homens famosos, como os escritores Stefan Heym e Klaus Mann, filho de Thomas Mann, mas também o jornalista Franz Spelman, inventor do conceito *Fräuleinwunder*.*

Após sete dias, tive permissão para deixar novamente o barracão sem nem sequer ser interrogado. Imediatamente comecei a me preparar para fugir, pois sabia muito bem que esse passo já tinha sido dado. Um ano de prisão era suficiente.

Muitas vezes em minha vida tomei decisões importantes sem hesitar. Nessas ocasiões, sigo uma orientação interior e tenho absoluta

---

\* Literalmente, "milagre das senhoritas". Conceito que designava as jovens alemãs nos anos 1950, que nos Estados Unidos eram vistas como independentes e modernas. (N. T.)

certeza do que quero, pois sempre sei muito bem que essa parte da vida já passou. Portanto, por que esperar?

O que é velho envelhece assim que o novo chega. Então, pode terminar. E tão logo termine para nós, nosso olhar e nosso movimento podem seguir para a frente. Se pararmos nesse movimento, o novo também para. Em vez de vir, falta. O novo envelhece o velho. Dele tira o tempo e suas possibilidades. Quanto mais rápido nos prepararmos para o novo, tanto mais rápido o velho ficará para trás. Ficará para trás sem deter o novo nem barrar seu caminho. Isso significa, então, que o velho está completamente terminado? Graças ao novo, seus dias estão contados. Por mais precioso e valioso que tenha sido para nós, apenas quando entra no novo como algo velho e, ao mesmo tempo, fica para trás no novo é que o velho continua agindo nele.

Se uma coisa deve durar para sempre, já envelheceu. Passará a durar como algo velho, sem abrir espaço para o novo. Apenas no novo pode permanecer por um instante; contudo, em comparação com ele, como menos em vez de mais.

O novo renova o velho. Substitui-o apenas até ele próprio se afastar do próximo novo. O velho continua entrando no novo e sendo absorvido por ele.

Para onde vão nosso olhar e nosso movimento quando avançam? Saem do velho e caminham para a frente. Contudo, o velho continua dentro do novo, renovado e por um instante. Caminha junto com ele, ultrapassando o novo que em breve será velho em um movimento no qual tudo se multiplica e se torna mais novo – e nós com ele.

Informei a meus colegas a fuga planejada. Éramos um grupo muito unido, no qual um podia confiar no outro. Desse modo, combinamos o seguinte: durante o carregamento de um dos trens de reabastecimento, fariam um esconderijo para mim em um vagão, no qual dificilmente me encontrariam. Depois que o trem fosse carregado, eu entraria de maneira furtiva no vagão e ficaria agachado no esconderijo. Meus colegas quase me emparedaram em um compartimento feito de engradados e caixas. Ali eu podia ficar em pé ou sentado, mas não deitado. Os outros prisioneiros também deixaram ali para mim uma pequena provisão, para que eu não passasse fome durante a viagem. Porém, não havia possibilidade de fazer minhas necessidades. O tempo naquele buraco escuro me traumatizou e perseguiu até a idade avançada. Durante décadas não consegui usar o banheiro em avião, mesmo em viagens longas. Sentia-me preso na cabine como no meu esconderijo. Tampouco aguentava ficar muito tempo em espaços completamente escuros. Somente depois que Sophie me confrontou em uma regressão com minha antiga experiência é que consegui superar o trauma.

Meu desaparecimento não passou despercebido por muito tempo. Obviamente imaginaram que eu estaria em algum lugar dentro do trem. Durante a noite, ouvi soldados americanos passando pelos vagões à minha procura e dizendo: "There is a fucking German somewhere in the train".* O trem ainda ficou um dia inteiro parado em uma estação de manobra perto do campo, sem que eu tenha sido descoberto. Isso porque, além dele, havia ainda cerca de outros duzentos vagões. Por fim, desistiram de me procurar. Ninguém estava com vontade de descarregar o trem inteiro só para encontrar um prisioneiro alemão. O custo e o atraso na entrega das provisões não compensariam minha captura. Além do mais – assim deveriam pensar –, eu poderia estar em algum dos outros vagões. Desse modo, finalmente o trem partiu.

O trem levou seis dias de Charleroi até a Alemanha. Nesse meio-tempo, parou algumas vezes. Meus colegas haviam deixado uma pequena brecha em meu esconderijo, pela qual eu podia olhar para fora através de uma fenda na parede do vagão. Em uma das paradas,

---

* Tem um maldito alemão em algum lugar do trem. (N. T.)

ao olhar pela pequena abertura, deparei diretamente com os olhos de um soldado americano que patrulhava a plataforma. Nossos olhares se cruzaram. O soldado seguiu adiante, e eu respirei aliviado. Contudo, meu alívio não duraria muito tempo. Alguns segundos depois, ouvi que dava meia-volta e seus passos tornavam a se aproximar de meu esconderijo. Ele olhou diretamente para a fenda à minha frente. Intuitivamente, fechei os olhos. Então, o soldado foi para o outro lado do vagão, abriu-o e vasculhou nos espaços entre as caixas e os engradados. Esperava poder sentir meu corpo. Porém, por sorte, eu estava muito bem emparedado. Por fim, o soldado desistiu, o vagão tornou a ser fechado, e o trem prosseguiu a viagem.

Em Würzburg, o trem se aproximou lentamente de uma passagem de nível. Pude ouvir que os soldados que acompanhavam o trem estavam embriagados, e tentei sair do meu esconderijo. No entanto, uma tábua e as caixas acima de mim eram tão pesadas que mal dava para eu me mexer. Por fim, com minhas últimas forças, consegui erguer um pouco a tábua. As caixas desabaram, e fiquei com muito medo de que alguém tivesse ouvido. Abri a porta do vagão, lancei rapidamente para fora três caixas com ovo e leite em pó e pulei do trem. Em silêncio, esgueirei-me por entre as caixas que estavam junto dos trilhos e as peguei. Seriam um belo presente para minha mãe quando nos víssemos de novo.

Não longe dali ficava o mosteiro dos missionários de Mariannhill, sob cuja tutela eu já estivera no Aloysianum, em Lohr am Main. Com muito esforço, fui até eles. No mesmo instante cuidaram de mim e me deram roupas novas. Assim, pude tirar meu uniforme da *Wehrmacht* e movimentar-me livremente e sem perigo pela Alemanha.

Por um ano e meio, minha fuga me presenteou com uma vida independente. Pouco antes de completar 20 anos, a guerra e a prisão tinham terminado para mim. Como a Alemanha perdera a guerra, eu estava fora de perigo em minha pátria. Como "potencial inimigo público", provavelmente eu teria como fim a condenação à morte ou o campo de concentração. Porém, naquele momento, eu finalmente podia levar uma vida em paz.

A paz olha para a frente. Feridas são curadas, mortos são enterrados, danos são reparados, o que foi destruído é reconstruído.

Ao final de uma guerra há sempre a paz. Apenas a paz pode perdurar. Onde quer que se lute, de um modo ou outro, a batalha só pode ter fim quando ela e o conflito forem seguidos pela paz. Ela vem após o esgotamento de ambos os lados. É conquistada por meio dele e da impotência.

Por conseguinte, a paz tem a ver com limites. Ambos os lados chegaram a limites, diante dos quais tiveram de parar. Como? Por esgotamento. A exaustão e as perdas preparam a paz.

Pode a paz ser preparada e firmada ao se examinarem oportunamente esses limites? Pelo visto, não.

A paz é um bem valioso e frágil. O que a salva em um futuro permanente? Quando aqueles que estavam em conflito se unirem por objetivos em comum, de maneira que, para alcançá-los, precisem cada vez mais uns dos outros e reconheçam que dependem uns dos outros.

O que mais se opõe à paz? A arrogância, como se alguém ou alguma coisa fosse melhor. É sobretudo essa arrogância que incita os grandes conflitos.

Partindo de Würzburg, fui ao encontro de meus pais, em Kassel. Minha mãe levou um susto quando apareci de repente diante da porta. Precisou sentar-se, respirou fundo, levou a mão ao peito e disse: "Achei que você tivesse morrido e Robert, que foi dado como desaparecido na Rússia, tivesse sobrevivido". Portanto, era ele quem ela esperava que voltasse para casa. Talvez porque, inconscientemente, meu irmão fosse seu filho preferido. Mas era eu quem tinha sobrevivido.

Somente anos depois recebi mais informações sobre a morte de meu irmão. Ao visitar Leimen, minha cidade natal, a mulher de meu primo Albert me contou: "Imagine só: hoje Albert conheceu um homem no cemitério que lhe disse ter estado com um Hellinger de Leimen na prisão na Rússia". Visitei o homem, que me confirmou que se tratava de meu irmão. Chegou a presenciar a morte de meu irmão. Apenas vinte homens tinham sobrevivido ao período no gigantesco campo de prisioneiros. Quase todos os outros morreram na região do Ruhr.

Ainda fiquei por um tempo na casa de meus pais. Seis semanas após minha fuga, voltei para Würzburg, onde entrei para a Ordem dos Missionários de Mariannhill. Começava um período novo e decisivo em minha vida.

# 3
## Vida na Ordem e Ordenação

No início de 1946, entrei como noviço para o mosteiro dos Missionários de Mariannhill, em Würzburg. Ali também se encontrava o seminário da comunidade. Recebi o nome religioso de Suitbert, que por todo o restante da vida usei na forma abreviada de "Bert".

São Suitberto foi um missionário anglo-saxão, monge beneditino e bispo itinerante, que viveu aproximadamente entre 637 e 713, pois as suposições de seu nascimento e morte são divergentes. Depois que chegou à Frísia, em 690, inicialmente pôde registrar bons êxitos missionários na região dos brúcteros, entre Lippe e Ruhr. Em 710, fundou um mosteiro em Kaiserswerth, perto de Düsseldorf, que dirigiu como abade em grande ascese até sua morte. Cem anos mais tarde, foi canonizado pelo papa Leão III. Agradou-me saber que esse santo atuara não longe de Colônia, que por muitos anos foi a cidade onde vivi. Já o fato de ele também ser considerado o padroeiro contra dores de garganta foi irrelevante para mim.

Mas por que me decidi pelos Missionários de Mariannhill? Talvez eu quisesse – após o horror da guerra, após uma vida na presença constante da morte e perto dela – estabelecer um vínculo com o período que até então tinha sido o mais feliz de minha vida e, de certo modo, afastar de mim e esquecer os anos de pavor. A época mais feliz tinham sido meus anos de internato no Aloysianum, sob a tutela dos padres dos Missionários de Mariannhill. Ainda me sentia profundamente ligado a eles. E meu desejo de me tornar sacerdote tinha se mantido inalterado desde a infância.

A Ordem masculina católico-romana dos Missionários de Mariannhill teve origem em um mosteiro trapista, fundado em 1882 pelo prior austríaco Franz Pfanner, em um monte nas proximidades da cidade portuária de Durban, na África do Sul, e consagrado à Santa Maria como padroeira, bem como à sua mãe Ana. Assim surgiu a junção de palavras Maria-Anna-Hill do nome Mariannhill.

Os trapistas seguem as regras de São Bento: *Ora et labora* – ora e trabalha! Trabalho duro e rígidas regras da Ordem, como a vida em completo silêncio, determinam os dias.

Em pouco tempo, Mariannhill tornou-se o maior mosteiro trapista do mundo, com quase trezentos monges. A maioria era de artesãos, apenas poucos eram sacerdotes. Após algum tempo, os monges entraram em contato com os habitantes locais, fundaram escolas e implementaram as bases da agricultura. Cada vez mais moradores foram batizados. Com o passar do tempo, o bem-sucedido trabalho missionário desvinculou-se do ideal de recolhimento e contemplação dos trapistas. Por essa razão, em 1909 o papa Pio X emitiu um decreto em que separava o mosteiro da Ordem dos Trapistas e abriu caminho para a nova e independente Congregação dos Missionários de Mariannhill.

O noviciado como introdução à vida religiosa e espiritual durou um ano. Minha rotina era a seguinte: de manhã, meia hora de meditação em conjunto, depois missa e orações em coro, com meditações individuais nos intervalos. A isso se acrescentavam leituras e palestras religiosas. Nessa meditação cristã, ocupávamo-nos essencialmente de diferentes trechos da Bíblia. O objetivo dessa rigorosa escola é uma purificação interior, que começa com a chamada "noite dos sentidos". A intenção é desviar a própria atenção das impressões sensoriais, sem se deixar distrair pela visão, pela audição e pelo olfato. Treina-se a total concentração em uma coisa e, por fim, obtém-se a purificação do espírito. Isso significa renunciar ao conhecimento, à curiosidade e a toda aspiração.

Em determinado momento, tampouco se proferem orações. Simplesmente se passa até dezesseis horas por dia contemplando o vazio com tranquilidade e atenção. Isso é recolhimento. É o que um monge faz a vida inteira. A partir desse recolhimento desenvolve-se o profundo conhecimento. De certo modo, aquilo que estava oculto se revela mentalmente e mostra sua essência. Em todas as religiões há pessoas que optaram por esse caminho ou foram conduzidas a ele. Isso é um patrimônio universal da humanidade.

Para algumas pessoas, pode parecer estranho que eu tenha trilhado esse caminho aos 20 anos. No entanto, minha geração não pode ser comparada às posteriores. Afinal, devido à guerra e à prisão, vivemos o que normalmente só é vivenciado aos 70 ou 80 anos: a morte de muitas pessoas próximas. Foram muitos os companheiros de guerra e ex-colegas de escola mortos. Por toda parte sentia-se o odor da morte. Quase todos os amigos – na lembrança tão jovens, fortes e divertidos – tinham partido para sempre. Isso marcou todos nós e deixou vestígios em nossa alma. Por assim dizer, envelhecemos antes do tempo.

Já em idade avançada, muitos dos que foram feridos nos bombardeios ou na linha de frente ainda gritavam pedindo ajuda enquanto dormiam à noite, assombrados por seus pesadelos. Outros passaram a vida mal conseguindo suportar o estouro dos fogos de artifício nas noites de *réveillon*, sofrendo uma renovação de seu trauma a cada ano.

No entanto, dificilmente algum deles falava a respeito. O silêncio deveria ajudar a esquecer.

Por isso, é com gratidão que me recordo do tempo de noviciado. Para mim, esse modo de vida foi muito valioso. Minha alma se curou sob a proteção da vida no mosteiro, e as imagens da guerra e da morte perderam em parte seu poder. Além disso, atrás daqueles muros, o medo de perigos iminentes cedeu espaço a uma paz e a uma serenidade interiores.

Desde essa época, contemplação e silêncio fazem parte de minha vida – até hoje. As meditações determinam o início e o fim do dia. Antigamente, quando eu me encontrava em casa, o descanso noturno terminava às cinco horas. Das sete e meia da manhã até as sete da noite, eu ficava sentado à mesa de trabalho, com exceção das pausas para as refeições. Hoje, em razão da idade, permito-me levantar-me às seis da manhã. Em seguida, recolho-me em meditação até as nove. Após o café, cumprimento os colaboradores em nosso escritório, converso o necessário com Sophie e volto a meditar até a hora do almoço, às 13 horas, e de novo das cinco às seis da tarde.

Recolhimento e vazio estão associados. Porém, como é possível esvaziar-se? Chega-se ao vazio aceitando-se tudo tal como é. Essa aceitação é um movimento do amor. Quando se aceita, renuncia-se à distinção entre melhor e pior. Isso se dá sem arrependimento, sem arrepender-se de uma culpa, por exemplo. Também se dá sem exigências, nem esperanças, nem acusações. É a aceitação do mundo, tal como ele é.

Após o noviciado, optei pela Ordem e professei os primeiros votos de pobreza, castidade e obediência, vinculando-me temporariamente à comunidade por três anos. Começava, então, minha formação dentro da Ordem. Inscrevi-me em teologia e filosofia na Universidade de

Würzburg. Depois de meditar e orar pela manhã na comunidade do mosteiro, eu frequentava as aulas e os seminários.

Em 1950, professei os votos perpétuos, com os quais me unia definitivamente e por toda a vida à Congregação dos Missionários de Mariannhill. Em 1952, fui ordenado padre. No ano seguinte, fui enviado para a diocese de Mariannhill na África do Sul, onde realmente queria permanecer até minha morte. No entanto, tudo se daria de maneira diferente.

# 4

## Como Missionário na África do Sul

Quando cheguei à África do Sul, eu não sabia muito bem como seria o trabalho missionário na prática. No início, tampouco tive de me ocupar muito dele, pois por três anos fui enviado para a Universidade Natal, em Pietermaritzburgo, capital da província, a fim de cursar o magistério em escolas superiores. Ali, tive uma experiência totalmente nova: na Universidade de Würzburg, os teólogos desempenhavam um papel especial e eram tratados com o máximo respeito. No entanto, na Universidade Natal, eu era um entre muitos, sem concessões de nenhum tipo de privilégio.

Meu novo lar era a abadia do Centro Missionário de Mariannhill, a 16 quilômetros a oeste da cidade portuária de Durban, na costa do Oceano Índico. Na diocese viviam sobretudo zulus, tendo a maioria já aceitado a fé cristã. Os zulus, que pertencem à etnia africana dos bantos, representam o maior grupo étnico da África do Sul.

O trabalho missionário consistia menos na conversão de "pagãos", como muitas vezes se costuma supor, do que em um ambicioso trabalho cultural. De fato, na África do Sul racista, os negros sofriam com um miserável sistema educacional e de formação. Por isso, os missionários de Mariannhill davam especial atenção à criação de escolas e à instrução em agricultura.

Originariamente, os zulus eram nômades e criadores de gado. No entanto, o clima e o solo favoráveis da província de Natal, bem como seus recursos hídricos, proporcionavam as melhores condições para a agricultura. O cultivo de cana-de-açúcar, caju, batata, abacaxi e banana desenvolveu-se até se tornar um significativo fator econômico. A doutrina religiosa e a ajuda para a vida na prática complementaram o quadro da melhor maneira.

A África do Sul que conheci era o país do *apartheid*. Embora já no início do século XX a segregação racial tivesse avançado muito, o "Partido Nacional", que chegara em 1948 ao poder, endureceu as leis, sob a ameaça de punições mais severas. A segregação racial foi elevada a princípio de Estado. Em ônibus e trens, aos negros só era permitido permanecer em áreas isoladas; em hospitais ou bancos, só podiam ingressar por entradas separadas. Parques públicos também eram tabus para eles, assim como banheiros e praias, utilizados pelos brancos. Casamentos entre brancos e não brancos eram proibidos.

Após três anos na Universidade de Natal, fui contratado para lecionar em uma escola e, nesse meio-tempo, obtive o diploma da University Education em ciência da educação, que eu havia cursado a distância. Posteriormente, além das aulas, tive de assumir por cerca de três anos a direção da escola. No entanto, a dupla carga de aulas e ensino a distância excedeu minhas forças. Tive um colapso nervoso, já não conseguia dormir e me sentia esgotado. Foi um período ruim, mas que também teve seu lado bom: saí da escola. Na verdade, nunca quis trabalhar como professor; do contrário, poderia ter me tornado logo um jesuíta.

Para me recuperar, fui para a missão de um confrade holandês. Eu o acompanhava em seu trabalho e ia com ele para todos os lugares.

Assim, em dois meses, fui me recuperando aos poucos. Em seguida, outra tarefa me aguardava: minha própria missão, o que entre nós corresponde a uma paróquia. Ela consistia em uma área com dez bases externas, cada qual com uma escola. Todas as bases tinham de ser visitadas com regularidade. Eu sempre andava a pé. Por isso, em uma viagem à Alemanha, juntei dinheiro para uma motocicleta e comprei uma BMW 500. Porém, em minhas andanças, com frequência tinha de descer da moto e empurrá-la, pois volta e meia acabava em estradas de difícil acesso. Foi então que aconteceu o inevitável: caí da motocicleta. Por sorte, apenas bati o joelho, mas minha máquina sofreu muito mais. Minha salvação foi um habitante local, que a consertou e não quis receber pelo serviço. Assim, em pouco tempo pude voltar à comunidade.

Franz Pfanner, fundador da Ordem, já sabia que a região não era propícia para viagens. Inicialmente, quis estabelecer-se com trinta monges em Dunbrody. Contudo, a área era tão inóspita que dois anos mais tarde fizeram o caminho de volta para a Europa. Em 26 de dezembro de 1882, o grupo ficou atolado na lama com carros de boi carregados. Era impossível seguir adiante. Sem hesitar, Franz Pfanner decidiu ao cair da noite: "Descarreguem tudo! É aqui que vamos ficar e construir nosso mosteiro". Comprou o terreno da fazenda e nele fundou o Centro Missionário de Mariannhill.

Agora era a minha vez de enfrentar os obstáculos da região. Porém, fui recompensado. Ao chegar a uma base externa, todos os cristãos se reuniram para me receber, e juntos celebramos a missa. Eu sempre permanecia o dia inteiro no local, depois prosseguia para a próxima base externa. O domingo também era planejado: primeiro a missa na base principal, depois a visita às bases mais próximas.

Mais tarde, tornei-me padre na paróquia da catedral, com cerca de 10 mil paroquianos. Em um ano, apresentei-me pessoalmente a todas as famílias. Por ser contra o *apartheid*, sempre fui bem recebido, prezado e estimado. Acima de tudo, predominava uma ligação de confiança entre os fiéis e os sacerdotes.

Notei que ali os cristãos eram mais livres e independentes do que na Alemanha. Muitos colaboravam com a escola e a igreja, auxiliando no planejamento dos assuntos a serem tratados. Impressionava-me sobretudo a maneira respeitosa como todos se tratavam. Nas reuniões, discutia-se de tudo, mesmo os temas controversos, até se encontrar uma solução, e ninguém perdia a compostura. Nesse meio-tempo, aprendi a língua dos zulus e, com o auxílio de sacerdotes nativos, escrevi hinos que até hoje são cantados. Além disso, elaborei um material para uma melhor compreensão da liturgia. Para mim, era muito importante que a mensagem fosse transmitida corretamente.

Com certa regularidade, eu pedia doações a amigos e parentes na Alemanha e contava com o apoio dos meus pais. A certa altura, reuni dinheiro suficiente para construir uma igreja. Mandei pintar de azul-cobalto a parede no fundo do altar e o teto, no qual sobressaíam estrelas douradas.

Como na região atuavam não apenas missionários católicos, mas também protestantes, a maioria dos nativos era batizada. Era fácil distinguir os cristãos dos chamados "pagãos". Podiam ser reconhecidos por sua expressão receptiva, enquanto os não cristãos pareciam temerosos e fechados. A razão para tanto era a superstição dos zulus.

Para os zulus, os espíritos estavam em toda parte, nas plantas ou nos animais, na água ou nas pedras, e eram liderados por Unkulunkulu, que significa algo como "o supremo". Em seu reino vivem os espíritos ancestrais. Todo infortúnio era atribuído às influências de espíritos maus ou à vingança dos ancestrais, quando não eram louvados o suficiente. Além disso, os zulus tinham a convicção de que acontecimentos ruins também sempre eram consequência de ações ruins.

A superstição adotava formas ainda mais estranhas. As tempestades, nem um pouco raras no verão, eram vistas como sinais de espíritos enfurecidos. Segundo a antiga crença, quem fosse atingido por um raio teria feito por merecer e não poderia ser enterrado da maneira tradicional. Mesmo o luto por essa pessoa não lhe era concedido. Além disso, o gado atingido pelo raio não poderia ser comido, as árvores atingidas pelo raio não poderiam ser utilizadas, nem sequer tocadas.

Minha área de atuação ampliou-se no período subsequente. Subordinaram-me todas as escolas da diocese e me delegaram a formação continuada dos professores. No entanto, a atividade mais bonita e, a meu ver, mais honrada foi a que pude exercer durante meus últimos anos na África do Sul: tornei-me diretor do St. Francis College dos Missionários de Mariannhill, fundado em 1909, uma das principais escolas de elite sul-africana para nativos.

O internato consistia em *campi* separados para os meninos e as meninas. O último era administrado pela Congregação das Irmãs Missionárias do Precioso Sangue, igualmente criada pelo abade Franz Pfanner. Muitos ex-alunos do St. Francis College seguiram carreiras bem-sucedidas como médicos e professores, advogados, juízes ou ainda sacerdotes. Entre os mais conhecidos estão Bernard Chidzero, que de 1985 a 1995 foi Ministro da Fazenda no Zimbábue, e o famoso defensor dos direitos civis sul-africanos e fundador do Movimento da Consciência Negra (Movement Black Consciousness), Steve Biko. Em 1977, após ser preso por funcionários da polícia sul-africana, foi morto em Pretória.

Na direção do St. Francis College, fui auxiliado por outro sacerdote, com quem cooperei estreitamente e em pé de igualdade, embora eu fosse seu superior. Um internato tão grande como aquele não poderia ser dirigido por apenas uma pessoa. Aos alunos delegava-se uma ampla autonomia. Toda classe definia um orador; além disso, todos os alunos elegiam cinco representantes do último ano escolar para o conselho administrativo. A maioria das questões era resolvida pelos alunos nesse grêmio, o que funcionava de maneira espantosa.

Além de minha atividade como diretor, eu também atuava como professor. Nas aulas de religião, defendia uma teologia moderna para a época, pois minha especialidade eram os estudos bíblicos. Como defensor de uma exegese progressista, eu via muitas coisas sob uma nova luz. Entre elas estava, por exemplo, o questionamento da história de Natal sob o ponto de vista histórico ou a negação da autenticidade das epístolas de Paulo. Com efeito, uma série inteira não havia sido escrita por ele. Na época, essas declarações eram consideradas revolucionárias; hoje são reconhecidas e aceitas de modo geral.

A rápida compreensão dos alunos, sua sede de conhecimento e sua alegria em aprender transformou minha atividade como professor, que antes eu sentia como um peso, em um enriquecimento gratificante.

Professores são mediadores. Transmitem aos outros, sobretudo aos mais novos, o que vivenciaram, aprenderam, receberam de outros professores e desenvolveram, de modo que tudo isso também lhes seja peculiar.

Entre o professor e os que aprendem com ele, há um desnível, pois o professor dá, e os alunos tomam. Quando esse desnível é reconhecido e os alunos honram e respeitam seu professor, podem aprender ao máximo com ele. E, assim, ele também pode dar-lhes o máximo. Quem aprende sabe que se encontra em posição inferior, pois é quem necessita e espera algo de seu professor. Para que a relação entre professor e aluno sirva ao conhecimento, à experiência e ao crescimento sem contratempos, ela precisa desse desnível e do comportamento que lhe corresponde. O professor não pode colocar-se no mesmo nível dos alunos enquanto eles ainda quiserem algo dele, e o aluno não deve aproximar-se demais do professor nem querer medir-se com ele. Por isso, enquanto estiver estudando, cabe ao aluno reconhecer e concordar com essa dependência. Isso significa que, enquanto estiver estudando, de certo modo é inferior. Porém, tão logo tiver aprendido o suficiente, chegará o momento em que terá de se separar do professor. Terá suas próprias experiências, talvez também se torne professor e repasse aos outros o que seu mestre lhe transmitiu. Ao mesmo tempo, o que foi aprendido terá de ser comprovado em ações concretas, pois somente no próprio fazer e no próprio êxito é que se torna uma propriedade pessoal. Isso é conseguido com tanto mais facilidade quanto mais cedo o aluno permanecer intimamente ligado a seu professor. Este o auxiliará com benevolência e o apoiará mesmo quando ele fizer algo diferente – do mesmo modo como os avós permanecem presentes e com boa vontade ajudam um pai ou uma mãe que ensina o filho. Assim, os filhos podem receber mais e com mais amor dos pais o que estes lhes dão e transmitem.

Enquanto atuava como diretor, conversei com um padre beneditino em uma conferência de sacerdotes anglicanos, com os quais eu havia entrado em contato. Até então, eu tinha vivido em um mundo católico hermeticamente fechado. Já durante minha graduação na Universidade de Natal, minha visão de mundo, marcada pelo catolicismo, sofrera certo abalo, ainda que tenha sido mínimo e logo reajustado graças a meu trabalho como sacerdote. Na época, eu pensava que apenas por meio da fé seria possível tornar-se um bom ser humano. Contudo, na universidade conheci professores ateus. E eles eram boas pessoas! Então, entendi: em primeira instância, ser bom é algo que depende da experiência de vida.

Lembrei-me disso quando me reuni com os anglicanos, com os quais eu não tivera nenhuma relação anterior. Então, vi como eram devotos. Profundamente devotos! Fiquei muito impressionado e reconheci: estamos todos no mesmo barco. Diferenças como cor da pele ou religião não são importantes.

Os sacerdotes anglicanos ofereciam cursos ecumênicos na dinâmica de grupo – sem barreiras raciais. Hoje isso parece a coisa mais normal do mundo. No entanto, é preciso ter presente que estávamos nos anos 1960 e levar em conta, sobretudo, as condições da África do Sul na época. Quando se pensa que antigamente não apenas na Alemanha os chamados "casamentos mistos", ou seja, aqueles entre parceiros católicos e protestantes, eram proibidos e que na África do Sul o *apartheid* era imposto com leis extremamente rigorosas, é possível ter uma ideia da abordagem quase revolucionária dos anglicanos. Negros e brancos, indianos e mestiços, católicos e protestantes – todos aprendiam juntos nos cursos.

Na época, a dinâmica de grupo era uma disciplina ainda desconhecida na Alemanha. Entre seus fundadores estavam o psicólogo judeu Kurt Lewin (1890-1947), que em 1933 migrou da Alemanha para os Estados Unidos, e o médico, psiquiatra e sociólogo austro--americano Jacob Levy Moreno (1889-1974). Por essa razão, inicialmente a dinâmica de grupo foi conhecida nos países de língua inglesa. Ocupa-se de forças que surgem em um grupo e investiga como elas atuam em cada indivíduo, ou seja, como esses processos podem ser influenciados e vivenciados.

No meu primeiro dia de curso, o diretor fez uma pergunta bastante genérica: "O que é mais importante para você: os ideais ou as pessoas (*ideals or people*)? Do que você abre mão? Das pessoas pelo ideal ou do ideal pelas pessoas?" Essas perguntas me deixaram profundamente perturbado. À noite, não consegui dormir. Foi um ponto de virada em minha vida. De repente, era o ser humano, e não mais as exigências nem as leis da Igreja, que estava em primeiro plano para mim. Ainda participei de outros treinamentos de dinâmica de grupo dos anglicanos e apliquei o que havia aprendido em meu trabalho no St. Francis College.

Com meus conhecimentos em dinâmica de grupo e minha recente exegese, acabei por me diferenciar de muitos irmãos da Ordem. Porém, esse não foi o único fator a me excluir. Em 1968, o Conselho de Igrejas da África do Sul (South African Council of Churches, abreviado como SACC), fundado no mesmo ano, publicou uma "mensagem ao povo da África do Sul". O texto havia sido assinado, entre outros, pelo arcebispo católico de Durban e seu colega anglicano da Cidade do Cabo, bem como por seiscentos pastores. Nele, o sistema do *apartheid* era categoricamente condenado como inimigo do cristianismo.

Por conseguinte, o primeiro-ministro Balthazar Johannes Vorster acusou os opositores eclesiásticos do *apartheid* de quererem perturbar a ordem de seu país sob o manto da religião. Anteriormente ele já havia reagido com medidas drásticas a esses críticos eclesiásticos, ação de que tornou a se servir nesse momento. Mesmo sacerdotes anglicanos eminentes foram banidos do país ou proibidos de entrar nele depois de viajarem para sua terra natal.

Aproveitei a "mensagem ao povo da África do Sul" para observar que, no centro de nossa missão, brancos e negros não estavam autorizados a comer juntos. Em minha opinião, essa condição tinha de ser abolida o mais depressa possível. No entanto, a repercussão esperada não se concretizou. Ao contrário: não foram meus irmãos de cor que tiveram de mudar de lugar, e sim eu. A partir de então, a refeição me era servida em uma sala extra, exclusiva para mim, em um prédio do convento das freiras. Só poderia haver duas razões para isso: ou a liderança da Ordem não era uma grande opositora da segregação racial como a "mensagem ao povo da África do Sul" dera a entender, ou se temiam represálias por parte do governo.

Entretanto, um ano mais tarde, ocorreria o escândalo definitivo. Na época, o padre Alfons Streit era o bispo de nossa diocese.

Nascido em 1893 como o primogênito de nove filhos de uma família simples de agricultores, na cidade de Unterpfleichfeld, na Baixa Francônia, perto de Würzburg, desde pequeno ajudara na propriedade rural dos pais. Viveu a Primeira Guerra Mundial em sua forma cruel como soldado na França e acabou sendo preso pelos ingleses. Na prisão, fez amizade com um teólogo protestante. Após muitas conversas sobre temas religiosos, convenceu-se a estudar teologia. Ingressou no seminário para vocação tardia dos Missionários de Mariannhill, em Reimlingen, concluiu o ensino médio e iniciou seu noviciado. Em 1925, foi enviado para a África, a fim de continuar seus estudos, e após quatro anos foi ordenado padre.

Inicialmente, a Ordem estabeleceu-o em Mariannhill e, em seguida, no atual Zimbábue e nas proximidades de Botsuana. Em 1947, confiaram-lhe o cargo de superior provincial de Mariannhill, em Natal. Três anos depois, o papa Pio XII nomeou-o bispo de Mariannhill – uma missão de grande responsabilidade. O bispo Streit ocupava-se das doações para o financiamento das escolas católicas da diocese, frequentadas por mais de 20 mil crianças. Isso representava mais de um quinto de todas as crianças sul-africanas que frequentavam escolas católicas. Graças ao seu apoio à nova geração de padres e membros da Ordem nativos, em pouco tempo sua diocese também registrou o maior número de sacerdotes sul-africanos. Desse modo, ele havia contribuído para a consolidação da Igreja Católica na África do Sul.

Apesar da distinção de seu cargo, o bispo Streit continuou na Ordem de Mariannhill. Era o que demonstrava em seu brasão. Nele se via um pelicano, símbolo cristão tanto da abnegação em geral quanto do sacrifício de Jesus Cristo em particular. No brasão também estavam representados um peixe e uma cesta com pães como símbolos da Eucaristia e auxílio aos necessitados, bem como as letras MH para Mariannhill. O padre Streit tomara emprestado seu lema episcopal do 12º capítulo da Segunda Epístola do Apóstolo Paulo aos Coríntios:

*Superimpendar pro animabus vestris* (E me darei a mim mesmo pelas vossas almas).

Eu me sentia profundamente ligado ao bispo Streit, pois nele via não apenas um superior muito estimado, mas, sobretudo, um amigo paternal. Sua humildade e sua generosidade me lembravam pessoas que eu havia conhecido quando criança na colônia de operários de Leimen, onde viviam meus avós. A ele tampouco era aplicável a máxima *nomen est omen* (o nome é um presságio), pois o bispo Streit* sempre escolhia o caminho da conciliação. Isso significava que, graças ao seu grande tato, mesmo nas situações mais difíceis ele sabia encontrar uma solução aceitável para todos. Contudo, em meu caso, não teve sucesso.

O que aconteceu? Por duas vezes representei o bispo Streit em ocasiões oficiais, e ele se mostrou plenamente satisfeito. Em 1969, eu deveria até mesmo substituí-lo na Conferência Sul-Africana dos Bispos. No entanto, ele me chamou para uma conversa, ao final da qual me estendeu uma carta em que eu era acusado de heresia. Segundo o texto, eu estaria difundindo uma doutrina que se afastava dos dogmas da Igreja Católica-Romana. O motivo eram minhas opiniões teológicas modernas, que eu também expressava nas aulas de religião no St. Francis College.

Até hoje não sei quem foi o autor da carta. O bispo Streit não o revelou para mim. A única coisa que eu podia saber era que a carta provinha da minha Ordem. Diversas poderiam ter sido as razões: talvez a carta tivesse sido escrita por inveja, pois o bispo Streit pretendia fazer de mim seu sucessor. A melhor maneira de opor-se a isso seria comprometendo minha credibilidade. Outra explicação seria o fato de que na Ordem temia-se despertar a ira do governo sul-africano, uma vez que minha rigorosa rejeição ao *apartheid* era conhecida. Também

---

\* Em alemão, o termo *Streit* significa "briga", "conflito". (N. T.)

é concebível que, por essa razão, o governo já havia exercido algum tipo de pressão junto à Ordem. Teriam utilizado a acusação de heresia como álibi para se oporem a mim. Mesmo tendo adotado a cidadania sul-africana e aprendido a língua dos zulus, teria eu me tornado um cidadão plenamente reconhecido pelo governo do país? Certamente não. Em mim viam, em primeiro lugar, apenas o missionário alemão, cuja permanência no país era tolerada com benevolência.

Independentemente de quem tenha sido o autor da carta, o bispo Streit parecia perturbado – sobretudo em relação à minha pessoa. Pelo menos, assim pareceu. Talvez eu o estivesse prejudicando e ele só quisesse me proteger. De todo modo, pediu-me para tomar uma posição em relação à carta e aconselhou-me a ser mais cuidadoso no futuro. Classifiquei suas palavras como quebra de confiança. Senti-me ofendido e, ao mesmo tempo, fiquei triste e com raiva por justamente esse homem, a quem eu era tão afeiçoado, duvidar de mim e não me defender. Afinal, eu não tinha feito nada de errado e sempre fora um fiel servidor da Igreja.

Espontaneamente, eu disse na época para o bispo Streit: "Se não posso ter sua confiança nesse sentido, então também não posso representá-lo na Conferência dos Bispos. E tampouco posso continuar a exercer meus cargos. Renuncio a todos eles, com efeito imediato". O bispo Streit não estava esperando por essa reação. Tentou me acalmar, mas não me deixei dissuadir de minha decisão. Nos dias seguintes, ele ainda me procurou duas vezes para tentar fazer com que eu mudasse de ideia. Foi em vão.

Sinto confiança quando renuncio ao controle. Com confiança, deixo algo meu para outra pessoa. Ela o aceita, porém à sua maneira especial. Não posso intervir enquanto confio. Tenho de me adaptar. Assim que começo a duvidar e a tomar providências, para que ocorra algo além do que eu havia imaginado, assumo eu mesmo o controle, e a confiança cessa. Aquele ou aquilo em que antes eu havia confiado acaba por afastar-se de mim.

Contudo, às vezes tenho de assumir as rédeas da situação, por exemplo, quando alguém em quem confiei assume as rédeas do que lhe confiei, como se a situação lhe pertencesse e, assim, ele pudesse me controlar e me subordinar em vez de, em concordância comigo, confiar naquilo que é comum a nós dois. Portanto, assim como eu, ele também terá de renunciar ao controle e confiar em algo superior a nós. Então, minha confiança se revelará justificada. Ela vai crescer, aprofundar-se e unir-nos em uma missão comum, em um objetivo comum, conectando-nos com humildade a algo que também nos unirá a muitas pessoas em favor do progresso delas. Essa confiança será recompensada.

No entanto, naquilo que faço e no que me é dado como tarefa, eu mesmo também tenho de confiar na liderança de algo oculto, que me engaja em prol dos outros e de algo que me é superior. Por isso, muitas vezes tenho de ficar em silêncio, ouvir interiormente, esperar por um estímulo que, por assim dizer, chegue até mim vindo de fora. Preciso ser conduzido e carregado por ele em uma direção que talvez me cause medo, pois temo que supere minhas forças, meu conhecimento e a percepção adquirida até o momento.

Essa é a autêntica confiança. Abrangente e verdadeiramente humilde, nunca é frustrada.

Eu sabia que, graças à minha decisão, minha vida mudaria radicalmente. Podia dar por perdido meu projeto de ficar até o fim da vida na África do Sul. Assim, não demorou muito para que a Ordem na Alemanha soubesse dos acontecimentos. Mandaram-me de volta a Würzburg. Entretanto, meus superiores na Alemanha ficaram muito felizes com o decurso dos acontecimentos, pois fazia tempo que insistiam para que eu assumisse o seminário dos Missionários de Mariannhill em Würzburg. Contudo, até então, isso não tinha dado certo devido à minha recusa em sair da África do Sul e abandonar as pessoas que confiavam em mim e me amavam. Quem falaria por elas?

Obviamente, não foi fácil para mim despedir-me do país que eu tanto amava e no qual me sentia tão bem. Esse país tinha me marcado, contribuído para meu amadurecimento e me ensinado muitas coisas. Porém, sempre que eu percebia que algo não estava avançando em minha vida, acabava tomando um caminho diferente, renunciando ao antigo e iniciando algo novo – sem olhar para trás com tristeza.

"É difícil renunciar", dizem. No entanto, a renúncia também liberta. É difícil quando se olha para trás, pois, nesse caso, parece uma perda. Sobretudo quando se é obrigado a renunciar. Porém, quando nos dedicamos a uma tarefa importante para nós, quando queremos alcançar um objetivo relevante, renunciamos a muitas coisas que impedem essa realização. Nesse sentido, a renúncia é o preço do ganho.

Mais uma coisa: crescemos quando renunciamos e, por mais estranho que possa parecer, nossa alma ganha relevância. Quem não renunciou pode muito pouco e, em muitos aspectos, permanece uma criança.

Também há uma renúncia de tipo especial, que antecede a compreensão e a ação extraordinária. Essa renúncia é como uma iniciação em algo mais abrangente, algo profundo e reparador. A ela pertencem, por exemplo, a renúncia ao saber curioso, a superação do conhecido e desejado até então, o ingresso na noite do espírito e do querer, da espera por um movimento que não é intencional e deixou para trás todo temor e todo cálculo. Sem resistir, somos conduzidos nesse movimento em que a liberdade se transformou em devoção.

Essa renúncia nos purifica e se apropria de nós para algo que gera paz além de nosso querer e de nosso poder, de maneira involuntária, mas eficaz, imperceptível e permanente.

# 5
## Retorno à Alemanha e Saída da Ordem

Ao final de 1969, voltei para a Ordem dos Missionários de Mariannhill na Alemanha. Às vezes, a vida é realmente louca. Eu tinha acabado de ser difamado como herege na África do Sul e estava me tornando reitor do seminário da minha Ordem em Würzburg – uma tarefa que cumpri com toda lealdade à Igreja, embora minha postura tivesse mudado. A razão para tanto era minha experiência com a dinâmica de grupo.

Na época, os padres tinham uma posição privilegiada e distante da realidade. Eram os pastores, e os fiéis eram as ovelhas. Também na Igreja se estava à frente da comunidade. O lugar do padre era alguns degraus acima, no altar e no púlpito. Era visto em posição superior, algo bem diferente do que ocorre na dinâmica de grupo, na qual praticamente se atua no mesmo nível dos participantes e se é um entre muitos. Porém, embora haja uma dependência em relação ao grupo e a sensação de estar ligado a ele, é possível exercer alguma influência e preservar a liberdade da própria decisão. Essa experiência me permitiu crescer interiormente.

Certa noite, durante uma viagem, desembarcamos para procurar um lugar onde pernoitar e descansar após a longa jornada. Ficamos felizes por poder desembarcar e ser acolhidos.

Alguns também apeiam de um corcel alto e retornam à terra. Isso porque no corcel alto não se consegue cavalgar por muito tempo. Quem torna a colocar os pés no chão sente-se seguro. Finalmente embaixo!

Portanto, desce de um lugar alto. Vai para onde depende dos outros e é recebido por eles. Após a descida, sente-se melhor, pois apenas embaixo, depois de descer, é que se sente humano, um ser humano como todos os outros. Por isso, quando têm de descer, muitos se sentem aliviados. A descida lhes permite seguir em frente, começar algo novo e ligar-se a muitas pessoas, de uma maneira diferente e mais humana.

No que diz respeito ao aspecto humano, a descida é esperada para que o homem volte a se sentir como tal entre iguais. Novos relacionamentos, novas ações e novos amores tornam-se possíveis.

A verdadeira descida é aquela do Eu, daquilo que delimitou um em relação ao outro e os separou. Somente essa descida faz o indivíduo avançar em termos de humanidade.

A dinâmica de grupo também desempenhava um papel importante em minha relação com os estudantes. Certa vez, um dos padres em formação me perguntou – talvez de brincadeira, mas também para me testar – se mulheres poderiam ser recebidas nos quartos. Naqueles tempos, isso era totalmente inconcebível de maneira geral. Respondi que eu autorizaria sem nenhuma dúvida, desde que os outros seminaristas estivessem de acordo. Obviamente, logo o assunto foi dado por encerrado. Nesse caso, o processo que utilizei da dinâmica de grupo foi transferir ao grupo a responsabilidade pela decisão. Porém, os estudantes também entenderam de imediato que não conseguiriam me colocar em maus lençóis.

Eu agia exatamente do mesmo modo em relação a certas instruções recebidas de meus superiores em Roma, a serem transmitidas a meus alunos. Sempre os exortava a manifestarem os próprios desejos, pois havia entendido quais eram os mecanismos pelos quais a própria responsabilidade deveria ser transferida aos outros. Nunca apareceu alguém de Roma. E, assim, tampouco ficaram sabendo das instruções.

Cerca de dois meses após meu retorno à Alemanha, o professor Adolf Martin Däumling, catedrático de Psicologia Clínica no Instituto de Psicologia da Universidade de Bonn e fundador da dinâmica de grupo na Alemanha, deu uma palestra em Würzburg. Obviamente estive entre os ouvintes e me apresentei a ele. Na época, eu era um dos poucos no país a conhecer a dinâmica de grupo. O professor Däumling me convidou no mesmo instante para ser seu assistente em um de seus seminários em Bonn. Esse seria o início de minha carreira como um dos líderes da dinâmica de grupo na Alemanha. Passei a ministrar cursos e me tornei instrutor no Círculo Alemão de Dinâmica de Grupo e Psicoterapia de Grupo (DAGG). Assim, garanti minha própria fonte de renda, independente da Ordem.

Contudo, sentia que ainda me faltava alguma coisa. Com a autorização da Ordem, passei a assistir às aulas de psicologia na Universidade de Würzburg e comecei a fazer psicanálise, visando a uma formação ulterior nessa área.

Em meu íntimo, eu estava me distanciando cada vez mais da Ordem. Justamente para a Igreja e, portanto, para a Ordem, os ideais costumavam ser mais importantes do que o ser humano. Com esse conflito interior, fui ao primeiro congresso de dinâmica de grupo em Colônia, onde conheci Ruth Cohn, fundadora da Interação Centrada no Tema (ICT). Esse método terapêutico-pedagógico do trabalho em grupo se baseia na ideia de um aprendizado durante a vida e de possibilidades de desenvolvimento psíquico. Segundo a abordagem, quando se está centrado, reconhece-se intuitivamente o que deve ser feito no momento presente. Ruth Cohn, nascida em 1912 em Berlim, provinha de uma família judia assimilada e emigrou em 1933 para a Suíça. Em Zurique, estudou psicologia, pedagogia, teologia, literatura e filosofia. Em 1941, mudou-se para os Estados Unidos, onde passou a se dedicar cada vez mais à terapia experiencial.

Algum tempo depois do congresso em Colônia, quando Ruth Cohn ofereceu pela primeira vez um curso na Alemanha, obviamente não deixei de participar. Nessa ocasião, ela contou que tinha feito um curso de formação em Gestalt-terapia com Fritz Perls (1893-1970), que, por ser judeu como ela, em 1933 havia fugido de Berlim por causa dos nazistas. Na época, ainda não se tinha ouvido falar desse método na Alemanha. Seu objetivo é conscientizar-se dos próprios sentimentos e comportamentos atuais, bem como do contato consigo mesmo e com seu ambiente. Um meio para alcançá-lo é a chamada "cadeira quente". Quem nela se senta tem de responder às perguntas do terapeuta com a verdade.

Ruth Cohn perguntou quem em nosso curso gostaria de se sentar na cadeira quente. Candidatei-me espontaneamente. Enquanto Ruth Cohn trabalhava comigo, vi de repente outro futuro à minha frente. Um futuro sem a Ordem. A frase fundamental ao final dessa sessão dizia o seguinte: "Eu vou". Em seguida, tive de me dirigir a cada participante e repetir essa frase. Foi uma experiência incrível. De repente, ficou absolutamente claro para mim: minha saída da Ordem era previsível. Estava na hora de eu me ocupar da saída de minha situação atual.

A saída conduz de uma passagem estreita para uma área ampla. Torna-se necessária quando algo bloqueia nosso percurso, e nós, para sobreviver e recuperar nossa liberdade, temos de buscar um novo caminho. Porém, fazemos isso mais de maneira secreta e estratégica do que com violência, pois essas saídas desafiam as forças restritivas a resistir. Por exemplo, aguardamos o momento oportuno e as circunstâncias favoráveis. Também esperamos que as forças restritivas vão longe demais e acabem se enfraquecendo e perdendo a disposição para se oporem a nós.

De repente, já não estamos disponíveis. Orientamo-nos de outra maneira e adquirimos segurança e apoio em outro lugar. Encontramo-nos tão distantes das forças restritivas, que elas já não podem nos alcançar.

A saída começa na mente. Inicia-se com a decisão de deixar para trás algo antigo, que nos mantinha presos e ainda nos fazia esperar alguma segurança, e de nos reorientar para outro lugar e começar algo novo.

Em seguida, cabe-nos ponderar sobre os diferentes caminhos que temos à disposição, comparando-os uns com os outros, e escolher o que nos oferece mais perspectivas. Esse é o segundo passo a ser levado em conta após a decisão.

Posteriormente vem o planejamento cuidadoso de como esse objetivo será alcançado, sem que haja muitas resistências a serem superadas. Os passos já estão determinados e iniciados, sem que o anunciemos. Estamos no caminho, sem sermos notados. Enquanto os outros ainda acham que podem dispor de nós, já escapamos deles. Somente quando já estamos longe é que eles reconhecem que perderam seu poder. Como garantimos nossa saída? Sem fazer alarde dela, ou seja, sem um sentimento de triunfo ou de superioridade. Estamos em outro lugar, independentes e livres.

No entanto, quais foram as reflexões que me afastaram cada vez mais da Ordem e do sacerdócio? Para esclarecer essa questão, tenho de voltar mais atrás no tempo, nem que seja para me proteger de mal-entendidos. Com efeito, um padre que abandona o sacerdócio sempre é visto com uma espécie de curiosidade intrigada, como alguém que se manteve por muito tempo isolado em um mundo secreto e bem distante dos outros. A maioria supõe que uma mulher é a razão para a renúncia do sacerdócio – o que é verdadeiro em muitos casos. Porém, não foi o que aconteceu comigo.

Para mim, em primeiro lugar estava a imagem que a Igreja fazia de Deus, com a qual eu já não podia concordar. Isso porque, na minha concepção, o verdadeiro Deus, aquela força infinita e oculta, na qual tudo se origina e que nos mantém vivos a todo instante, era na época – e é ainda hoje – um Deus da plenitude. Quando se diz que essa força quer menos do que mais, que ela, por exemplo, prefere a pobreza à riqueza em todas as suas manifestações, pressupõe-se que ela também é pobre e, portanto, quer que os outros permaneçam pobres e empobreçam. Acredita-se que, se empobrecermos, essa força terá o que lhe falta. Por exemplo, adoração, louvor, expiação, sofrimento e até uma morte assustadora, como a de Jesus Cristo na Cruz.

Nesse sentido, os sinais estão trocados. Quem se colocou aqui no lugar daquele poder criador? Quem se serviu dessa força, como se ela precisasse dele, e não o contrário?

A pergunta é: como se pôde chegar a essa inversão da realidade criadora? No judaísmo e no cristianismo, a causa foi a história da expulsão do primeiro casal do Paraíso. Qual foi o motivo alegado para essa expulsão? As pessoas comeram da árvore do conhecimento. Conheceram a diferença entre o bem e o mal. No mesmo instante, deram-se conta de que estavam nuas. Conheceram-se como homem e mulher. Qual foi o resultado disso? Conheceram-se de modo que a mulher engravidou do homem. Tornaram-se criadores e, assim, igualaram-se ao poder criador primordial.

Outra coisa teve início com a expulsão deles do Paraíso. Começaram a cultivar a terra, também em sintonia com aquele poder criador que desde o princípio os criara à sua imagem como homem e mulher. Somente após o chamado "pecado original" é que concluíram a missão para a qual essa força os havia criado como homem e mulher.

Isso explica por que muitos cristãos veem o grande pecado justamente naquilo que os uniu como homem e mulher na criação. Renunciar a esse pecado reconcilia-os com esse poder primordial e os une a ele. Está tudo invertido. Onde está a sintonia com aquele poder primordial, cujos movimentos criadores prosseguem infinitamente, sobretudo nas pessoas e por meio delas?

Onde, afinal, encontramos o Deus desconhecido? Nós o encontramos na plenitude, naquela de nosso corpo, com todo o prazer com que ele nos presenteia quando nele vivenciamos, em todos os sentidos, esse poder criador em ação. Vivenciamos essa plenitude em tudo o que conseguimos criar com prazer, em sintonia com tudo o que existe. Por exemplo, no campo intelectual, em toda grande arte, na música sublime em todas as suas formas de expressão, na plenitude de novos conhecimentos sobre os segredos do cosmos, que sempre imaginamos apenas incipientes, por mais que pareçamos ter avançado. Toda plenitude é início, mesmo a do Deus desconhecido, onde quer que ela se revele a nós em um movimento que nos parece infinito. Calamo-nos diante dessa plenitude. Por mais que esse conhecimento possa avançar, em sua infinitude ele sempre permanece como que vazio para nós.

Para meu afastamento da imagem que a Igreja faz de Deus também contribuiu o fato de que passei a me preocupar cada vez mais com a função especial dos padres. Segundo a concepção geral, os padres estão a serviço de Deus. Proclamam sua vontade. Neles, Deus está presente para seus fiéis.

Inversamente, os sacerdotes estão a serviço de seus seguidores. Em nome deles, apresentam-se a Deus. Pedem sua bênção e retornam com suas instruções e mandamentos. Portanto, os padres estão entre seu Deus e os fiéis de Deus. Por isso, em regra, para os fiéis, o acesso a seu Deus só se dá por meio dos padres. Deus não fala diretamente com seus fiéis, e sim por meio dos padres. Desse modo, os movimentos místicos que acreditam encontrar uma relação direta com Deus e os últimos segredos são um estorvo para as religiões estabelecidas e seus padres. Eles atuam além das religiões, sem pretenderem ser mediadores como elas, sem temê-las e sem nenhuma dependência.

Outra função dos padres era e ainda é oferecer sacrifícios a Deus. Inicialmente, sacrificavam-se seres humanos, sobretudo crianças, para reconciliar Deus com os homens e fazer com que ele continuasse a dedicar-lhes sua atenção. Mais tarde, como substituição aos sacrifícios humanos, passou-se a sacrificar animais. Estes eram abatidos e incinerados ou assados em um altar – um odor nutritivo para o Deus. Segundo se imaginava naqueles tempos, esses sacrifícios possibilitariam a manutenção da vida. Supõe-se que a mesma coisa ocorresse antes, com os sacrifícios humanos. Somente assim fariam sentido. A imagem de Deus por trás disso é a de um canibal.

Posteriormente, como essa imagem tinha um efeito muito cruel, foi sobreposta por outras representações e tirada do foco. Por exemplo, na forma aparentemente mais distante do sacrifício humano primordial, o sacrifício da missa, em que o corpo e o sangue originais se escondem sob a forma de pão e vinho. Porém, apenas de modo superficial, pois quem é oferecido em sacrifício a Deus pelos padres? O próprio filho de Deus. Portanto, no cristianismo, os padres oferecem em sacrifício a Deus seu suposto amado filho.

Essa imagem prossegue. No início, quando a Deus era oferecido um sacrifício, este era apenas parcialmente incinerado. Uma parte, geralmente a melhor, era deixada para o consumo dos sacerdotes, e a outra, para as pessoas que haviam pagado pelo sacrifício e o ofereceram aos sacerdotes. Por ocasião desses sacrifícios, todos se sentavam à mesma mesa com Deus. Comiam com ele da mesma carne e bebiam do mesmo sangue. No sacrifício da missa ocorre algo idêntico. Todos comem com ele da carne de seu filho, bebem com ele de seu sangue e imaginam-se unidos a ele.

O que nos aconteceria se já não houvesse nenhum sacerdote? Não haveria mais sacrifício nem pessoas sacrificadas, tampouco o canibalismo velado com Deus. Já não haveria sacerdotes que se tornam, eles próprios, vítimas de seu Deus, por exemplo na Igreja Católica com a exigência do celibato. Na Antiguidade, a serviço da deusa-mãe Cibele, seus sacerdotes, como que em êxtase, eram castrados em sacrifício a ela. O celibato é uma forma sublimada da castração. Para dizer de uma maneira extremada, mas ainda precisa, esses sacerdotes ofereciam um sacrifício e eram, eles próprios, sacrificados.

Poderiam esses sacerdotes sentir compaixão? Ou teriam, quando fosse o caso, de se tornar cruéis como o deus ao qual serviam?

Nesse sentido, há que se refletir sobre outro aspecto. A que deus esses sacerdotes servem por meio do celibato? Seria ele um homem, nosso pai, como o nomeava Jesus? Ou teria uma deusa-mãe ocupado seu lugar? O que é a adoração de Maria, a chamada Mãe de Deus, senão a adoração de uma deusa-mãe? Sobretudo nos lugares onde o celibato dos padres é exigido, ela se estabeleceu amplamente na consciência dos fiéis. Entretanto, a rigor, para os sacerdotes católicos, a Mãe de Deus é a Igreja. Por isso, nela, apenas os homens podem se tornar sacerdotes, homens castrados.

Como podemos nos despedir desse Deus e de seus sacerdotes?

Em primeiro lugar, sem medo desse Deus, de sua deusa e de seus sacerdotes. Em segundo, com amor pela vida, tal como é dada a cada um de nós por uma força diante da qual, primordialmente, tudo tem sua existência em igual medida, ou seja, por uma força que está acima de tudo, que não precisa nem quer nenhum sacrifício.

Em terceiro lugar, na dedicação à vida, tal como ela é presenteada a cada um de nós diretamente por essa força, que a todo instante a mantém.

Em quarto, no amor por tudo e por todos, mesmo pelos fiéis e por seus sacerdotes, sem elevar-nos acima deles. Como todas as outras pessoas, eles também são amados por essa força.

Em quinto, tendo humildade, pois independentemente do que pensamos dessa força e da maneira como nos dirigimos a ela, será insuficiente e limitado. No entanto, o modo como a pensamos e adoramos faz diferença em nossas relações com tudo, em especial com as outras pessoas. Esse pensamento e essa adoração servem à paz e à reconciliação com todos, sem sacrifícios nem sacerdotes. Servem à paz e à reconciliação com aquele Deus oculto, que age em todos com um amor que, por meio da criação, supera as diferenças instituídas por nós. Esse amor destina-se diretamente a todos, sem sacrifícios nem sacerdotes. Está presente no coração de todo ser humano de maneira abrangente, em união com ele e com tudo, da maneira como existe.

Tentei escrever em uma história o que essa mudança exige de nós:

## O outro Deus

Um homem sonhou à noite que tinha ouvido a voz de Deus, dizendo-lhe: "Levante-se, pegue seu filho, seu único e amado filho, leve-o à montanha que lhe indicarei e ofereça-o a mim em sacrifício!"

De manhã, o homem se levantou, olhou para o filho, seu único e amado filho, olhou para sua mulher, mãe do menino, olhou para seu Deus. Pegou a criança, levou-a à montanha, construiu um altar, amarrou as mãos do menino, puxou a faca e quis matá-lo. Porém, ouviu outra voz e, em vez do filho, sacrificou uma ovelha.

Como o filho olhou para o pai?
Como o pai olhou para o filho?
Como a mulher olhou para o marido?
Como o marido olhou para a mulher?
Como eles olharam para Deus?
E como Deus – se ele existe – olhou para eles?

Outro homem sonhou à noite que tinha ouvido a voz de Deus, dizendo-lhe: "Levante-se, pegue seu filho, seu único e amado filho, leve-o à montanha que lhe indicarei e ofereça-o a mim em sacrifício!"

De manhã, o homem se levantou, olhou para o filho, seu único e amado filho, olhou para sua mulher, mãe do menino, olhou para seu Deus. Diante dele, resistiu e disse: "Não vou fazer isso!"

Como o filho olhou para o pai?
Como o pai olhou para o filho?
Como a mulher olhou para o marido?
Como o marido olhou para a mulher?
Como eles olharam para Deus?
E como Deus – se ele existe – olhou para eles?

Muito antes que as tribos israelitas invadissem Canaã e dela se apoderassem, havia na região a fé religiosa bastante difundida de que os pais garantiriam sua própria vida e seu futuro se sacrificassem um de seus filhos a Deus. Em regra, deveria ser o primogênito. Após cuidadosas escavações, o templo original em que essas crianças eram sacrificadas tornou-se acessível. Em seu centro há um altar maciço de pedra, no qual aparentemente várias dessas crianças eram sacrificadas e incineradas ao mesmo tempo. Dei a volta nesse altar e pensei nelas com amor.

Muito antes de os conquistadores israelitas ocuparem a região, por acaso esse testemunho também não nos lembraria do sacrifício de Jesus em honra ao seu pai no céu? Também nesse caso há a ideia dentro da Igreja de que todos que nele creem serão salvos de seus próprios pecados pela morte dele na Cruz, pois, por meio desse sacrifício, Deus se reconciliou conosco e, assim, temos a certeza de sua graça.

Nesse ponto, antecipei-me. Anteriormente, após a ocupação de Canaã, também era comum entre os israelitas sacrificar seu primogênito a um deus. Esse deus se chamava Moloque, e seu templo ficava perto de Jerusalém. Nele havia uma estátua de Moloque na forma de um forno. Os pais levavam seus primogênitos até lá – talvez fosse sempre um filho homem – e os jogavam no fogo desse forno divino entre muitos cânticos. Diz-se que seus cânticos em voz alta cobriam o choro de seus filhos.

Muitos profetas condenaram esse culto. No entanto, ele se manteve por muito tempo, até o fim de Jerusalém pela ocupação babilônica. A pergunta é: teria esse culto perdurado também entre os cristãos? Aparentemente sim, porém, camuflado como um ritual devoto. Os fiéis cristãos dizem que consagram uma criança a Deus, aqui também com a intenção de, com isso, invocar sua bênção.

Uma forma extrema em que se dissimula essa intenção é o martírio. Alguém deve achar estranho o quanto os mártires são venerados na Igreja, a ponto de até mesmo suas relíquias trazerem salvação para os fiéis.

Nesse ponto, retorno às formas usuais de entregar uma criança a Deus, por exemplo, mandando uma filha para o convento. As virgens consagradas a Deus chegam a ser consideradas noivas de Cristo em um matrimônio santo. Contudo, são obrigadas a renunciar a um noivo terreno e a ter filhos. Mesmo assim, os pais sentiam orgulho dessas filhas que, mediante seu sacrifício, proporcionavam-lhes a bênção de Deus.

Algo semelhante ocorre com os filhos homens dispostos a ingressar em uma Ordem religiosa, sobretudo com aqueles que se tornaram padres. Eles também tiveram de abrir mão do casamento para honra maior de Deus e estarem disponíveis apenas para ele. Em sua concepção, desse modo Deus ficaria muito satisfeito com eles e com suas famílias.

Em comparação com o sacrifício de crianças na Antiguidade, esses não são sangrentos, assim como não é sangrento o sacrifício da missa, no qual, entretanto, a morte sangrenta de Jesus é retomada e revivida. Ao mesmo tempo, esses sacrifícios também requerem o extremo dos sacrificados.

Limitei-me aqui à Igreja. No entanto, essa concepção do sacrifício humano também atua em outros campos de maneira semelhante, e até de modo sangrento. Quando os soldados alemães partiam para a batalha, entoavam, por exemplo, a seguinte canção:

> Alemanha, olha para nós, que te consagramos
> a morte como o menor feito.
> Ela haverá de saudar nossas fileiras,
> e nós nos tornaremos a grande semeadura.

A pergunta é: que mitos continuam a exercer influência aqui? Estamos imunes a eles? Nesse caso, também a despedida é necessária, bem como uma profunda e eficaz desmitologização. Quando ambas dão certo, conseguimos nos despedir de uma imagem de Deus que quer o sacrifício de crianças. Conseguimos igualmente nos despedir de uma imagem de Jesus que promove essa crença, por exemplo, com a ideia de que carregamos sua Cruz junto com ele. Com essa despedida, conseguimos nos despedir também de todos os deuses que, por sua glória, exigem sacrifícios humanos, seja qual for sua roupagem.

Aonde chegaremos em seguida? Chegaremos além desses deuses, em outro amor, que não queira nem precise de sacrifícios. Permanece a pergunta: quantos sacrifícios e quantas renúncias estávamos dispostos a fazer para nos reconciliarmos com um deus? Quantos sacrifícios e quantas renúncias exigimos dos outros e impusemos a eles para nos reconciliarmos com nosso Deus e receber sua graça? De que lado estávamos? De ambos? Cabe indagar: como podemos nos libertar dessa imagem de Deus? Deixando-a cair. Como? Com amor por todos e por nós mesmos.

Depois que conheci a "cadeira quente", prossegui como havia feito até então. Meu amigo Hermann Stenger, morto em 2016, que era padre, professor de psicologia e membro da dinâmica de grupo como eu, ajudou-me a conseguir em Viena uma vaga nas sessões de análise didática, que iniciei alguns meses depois e que valiam como um elemento sólido da formação em psicanálise. Nelas, o futuro psicanalista se torna um analisando, a fim de conseguir entender seus clientes de maneira mais independente. Hermann Stenger e eu também éramos unidos pelo olhar crítico em relação à vida sacerdotal, exigida pela Igreja.

Quatro meses depois do curso com Ruth Cohn, dei em Roma um seminário sobre dinâmica de grupo para religiosos, no qual dialoguei com um padre americano. Trocamos nossas experiências, e rapidamente percebi que tinha chegado o momento de sair da Ordem. Mais uma vez senti aquela segurança interior, como no passado, quando decidi fugir da prisão de guerra americana.

Um "sim" também é sempre um "não", e um "não" também é sempre um "sim". Pois quando digo "sim" a alguma coisa, digo "não" a outra, e quando digo "não" a alguma coisa, digo "sim" a outra. Quando um casal diz o "sim", diz "não" a todos os outros possíveis parceiros. Esse "sim" destina-se aqui a uma realização, a uma ação. Exclui aquela ação que se opõe à ação afirmativa. Por isso, com esse "sim", restringimos nossa própria liberdade de ação, porém com um ganho correspondente, que nos faz esquecer a restrição.

Entretanto, o que é a liberdade para alguém sem um "sim"? Ela subsiste apenas até optarmos por alguma coisa. Sem uma decisão, portanto sem um "sim", a liberdade é vazia. Afinal, o que nos traria se não a utilizássemos para um "sim" e uma realização que correspondesse a ele?

Algo análogo ocorre com o "não". Com ele excluímos um "sim" e sua respectiva realização. O "não" nega a ação. Entretanto, após um "não", tem-se a liberdade de decidir novamente ou de outro modo. Portanto, com o "não", tomamos a liberdade de optar por outro "sim". O "não" é, por assim dizer, a preparação para outro "sim". Sem um "sim" e sua respectiva ação, o "não" permanece vazio, assim como a liberdade. Mesmo quando dizemos "sim", podemos decidir de novo. A nova decisão leva o "sim" adiante. Ou, então, àquilo a que antes respondemos com uma afirmação, tornamos a dizer "não", ganhando liberdade para um novo "sim" e para uma nova ação. Pelo menos assim parece. No entanto, as possibilidades para um novo "sim" são limitadas nas coisas essenciais. No final, "sim" em demasia tem o efeito de um "não". Restringe as próprias possibilidades, pois os outros já não acreditam nesse "sim". Algo semelhante se dá com um excesso de "não". Ambos acabam levando à solidão.

Ainda em Roma dei início à minha saída da Ordem. Segundo me explicaram, eu não contaria com nenhum apoio por parte da Igreja Católica para me manter financeiramente, não teria nenhuma garantia. Todavia, podia muito bem renunciar a eles. Com meu trabalho como membro da dinâmica de grupo, tinha independência financeira.

Tampouco esperei por uma autorização da Igreja para minha saída, simplesmente fui em frente. Minha Ordem nem sequer fez a tentativa de me impedir. Sabiam que de nada adiantaria.

É verdade que rompi com um voto perpétuo. De fato, fui infiel à Igreja. E tudo isso com a consciência tranquila.

A fidelidade resulta de uma união e aceita limites preestabelecidos. Age dentro desses limites e é confiável. Quando é mútua dentro desses limites, garante ao indivíduo pertencimento, aprofunda a união com os outros e vice-versa. Portanto, é um bem precioso.

Mas o que acontece quando nos desenvolvemos além desses limites? Quando ela não apenas nos dá segurança, mas também nos mantém prisioneiros? A fidelidade tem de se desenvolver na direção de algo maior. Por isso, a fidelidade humana só pode ser temporária, até as circunstâncias exigirem uma ampliação. Às vezes, ela se fundamenta no passado e, portanto, pode continuar existindo sob a superfície. Nesse caso, o desenvolvimento realiza-se sem maiores rompimentos, por exemplo, quando o filho, mesmo tendo formado sua própria família, permanece afetivamente ligado à sua família de origem.

Porém, às vezes esse desenvolvimento também requer a despedida de algo anterior, a fim de que deixemos para trás algo que já passou e se mostrou insuficiente ou incorreto. Foi o que ocorreu com muitos soldados, quando voltaram para casa após a Segunda Guerra Mundial e tiveram de reconhecer que, na maior parte das vezes, a fidelidade cobrada deles trouxera apenas infortúnio para eles e seus adversários, forçando-os a cometer ações ruins e, com frequência, também criminosas.

A fidelidade e a obediência cegas impedem não apenas qualquer desenvolvimento, mas até o paralisam. Em contrapartida, a verdadeira fidelidade é fiel à realidade como um todo. Vai além da fidelidade a uma única pessoa ou a determinado grupo e inclui os outros de acordo com as circunstâncias e a missão vivenciada. Sim, em certo sentido, chega a ultrapassar a fidelidade a si mesmo, por exemplo, aquela ao próprio passado e ao que se chama de caráter. Essa fidelidade só é confiável em relação a um todo maior, mas não em campo mais restrito. Por isso, todo progresso decisivo em sentido moral, político, religioso e humano inicia-se com a superação de limites anteriores, com uma despedida ou um rompimento, e às vezes com uma infidelidade. Porém, depois ocorre sempre um avanço rumo a algo maior e por fidelidade a uma compreensão, a uma realidade conhecida de outro modo e à missão que dela resulta.

Sobre a fidelidade forçada, ainda se pode referir o exemplo de quando uma simples promessa ou um "sim" ou "não" não podem bastar e, em seu lugar, faz-se um juramento ou voto. É o que vemos em um tribunal, quando é exigido que as declarações sejam feitas sob juramento, ou nos chamados "juramentos de lealdade". Entre eles encontram-se o juramento à Constituição, à bandeira, ao cargo e, na Igreja, algo perverso como o juramento antimodernista, pelo qual o indivíduo se compromete a não defender certas doutrinas (ou certos conhecimentos).

Estreitamente relacionado a isso estão os votos, por exemplo, os de pobreza, castidade e obediência a uma Ordem; em algumas delas, também se requer o voto de obediência absoluta ao papa. Nesse caso, trata-se dos votos perpétuos, válidos por toda a vida e que, portanto, impediriam e proibiriam qualquer desenvolvimento que os ultrapasse. Esses juramentos ou votos são exigidos como condições de pertencimento. Quem os rejeita não pode tornar-se nem permanecer membro. Mas por que eles existem? Por que não basta um simples compromisso ou promessa? Jesus disse a seus discípulos: "Seja, porém, o vosso falar: sim, sim; não, não; porque o que passa disto é de procedência maligna" (Mt 5,37). Desse modo, do que trata um juramento ou voto? Neles se invoca um deus vingativo, que deve causar medo e cuja punição deve-se temer se o juramento ou voto for quebrado. Porém, Deus não exige absolutamente que façamos tal juramento ou voto. Tampouco se deixa invocar como testemunha de uma declaração ou promessa solene, como se pudéssemos usá-lo como um esbirro para responsabilizar e punir quem prestou falso juramento ou rompeu com um juramento ou voto. Quem cobra juramentos ou votos quer intimidar um subordinado, como se tivesse Deus ao seu lado e como se Deus estivesse submetido a ele. Não pode existir um Deus assim. Quem o invoca desse modo ou quer obrigar alguém a invocá-lo desse modo coloca-se acima de Deus. Por isso, quando ultrapassam uma simples promessa ou um compromisso, todos esses juramentos ou votos perdem o efeito.

Se aqui somos forçados a falar de Deus em imagens humanas, talvez pudéssemos e devêssemos dizer também: sua honra o obriga a não se colocar a serviço de tais juramentos ou votos. E se alguém aqui merece uma punição, não são os que romperam com tal juramento ou voto, e sim os que o cobraram e exigiram. Apenas quem tiver coragem, perante o Deus venerado, de romper com tais juramentos ou votos, e de não se submeter às promessas ou aos votos de outrem, é fiel à humanidade maior e à divindade.

Deixei-me levar aqui pelo entusiasmo e falei do divino de um modo que até para os seres humanos seria degradante. Neste momento, gostaria de me distanciar enfaticamente deste assunto e me inclinar com reverência àquilo que, embora de maneira intuitiva, tem de permanecer insondável e indizível.

Já fazia muito tempo que eu não era padre nem membro da Ordem. No entanto, somente nesse momento me tornei padre de fato e pude dedicar-me plenamente às pessoas, sem prescrições nem limites. Nesse sentido, permaneci padre a vida inteira.

Também compreendi que o próprio caminho é o correto para cada um. Todo desvio dele afasta o indivíduo de si mesmo, de sua satisfação, de sua força e de sua mais profunda felicidade. No fundo, não temos escolha além de seguirmos o próprio caminho, mesmo quando achamos que podemos, devemos ou até somos obrigados a nos desviar dele. Talvez pensemos que outro caminho seria mais fácil ou satisfatório, ou que o objetivo ao qual ele conduz seria mais elevado e, no final, nos levaria até mesmo além de nós próprios. Porém, o outro caminho só pode ser trilhado por alguém a quem ele pertence de fato. Somente essa pessoa está em harmonia consigo mesma nesse caminho e dele recebe a força, a coragem e a disposição para percorrê-lo.

Às vezes sentimo-nos tentados a comparar o próprio caminho com outros e, assim, acabamos considerando muitos deles melhores ou piores, superiores ou inferiores, especiais ou comuns, bons ou condenáveis. No entanto, somente quem reconhece e percorre como seu um caminho que não lhe pertence se desvia dele. Nesse sentido, o fato de que todos seguem apenas seu próprio caminho e não podem abandoná-lo mostra que as pessoas se assemelham inteiramente a seus caminhos. De fato, em última instância, o caminho de cada um é predeterminado, sobretudo pela origem, pelo envolvimento no destino da família, pelo gênero, pelo talento e pelos limites intelectuais e físicos. Porém, por fim, também pela própria determinação, pela própria voz interior e pelo lugar que cabe a cada um no todo.

Entretanto, quando encontramos outras pessoas em nosso caminho, por um trecho o percorremos juntos, aprendendo uns com os outros, acompanhando-nos e apoiando-nos. Mas, então, chega o momento de cada um seguir seu rumo novamente. Desse modo, com frequência muitos caminhos se cruzam, às vezes desembocam uns nos outros, e por um período já não se distinguem. Até que o próprio caminho torna a se impor e nele nos sentimos plenos.

Mais tarde, escrevi uma história sobre minha saída da Ordem e minha renúncia ao sacerdócio.

## A despedida

Agora convido o leitor a uma viagem ao passado, como quando as pessoas se põem de novo a caminho após muitos anos, para voltarem ao lugar onde algo decisivo aconteceu. Porém, desta vez, não há nenhum perigo à espreita, tudo já foi superado. É mais como se velhos combatentes, depois de um longo período de paz, caminhassem novamente no campo de batalha onde tiveram de se afirmar. A grama já cresceu há tempos, árvores florescem e dão frutos. Talvez já nem reconheçam o lugar, pois ele não se parece com o que têm na memória, e precisam de ajuda para se orientarem.

De fato, é curioso como deparamos com o perigo de maneiras diferentes. Uma criança, por exemplo, fica paralisada de medo diante de um cão grande. Então, a mãe se aproxima, pega-a nos braços, a tensão se desfaz e a criança começa a soluçar. Porém, de seu posto elevado e seguro, não demora para que vire a cabeça e olhe com desenvoltura o terrível animal.

Outro exemplo é de alguém que se cortou e não consegue ver o próprio sangue correr. Porém, assim que desvia o olhar da ferida, sente apenas um pouco de dor. Portanto, é ruim quando todos os sentidos são capturados ao mesmo tempo pelo acontecimento, ou seja, quando não podem ser ativados isolada e separadamente, e o indivíduo é tão dominado por eles que já não vê, nem ouve, nem sente o que de fato está acontecendo.

Faremos agora uma viagem na qual cada um, a seu modo, deparará com o todo, mas não de uma só vez. E presenciará o todo, mas com a proteção que desejar. Também poderá entender o que conta, um após o outro. Quem quiser, poderá igualmente fazer-se representar, como alguém que se acomoda em uma poltrona, fecha os olhos e sonha que está fazendo a viagem. Embora esteja em casa, dormindo, presencia tudo como se estivesse presente.

A viagem começa em uma cidade que já foi rica e famosa, mas que há tempos é desolada e vazia, como uma cidade-fantasma no Velho Oeste. Ainda se veem as galerias de onde o ouro era extraído. As casas continuam quase intactas. Até mesmo a ópera pode ser vista. Porém, tudo está abandonado. Há muito tempo já não há nada ali além de lembranças.

Quem parte nessa viagem busca um guia experiente. Assim, chega ao local, e a lembrança é despertada. Ali aconteceu o que tanto o abalou e do qual ele mal quer se lembrar, pois foi muito doloroso. Mas agora o sol brilha sobre a cidade abandonada. A tranquilidade e quase a paz voltaram para onde antes havia vida, agitação e violência.

Caminham pelas ruas e encontram a casa. Ele ainda hesita, não sabe se deve entrar, mas seu acompanhante entra primeiro, sozinho, para averiguar e ter certeza de que o local é seguro e se ainda restou alguma coisa do passado.

Nesse meio-tempo, olha os outros do lado de fora, pelas ruas vazias, e as lembranças de vizinhos e amigos que ali viveram vêm à tona. Lembranças de cenas nas quais foi feliz e alegre, cheio de entusiasmo e vontade de viver, como crianças irrefreáveis porque se lançam à frente, ao novo, ao desconhecido, ao grandioso, ao amplo, à aventura e ao perigo oculto. Assim passa o tempo.

Em seguida, seu acompanhante acena para que ele o siga. Entra na casa, chega à antessala, olha ao redor e espera. Sabe quais pessoas poderiam tê-lo ajudado na época a suportar tudo isso; pessoas que o amavam e que também eram fortes, corajosas e conscientes. Tem a sensação de que estão ali, de que ouve sua voz e sente sua força. Depois, seu acompanhante pega sua mão e ambos abrem a verdadeira porta.

Ali está ele, de volta. Pega a mão que o conduziu até o local e, em silêncio, olha ao redor para ver como realmente era uma coisa e outra, o todo. Estranho como ele percebe o ambiente de outro modo quando está recolhido e de mãos dadas com seu ajudante, quando também se lembra do que ficou por tanto tempo excluído, como algo que finalmente retorna para o seu devido lugar. Assim, espera e olha, até saber tudo.

Porém, em seguida é tomado por uma sensação, e atrás daquilo que estava em primeiro plano, sente o amor e a dor. É como se tivesse voltado para casa e olhasse para o terreno onde já não existem direitos nem vingança. Onde o destino age, a humildade salva e a impotência cria a paz. Seu ajudante o segura pela mão para que ele se sinta mais seguro. Respira fundo, depois o solta. Assim, o que há muito tempo estava represado começa a fluir, e ele se sente leve e aquecido. Quando a sensação passa, o outro olha para ele e diz: "Talvez na época você tenha carregado um peso que tem de ser deixado aqui, pois ele não lhe pertence nem pode ser cobrado de você. Por exemplo, uma dívida assumida, como se você tivesse de pagar pelo que os outros tomaram. Deixe-a aqui. Deixe também o que mais lhe parecer estranho: a doença, o destino, a crença ou o sentimento dos outros. Faça o mesmo com a decisão que o prejudicou".

As palavras lhe fazem bem. Ele se sente como alguém que tirou um grande peso das costas. Respira fundo e se sacode. Pela primeira vez sente-se leve como uma pena.

O amigo torna a falar: "Talvez no passado você também tenha deixado de lado e desistido daquilo que deveria ter guardado, pois lhe pertence. Por exemplo, uma capacidade, uma necessidade interior. Talvez também inocência ou culpa, lembrança e confiança. A coragem para a plena existência, para uma ação em conformidade com você. Agora, reúna tudo e leve-o com você para o futuro".

Também concorda com essas palavras. Em seguida, analisa o que tem de descartar e recuperar. Ao recuperá-lo, sente o chão sob seus pés e seu próprio peso. O amigo o conduz por mais alguns passos e com ele chega a uma porta nos fundos. Abrem-na e encontram... o segredo reconciliador.

Já não tem por que ficar mais tempo no local. Sente-se impelido a partir. Agradece ao amigável acompanhante e toma seu rumo de volta.

Ao chegar em casa, ainda precisa de tempo para se orientar com a nova liberdade e a antiga força. Porém, secretamente, já planeja a próxima viagem, desta vez a um país novo e desconhecido.

# 6
## Capacitação Terapêutica e Casamento

Após sair da Ordem, mudei-me imediatamente para Viena e iniciei a análise didática, bem como uma formação psicanalítica no Círculo Vienense de Psicologia Profunda, fundado pelo psicólogo e psicanalista Igor A. Caruso. Na época de meu ingresso, Caruso já era professor na Universidade de Salzburgo e, graças à sua ligação com correntes intelectuais de esquerda, sua fama de professor universitário progressista ia muito além das fronteiras austríacas. Somente pouco menos de trinta anos depois é que o lado obscuro de sua biografia se tornou conhecido. Tratarei desse aspecto mais adiante.

Do ponto de vista financeiro, eu estava assegurado. Era membro de uma das dinâmicas de grupo mais prestigiadas da Europa e dava cursos não apenas na Alemanha, mas também em muitos outros países, como a Suíça e a Itália. Esses cursos eram frequentados por pessoas bem diferentes, de padres a psicoterapeutas. Com frequência eu também lecionava em mosteiros. Aos noviços em especial, eu aconselhava o aprendizado de outra profissão além do estudo de teologia.

Somente se tivessem uma alternativa poderiam optar com real liberdade pelo sacerdócio.

Contudo, a vida fora dos muros do mosteiro foi uma mudança brutal para mim. Eu já tinha chegado aos 45 anos e estava solteiro. Anteriormente, eu nunca tivera de me preocupar com coisas do cotidiano, como fazer compras, limpar ou cozinhar. No mosteiro, não tínhamos de lidar com nada disso. Lembro-me de que no início de meu período em Viena entrei em uma loja de queijos e não fazia a menor ideia de quanto eram 100 ou 500 gramas. Para não me expor ao ridículo, simplesmente pedi a mesma quantidade de uma senhora que estava na minha frente. O tamanho de sua peça pareceu adequado também para mim.

Pouco depois, conheci minha primeira esposa, Herta, seis anos mais nova do que eu, assistente social e psicoterapeuta. Naquele momento, era freira em um convento de Viena. Encontrávamo-nos com frequência, ficamos amigos e, por fim, ela também deixou o convento. Estava claro para mim que o casamento seria o próximo passo a ser dado, mas eu não tinha tanta certeza. Por um lado, desejava uma companheira; por outro, gostava da independência até então desconhecida. Além disso, podia imaginar que não seria fácil para uma mulher casar-se com alguém como eu. Como monge, eu tinha vivido as décadas anteriores apenas entre homens e não tinha nenhuma experiência no relacionamento com mulheres. Por isso, resolvi aguardar um sinal para me decidir quanto ao casamento. Afinal, esse recurso tinha dado certo quando fugi da prisão americana.

Na época, eu planejava voltar para a África do Sul após minha formação como psicanalista, para trabalhar e viver no país. Portanto, decidi dizer a Herta que eu queria me casar com ela, porém apenas com a condição de ela ir comigo mais tarde para a África do Sul. Se ela concordasse, pensei, então este seria um bom sinal para o casamento.

Herta logo se declarou disposta a me acompanhar. Mas eu não tinha contado com isso.

O homem é atraído pela mulher porque, como homem, sente falta dela. E a mulher é atraída pelo homem porque, como mulher, sente falta dele. Com efeito, o masculino está ligado ao feminino. Por isso, para ser homem, o homem precisa da mulher e vice-versa. Somente quando o homem faz de uma mulher a sua mulher e se casa com ela, e somente quando uma mulher faz de um homem o seu homem e se casa com ele é que são homem e mulher e se tornam um casal.

Para que o relacionamento entre ambos cumpra o que promete, o homem precisa ser e permanecer um homem, e a mulher precisa ser e permanecer uma mulher. Por isso, o homem precisa renunciar a se apropriar do feminino como se ele próprio pudesse tornar-se e ser uma mulher. E a mulher precisa renunciar a se apropriar do masculino como se ela própria pudesse tornar-se e ser um homem. Isso porque, no relacionamento de um casal, o homem só é importante para a mulher quando é e permanece um homem. E a mulher só é importante para o homem quando é e permanece uma mulher.

Se o homem desenvolvesse e contivesse em si mesmo o feminino, não precisaria da mulher; e se a mulher desenvolvesse e contivesse em si mesma o masculino, não precisaria do homem. Assim, muitos homens e mulheres que desenvolvem em si próprios as peculiaridades do outro sexo vivem sozinhos. Bastam-se a si mesmos.

Desse modo, na ordem do amor entre homem e mulher tem-se, em primeiro lugar, o homem que deseja a mulher como mulher, e a mulher que deseja o homem como homem. Por conseguinte, em um relacionamento de casal, se o homem ou a mulher deseja mais por outras razões, por exemplo para diversão ou sustento, ou porque o outro é rico ou pobre, instruído ou simples, católico ou protestante, ou ainda porque um quer conquistar ou proteger o outro, melhorá-lo ou salvá-lo, tê-lo como pai ou mãe de seus filhos, como se costuma dizer de maneira tão bela, então o alicerce foi fundado em areia, e o verme já entrou na maçã.

Na ordem do amor no relacionamento entre homem e mulher, ambos também precisam se reconhecer como iguais. Toda tentativa de se comportar como pai ou mãe do outro, demonstrando autoridade, ou como filho, demonstrando submissão, restringirá e ameaçará o relacionamento. Se o homem ou a mulher se comportam como se tivessem autoridade de pai ou mãe sobre o outro, arrogam-se perante seu igual os mesmos direitos que os pais têm em relação aos filhos. Com frequência, o outro esquiva-se da pressão e busca alívio e compensação fora do relacionamento.

No entanto, a ligação especial e, em um sentido profundo, indissolúvel entre homem e mulher surge com a consumação de seu amor. Apenas ela faz do homem e da mulher um casal e transforma o casal em pais. Apenas o amor espiritual e o reconhecimento público de seu relacionamento não são suficientes para tanto.

Na consumação do amor se revela a superioridade da carne em relação ao espírito, bem como sua veracidade e sua dimensão. Às vezes se tenta depreciar a carne em relação ao espírito, como se o que ocorre por instinto, necessidade, desejo e amor fosse inferior ao que a razão e a vontade moral exigem do indivíduo. No entanto, o instintivo demonstra sua sabedoria e sua força justamente quando o racional e o moral chegam a seu limite e renunciam. Isso porque por meio do instinto agem um espírito mais elevado e um sentido mais profundo, diante dos quais nossa razão e nossa vontade moral recuam e fogem quando se encontram em dificuldade. Segundo as belas palavras da Bíblia, pela consumação do amor o homem deixa pai e mãe e passa a dedicar-se à esposa, e ambos se tornam uma só carne. A mesma coisa também vale para a mulher. A essa imagem corresponde um processo na alma, que, quando atua, pode ser experimentado como real, pois produz uma ligação indissolúvel e irreproduzível, mesmo quando se deseja o contrário.

Pode-se argumentar que uma separação e um novo relacionamento subsequente comprovam o contrário. Entretanto, um segundo relacionamento atua de modo diferente do primeiro. Um segundo homem e uma segunda mulher sentem a ligação de seu parceiro com sua primeira mulher e seu primeiro homem. Isso se mostra quando um segundo homem e uma segunda mulher não se atrevem a aceitar e a manter o novo parceiro como seu homem ou sua mulher em pleno sentido, como fizeram com o primeiro. Isso porque ambos vivenciam o segundo relacionamento como uma dívida em relação ao primeiro. Isso também ocorre quando o primeiro parceiro morre, pois só nos separamos de fato do primeiro parceiro com a própria morte.

Portanto, um segundo relacionamento só dá certo se a ligação com parceiros anteriores for reconhecida e valorizada e os novos parceiros souberem que estão subordinados aos anteriores e que estão em dívida com eles. Contudo, uma ligação no sentido primordial como no primeiro relacionamento lhes é negada. Por isso, na separação de um segundo relacionamento, normalmente a dívida e o compromisso são sentidos com menos intensidade do que no rompimento do primeiro relacionamento fixo.

Um ano e meio após o casamento, recebi uma correspondência de Roma: era a autorização da cúria para o matrimônio. Estranho; afinal, nunca pedi autorização para isso.

Minha esposa e eu ainda ficamos um ano em Viena, depois prestei todos os exames para concluir minha formação em psicanálise. Além disso, na época eu já tinha lido as obras completas de Freud e sabia lidar muito bem com resistências e projeções, que me seriam muito úteis em meu trabalho posterior na área da constelação familiar. Para o reconhecimento de minha formação em psicanálise faltavam apenas vinte horas de análise didática, que eu pretendia recuperar nos próximos meses, pois tinha comprado uma casa geminada na pequena localidade de Ainring, que contava com cerca de 6.500 habitantes no distrito de Berchtesgadener Land, perto da fronteira com a Áustria e da cidade de Salzburgo.

Após a mudança, passei a integrar o Círculo de Psicologia Profunda de Salzburgo, presidido pelo professor Igor A. Caruso. Pareceu-me uma boa escolha em razão de sua excelente reputação. Além disso, de certo modo, era a continuação lógica de minha formação no Círculo Vienense de Psicologia Profunda, que na época também fora fundado por Caruso. Ademais, essa conexão era necessária para minha almejada qualificação como psicanalista.

Naqueles tempos, Caruso era uma das figuras mais aclamadas da cena psicanalítica, adorado por muitos como guru, embora em sua pessoa o envolvimento com o regime nacional-socialista, incluindo a amizade íntima com nacional-socialistas convictos, se conjugasse com a crítica da filosofia social da Escola de Frankfurt, ligada a Marx e Hegel. Contudo, esse antagonismo só foi tematizado décadas depois, tornando-se um exemplo de como as conexões oriundas do Terceiro *Reich* – de modo semelhante ao que ocorre no ambiente de juízes e advogados – conseguiram passar despercebidas do público ainda por muito tempo após a Segunda Guerra, mas foram toleradas e talvez até protegidas pelos responsáveis. Olhando retrospectivamente, parece-me uma maldição que paira sobre minha geração o fato de às vezes a vida de um opositor do nacional-socialismo como eu cruzar de novo o caminho de cúmplices desse regime cruel e desumano, que permaneceram na sombra por tanto tempo.

Igor Alexander Graf Caruso nasceu em 1914 na cidade de Tiraspol (atual Moldávia/Transnítria), outrora pertencente ao sul da Rússia, de uma família da pequena nobreza que deixara a Rússia após a Revolução de Outubro. Estudou pedagogia na Bélgica, onde se formou em 1937 e trabalhou em um centro de apoio educacional. Dois anos depois, mudou-se para a Estônia para se casar com sua primeira mulher, Irina Grauen. Em 1942, graças à influência de terceiros e sobretudo do marido da irmã de Irina, que era membro da SS,* o casal foi para a Áustria. Com a ajuda do cunhado, Caruso obteve um posto de educador e perito na renomada instituição vienense de assistência aos jovens, conhecida como "Am Spiegelgrund". Nesse estabelecimento havia um "hospital psiquiátrico infantil" com um suposto departamento pediátrico.

As crueldades cometidas nessa instituição foram descritas nas mais de quinhentas páginas do relatório final sobre a "Violência contra crianças em reformatórios da cidade de Viena", elaborado em 2012 por Reinhard Sieder e Andrea Smioski a pedido do município de Viena: "Crianças com 'doenças hereditárias e congênitas', bem como 'menores com deficiência mental e déficit de aprendizagem' eram isolados e submetidos a experiências médicas; por fim, centenas delas foram mortas com Luminal" (página 44).

O medicamento Luminal pertence ao grupo dos barbitúricos. É utilizado no tratamento da epilepsia e como sedativo. Em 1940, na clínica psiquiátrica de Leipzig-Dösen, desenvolveu-se o chamado "esquema Luminal", que inicialmente era empregado apenas na eutanásia de crianças. Por vários dias, os pacientes recebiam três vezes ao dia uma superdose injetável. Como também apresentavam subnutrição, morriam pouco tempo depois de pneumonia.

Em outro trecho do relatório final, os autores se referem à instituição Am Spiegelgrund: "O programa de eutanásia destinava-se a bebês e crianças com doenças hereditárias, bem como a crianças epiléticas ou diagnosticadas pelos psiquiatras como 'débeis mentais', a maioria na seção de lactentes, que no jargão interno era denominada

---

\* Abreviação de *Schutzstaffel*, organização paramilitar ligada ao partido nacional-socialista. (N. T.)

de 'Departamento da Comissão do *Reich*'. Nele, a maioria das 789 crianças registradas na instituição Am Spiegelgrund foi assassinada" (página 42).

Segundo a acusação atual, pelo menos quatorze crianças foram mortas com base nos pareceres de Caruso. Ele próprio nunca confirmou o fato. Embora desde meados dos anos 1970 houvesse indícios da ligação de Caruso com o programa de eutanásia da instituição Am Spiegelgrund, somente em 2008 chegou-se a uma certeza. A historiadora da ciência e psicanalista Eveline List estudou os pareceres de Caruso, disponíveis nos arquivos municipal e nacional de Viena, e publicou suas descobertas.

Em 1942, Caruso transferiu-se para o Hospital Psiquiátrico Döbling, em Viena, onde se tornou amigo próximo de seu chefe, o psiquiatra Alfred Prinz von Auersperg (1899-1968). Membro do Partido Nacional-Socialista dos Trabalhadores Alemães, em 1938 von Auersperg também se tornou membro da SS. Como SS-*Rottenführer*, mais alta patente na hierarquia das tropas da *Schutzstaffel*, atuava na equipe médica da SS. Depois da guerra, foi classificado como seguidor do nacional-socialismo, uma vez que não se conseguiu comprovar sua participação direta nas ações de eutanásia. Em 1946, fugiu com a família para o Brasil e, no período subsequente, atuou tanto na América do Sul quanto nos EUA. A partir de 1953, voltou várias vezes à Europa. A estreita ligação de Caruso com Auersperg impediu o primeiro de ser aceito após a guerra na Sociedade Psicanalítica de Viena, que remontava a Freud. Por isso, ele fundou o Círculo Vienense de Psicologia Profunda.

Caruso alcançou prestígio social graças à sua segunda esposa, Maria Mayer-Gunthof, filha de Franz Josef Mayer-Gunthof, influente empresário e posteriormente cofundador e por muitos anos presidente da Associação Industrial Austríaca. Por ter sido opositor do nacional-socialismo, Mayer-Gunthof fora encarcerado no campo de concentração de Mauthausen. O destino do sogro como prisioneiro de um campo de concentração cobriu como um véu o passado de Caruso, sobretudo a partir de 1952, quando ele começou a difundir uma psicologia cristã. No período subsequente, foi promovido a psicanalista preferido da sociedade vienense e do clero. Sua ulterior ligação com as correntes intelectuais de esquerda e sua adesão a Marx e Herbert Marcuse também fizeram com que se tornasse uma figura de liderança do movimento estudantil de 1968.

Segundo suas próprias informações, a partir de 1956 Caruso deu palestras na América do Sul como professor convidado e foi nomeado professor no Brasil. De 1966 a 1967, lecionou na Faculdade de Medicina da Universidade de Graz e, em seguida, obteve um cargo como professor-assistente na Universidade de Salzburgo. Mostrava-se como um professor universitário e psicanalista progressista. Após ter sido convidado para trabalhar na Universidade Livre de Berlim, em 1972 foi nomeado por Hertha Firnberg, primeira mulher a ocupar o Ministério da Ciência na Áustria, para o cargo de professor nas áreas de clínica, psicologia e psicologia social, mesmo sem ter habilitação e sem prestar concurso. Nessa época, Caruso era o único professor na Áustria a lecionar psicanálise.

Sua nomeação foi ainda mais surpreendente porque ele não dispunha de nenhuma graduação em psicologia, mas apenas em pedagogia. Embora afirmasse ter concluído uma formação em psicanálise com August Aichhorn (1878-1949), professor vienense e fundador da pedagogia psicanalítica, e com Viktor Emil von Gebsattel (1883--1976), psiquiatra alemão, professor universitário e fundador do célebre Instituto de Würzburg para Psicoterapia e Psicologia Médica, não há nada que comprove essa informação.

Caruso fundou o Círculo de Salzburgo para o Trabalho e a Pesquisa em Psicologia Profunda e Psicossomática, mais tarde renomeado Círculo de Psicologia Profunda de Salzburgo. Entre os membros da direção estava Gerhart Harrer (1917-2011), desde 1971 professor de psiquiatria forense na Faculdade de Direito da Universidade de Salzburgo. Já como estudante do ensino médio, engajara-se na *NS-Schülerbund*\* e, posteriormente, na *NSD-Studentenbund*,\*\* tornando-se em fevereiro de 1935 membro da SS, que na época era ilegal na Áustria, e da *SS-Standarte 89*.\*\*\* A ela também pertencera Otto Planetta, que em 25 de julho de 1934 disparou um dos dois tiros que mataram o chanceler austríaco Engelbert Dollfuß e foi executado seis dias depois. Desde 1940, Harrer era membro do Partido Nacional-Socialista dos Trabalhadores Alemães. Como membro da *SS-Studiengemeinschaft*\*\*\*\* na Universidade de Viena, ocupava-se intensamente de genética e eugenia. Durante a guerra, Harrer trabalhou como médico-assistente de Alfred von Auersperg, amigo de Caruso, na seção de neurologia e neurocirurgia dos hospitais militares.

Também mantinha um estreito contato com Heinrich Gross (1915-2005), médico praticante da eutanásia, que participara do assassinato de crianças na instituição Am Spiegelgrund, antigo local de trabalho de Caruso, e mais tarde se tornara o psiquiatra forense mais requisitado da Áustria. Na instituição Am Spiegelgrund, Gross havia tomado parte em experimentos médicos, sobretudo em pneumoencefalografias, realizadas em inúmeras crianças. Nesse tipo de experimento, injetava-se ar na cavidade cerebral através da espinha dorsal para a execução de uma radiografia. Desse modo, queriam investigar se a esclerose tuberosa – mutação no gene TSC1 ou TSC2 que provoca um crescimento desordenado das células e tem a formação de tumores como consequência – poderia ser reconhecida em pacientes vivos.

---

\*    Liga dos estudantes escolares, vinculada ao partido nacional-socialista. (N. T.)
\*\*   Liga dos estudantes universitários, vinculada ao partido nacional-socialista. (N. T.)
\*\*\*  Divisão da SS de Viena. (N. T.)
\*\*\*\* Grupo de estudos ligado à SS. (N. T.)

Somente em 1975 a vida pregressa de Heinrich Gross foi conhecida, mas ele não foi responsabilizado criminalmente por ela. O crime de homicídio doloso havia prescrito, e o Ministério Público se recusou com veemência a acusá-lo de assassinato. Isso ocorreu em 1997. Como Gross não tinha condições de ser interrogado, a audiência marcada para o dia 21 de março de 2000 foi adiada para uma data indeterminada. Em 2005, ele faleceu.

Em 1962, na reinaugurada e, por isso, ainda jovem Universidade de Salzburgo, Caruso encontrou o professor de psicopatologia Heimo Gastager (1925-1991), seu amigo e aluno dos tempos de Viena, bem como Wilhelm Josef Revers (1918-1987), catedrático em psicologia. Os três formaram um triunvirato que se dedicou a uma psicologia profundamente ancorada no aspecto humano e acabou atraindo estudantes dentro e fora do país. Além disso, em suas discussões incluíam temas e atividades sociais que agradavam muito à geração de 1968.

Quando ingressei no Círculo de Psicologia Profunda de Salzburgo, nem todos os contextos descritos eram conhecidos do público. A reputação de Caruso continuava ilesa. Mais tarde, quando tomei conhecimento de seu passado, fiquei chocado e profundamente abalado – por um lado, devido ao horror pelos crimes cometidos; por outro, porque me senti enganado pela integridade simulada; e, por fim, pelos abismos que começavam a se abrir aos olhos de todos.

O abismo que mais nos assusta está dentro de nós. Recuamos diante dele. Tememos cair nele e sermos engolidos por ele. Defendemo-nos da voragem que nos sorve para dentro dele. Também o renegamos, como se não o tivéssemos. Nós o renegamos, por exemplo, por meio de nossas boas ações, de nossa amizade, do amor que demonstramos.

Porém, atrás de tudo isso espreita o aspecto inquietante de nosso abismo. Como o tememos, vivemos de maneira diferente, às vezes como se ele não existisse para nós, mas é evidente que nosso lado bom continua tentando se defender da atração e do poder desse nosso abismo interior.

Afinal, qual é o efeito do abismo para nós? Sem ele, será que teríamos a força decisiva para servir à vida e levá-la adiante? Por que invocamos o amor de Deus e não tememos, ao mesmo tempo, seu abismo? Por exemplo, o inferno? É possível imaginar um abismo mais profundo do que esse?

Por que ele nos fascina em tantas imagens interiores e exteriores? Seria ele o abismo de Deus? Seria o nosso? Seria o temor a Deus nosso temor?

No entanto, nosso abismo é uma bênção. Ele nos torna precavidos e nos protege da queda, porque o tememos. Acompanha-nos onde quer que amemos e sirvamos. Mantém-nos atentos. Quanto mais nos elevamos acima dele, maior é a força com que nos atrai. Portanto, é melhor ficarmos perto dele e termos consciência dele.

Enquanto participei do Círculo de Psicologia Profunda de Salzburgo, pediram-me para apresentar uma palestra. Algum tempo antes, li por acaso o livro *O Grito Primal* (*The Primal Scream*) de Arthur Janov, publicado em 1970. Fiquei fascinado pelo seu método, que introduzi com êxito no trabalho de dinâmica de grupo.

Nascido em 1924, em Los Angeles, Arthur Janov era doutor em psicologia e inicialmente, até o final dos anos 1960, trabalhou como psicoterapeuta em consultório particular seguindo a linha freudiana. Em seguida, desenvolveu seu próprio método com a terapia primal (*primal therapy*). Janov partia do princípio de que experiências e vivências traumáticas na primeira infância e a dor primal (*primal pain*) a elas relacionadas seriam responsáveis não apenas por doenças psíquicas, mas também por doenças físicas. Segundo Janov, apenas quando essas associações psicofísicas são reconhecidas e os sentimentos profundos que delas resultam são permitidos é que se manifestam alterações permanentes de comportamento. Desse modo, comportamentos relacionados à compulsão por compras e por drogas, ao alcoolismo, à compulsão por comida e por jogos servem para reprimir os traumas. Na terapia primal, a dor primal e os traumas são reevocados na consciência, e os mecanismos de defesa são superados. Assim, é liberado o caminho para uma vida saudável e em conformidade com a própria essência.

A fase intensiva da terapia primal, com até três horas diárias, costuma durar três semanas. Após esse período, seguem-se até três sessões semanais. A terapia ocorre em um espaço com isolamento acústico, acolchoado e sem janelas, no qual os clientes se deitam, isoladamente ou em pequenos grupos, em esteiras. O cliente retorna cronologicamente às suas lembranças e relata os acontecimentos. Traumas reprimidos voltam à consciência e são revividos em nível corporal como vivências primais. Os sentimentos dolorosos a elas ligados devem ser intensificados por meio de gritos, choros e respiração ofegante – recursos também adotados pelo guru indiano Bhagwan Shree Rajneesh, mais tarde chamado de Osho.

De resto, entre os clientes mais famosos de Janov estavam o ex-Beatle John Lennon, assassinado em 1980 em Nova York, e sua mulher Yoko Ono. Já em 1970, depois de ler *The Primal Scream*, o casal entrou em contato com Janov. John Lennon sofria, sobretudo, por seu relacionamento com os pais. Seu pai abandonara a família quando o cantor e compositor ainda era bebê. Sobrecarregada, sua mãe, Julia Lennon, entregou-o aos cuidados de sua irmã Mimi Smith. Mãe e filho só se reaproximaram cerca de dez anos mais tarde. Porém, em 1958, Julia Lennon morreu, atropelada por um policial embriagado, que estava fora de serviço – mais um trauma para John Lennon, que na época tinha 17 anos e teve pouco tempo para vivenciar a proximidade com a mãe.

Após a terapia primal com Arthur Janov, John Lennon escreveu a canção "Mother", lançada em 1970 no álbum *John Lennon/Plastic Ono Band*, que dizia: "Mother, you had me, but I never had you" [Mãe, você me teve, mas eu nunca tive você], e: "Father, you left me, but I never left you" [Pai, você me deixou, mas eu nunca o deixei]. O refrão de dois versos no final da canção, "Mama, don't go, Daddy come home" [Mãe, não vá embora; pai, volte para casa], intensifica-se até se tornar um grito comovente. Puro *primal scream*.

Minha palestra sobre o livro *The Primal Scream*, de Arthur Janov, no Círculo de Psicologia Profunda de Salzburgo não agradou. Em seguida, o professor Caruso me chamou e explicou que eu não poderia continuar como membro do Círculo. Portanto, expulsou-me. Mais do que isso: comunicou-me que rejeitaria meu reconhecimento como psicanalista. "Como bispo de uma igreja ortodoxa, não posso aceitar alguém do movimento *Jesus People* (Movimento de Jesus)", declarou literalmente.

*Jesus People* era um movimento cristão popular, surgido na Costa Oeste americana, que atingiu seu ápice no início dos anos 1970 e expandiu-se pela Europa. Orientava-se em parte pela ideologia *hippie*, uma vez que a maioria de seus seguidores vivia em comunidades e se opunha às ritualizações e aos sistemas eclesiásticos. Seu objetivo era recuperar o que Jesus realmente queria.

Portanto, metaforicamente, o que a declaração de Caruso queria dizer era isto: traduzindo, ele, como guardião do cálice sagrado da psicanálise, não aceitaria ninguém que defendesse outros métodos terapêuticos ou novos métodos. Na verdade, suas palavras nada mais eram do que o juramento antimordernista da Igreja Católica.

Anos mais tarde, o Círculo de Psicanálise de Munique reconheceu minha formação. Em 1982, recebi da Associação de Médicos da Seguridade Social da Baviera a autorização para atuar como psicoterapeuta não médico na área da chamada "grande psicoterapia". Mais tarde, devolvi essa autorização, uma vez que eu não oferecia terapias individuais nem de grupo, tampouco trabalhava como psicoterapeuta no sentido da nova lei de psicoterapia.

Olhando retrospectivamente, nada poderia ter sido melhor do que a expulsão do Círculo de Psicologia Profunda de Salzburgo. Eu havia deixado um atoleiro e tomado novos rumos. Na verdade, o caminho estava livre para eu fundar mais tarde a constelação familiar.

Inicialmente, continuei a buscar outras formas de terapia que me enriquecessem. Assim, participei de um curso da psicoterapeuta, psicanalista e analista de grupo americana Fanita English, que quando escrevi este livro estava perto de completar 102 anos. Ela havia desenvolvido a análise transacional do psiquiatra americano Eric Berne (1910-1970), que utilizava as formas de comunicação para interpretar o indivíduo em relação à sua percepção da realidade e à configuração de sua própria história de vida. Em 1969, publicou o inovador *What Do You Say After You Say Hello? The Psychology of Human Destiny* [*O Que Você Diz Depois de Dizer Olá? – A Psicologia do Destino*]. O livro trata da teoria do *script* pertencente à análise transacional, que Fanita English, como ex-aluna de Berne, também apresentou em seu curso.

A teoria do *script* parte do princípio de que todo indivíduo segue seu próprio roteiro, ou seja, seu *script*, arraigado na infância como um programa inconsciente de vida, e que evolui até se transformar em um padrão de comportamento em todas as relações. Berne supunha que um *script* surge por meio de instruções negativas dos pais durante a infância. Na maioria das vezes, a teoria do *script* funciona por meio de contos de fada, romances ou canções que cativaram os clientes na infância, antes do quinto ano de vida, e na fase adulta, nos últimos dois anos. As principais mensagens subjacentes a essas obras são inter-relacionadas e resumidas em uma mensagem determinante para sua vida.

Para tanto, Berne oferecia soluções especiais. Mediante a conscientização desse padrão é possível sair do próprio *script*.

Também introduzi a teoria do *script* em minha dinâmica de grupo, e isso sempre me trouxe excelentes soluções. Porém, após algum tempo, esse método terapêutico me causou certa inquietação. Com ele, eu estava assumindo algo grande demais para mim e, por isso, abandonei a teoria do *script*. Somente mais tarde, com a constelação familiar, tornei a recorrer a ela.

Em 1974, viajei para Los Angeles e me apresentei a Arthur Janov, para com ele fazer uma formação em terapia primal. Com minha esposa Herta, por cinco meses frequentei o centro de Janov durante várias horas todos os dias. Em seguida, estendi minha formação por mais quatro meses com um de seus alunos em Denver.

Antes de iniciar a formação no instituto de Janov para terapia primal, fui chamado ao seu escritório, onde me apresentaram um contrato de dez páginas que listava amplamente tudo o que eu teria de fazer mais tarde. Dele constava, por exemplo, quantos por cento de meus rendimentos teriam de ser destinados a Janov. Não o li direito e assinei de imediato. Depois fiquei tranquilo. Sou rápido em prometer as coisas. Não me incomodo nem um pouco em fazer uma promessa. De todo modo, depois faço o que considero correto. Nesse sentido, encontro-me inteiramente além da moral. Com efeito, quando alguém quer uma promessa é porque não a merece, mas a faço mesmo assim. A pessoa fica satisfeita, e eu, livre. Outros alunos de Janov se rebelaram contra o contrato e, posteriormente, acabaram sendo vítimas de sua vingança. Comigo ele não precisou fazer isso, pois eu havia assinado, e ele ficou contente.

Contudo, reconheci que a terapia primal só tem um efeito libertador quando os sentimentos que nela se desenvolvem são essenciais. Porém, com certo treino, também é possível entrar neles. E isso causa exatamente o contrário daquilo que a terapia pretende, pois impede a despedida da infância.

Após algum tempo com Janov, constatei que muitas reações durante a formação eram puro teatro. Por exemplo, quando algum participante do seminário fazia aniversário, recebia um bolo de presente e era, por assim dizer, obrigado a chorar, pois havia recebido algo que não tivera na infância, ou seja, atenção e dedicação. Certa vez observei uma participante do curso, que era terapeuta, recebendo o bolo. Ela chorou de maneira comovente. Mais tarde, eu lhe disse: "Sua reação não foi autêntica, foi fingimento, não?" "Sim", ela respondeu, "mas é assim que se deve agir aqui." Esse choro era um código de comportamento que já não tinha nada a ver com crescimento interior.

A terapia primal foi muito importante para mim. No entanto, após algum tempo, percebi que poderia facilmente conduzir a um impasse. Corria-se o risco de permanecer preso na regressão. Embora grande parte dos sentimentos manifestados durante a terapia fossem muito dramáticos, não tinham força. Designei-os como sentimentos secundários em oposição aos primários.

Muitos sentimentos estão relacionados a uma situação real, por exemplo à morte do pai, à perda da mãe, a uma separação precoce da mãe, à morte de um filho ou ao amor entre homem e mulher. Em todos esses sentimentos, os olhos estão abertos. Quando nos tornamos testemunhas de tais sentimentos, podemos tomar parte neles sem renunciarmos a nós mesmos. De fato, sentimo-nos enriquecidos quando tomamos parte nesse sentimento. Sentimo-nos mais humanos. Chamo esses sentimentos de "sentimentos primários".

Quando eles se mostram, não é preciso haver nenhum consolo nem intervenção externa. Se alguém tentar intervir, só vai perturbar. No sentimento primário, o indivíduo está totalmente concentrado em si mesmo e tem força. Outra coisa é importante aqui: após um sentimento primário, é possível agir. Portanto, é claro o que se deve fazer. Do sentimento primário vem a força para a ação.

Com os sentimentos secundários é diferente. Eles servem à rejeição de outro sentimento e enfraquecem. São o substituto da ação. Em vez dela, os outros se sentem exortados a fazer alguma coisa, mas sabem que será em vão. Pessoas que se encontram nesses sentimentos mostram àquele que tenta consolá-las ou cuidar delas que também não poderá fazer nada. Por quê? Se eles alcançassem alguma coisa, elas também teriam de agir. Portanto, os sentimentos secundários servem à rejeição de uma solução. Com eles, o problema é mantido.

Por essa razão, nunca se deve lidar diretamente com um problema como esse, e sim tentar desviar a atenção – por exemplo, fazendo uma piada – ou, então, ganhar tempo, usando um pretexto para desaparecer brevemente. Quando se retorna, em geral o sentimento dramático já passou, pois os sentimentos secundários só existem na presença dos outros. Não compensam sem público. Acima de tudo, deixa-se alguém abrir os olhos nesse sentimento e olhar com atenção para alguma coisa. Pois, com os olhos abertos, o sentimento secundário não se sustenta. O curioso é que, muitas vezes, o verdadeiro sentimento por trás daquele secundário é exatamente o contrário do demonstrado. Com frequência alguém ri ao abrir os olhos e depois de ter soluçado.

Há outros tipos de sentimentos que são superiores. Chamo-os de metassentimentos. São pura força. A eles pertencem a coragem, a serenidade, a alegria, a sabedoria. Pois a sabedoria também é um sentimento. O sábio sabe se algo funciona ou não. Por isso é sábio. Não sabe mais do que os outros, mas sabe o que funciona.

De volta à Alemanha, transformei o porão de minha casa em um espaço para a terapia primal. Ele recebeu isolamento acústico e revestimento de couro vermelho-escuro. Diariamente, eu oferecia cerca de três horas de sessões em grupo para dez participantes em cada uma e mais duas sessões individuais. No início, organizei dois ciclos de quatro meses de terapia primal, depois a reduzi para quatro semanas. O período mais curto produziu o mesmo efeito. Mais tarde, combinei terapia primal e teoria do *script*, o que alterou a priorização dos métodos terapêuticos. Em um curso de cinco dias, reservei quatro para a teoria do *script* e apenas um para a terapia primal, pois, com o passar do tempo, constatei que a dor primordial e decisiva resultava de um movimento anteriormente interrompido. Por isso, o terapeuta ajuda o cliente mais uma vez em seu nascimento, depois o apoia em seu movimento em direção aos pais. Isso é tudo.

Meus cursos eram frequentados por psicólogos, psiquiatras e psicoterapeutas, mas também por leigos, como executivos e artistas. Além disso, eu oferecia em minha casa seminários de supervisão para psicoterapeutas, nos quais podiam ser discutidos casos de seu consultório.

Em 1974, nas Semanas de Psicoterapia de Lindau, que no início dos anos 1970 era um evento que reunia conferências e com o tempo passou a oferecer também seminários e exercícios com uma abrangência maior, organizei um curso de análise transacional. Nesse mesmo ano, ofereci uma oficina semelhante ao doutor Rüdiger Rogoll, neurologista, psiquiatra e psicoterapeuta, considerado um dos analistas transacionais mais conceituados da Europa. Por muito tempo, atuou em clínicas norte-americanas e estudou diretamente com Eric Berne. Rüdiger Rogoll e eu entramos em contato nas Semanas de Psicoterapia, que deram origem não apenas a uma colaboração frutífera, mas também a uma estreita amizade.

Em seguida, Rüdiger Rogoll participou de um dos meus cursos de terapia primal e por muitos anos me procurou para fazer supervisão. Ao mesmo tempo, eu o convidava para participar como supervisor de meus cursos de terapia primal. Em 1977, também o procurei para uma formação adicional em análise transacional, a fim de ser admitido na Sociedade Alemã de Análise Transacional. Porém, nessa ocasião ocorreu o mesmo que no Círculo de Psicologia Profunda de Salzburgo. Embora Rüdiger Rogoll fosse meu orientador, mais uma vez, para minha sorte, acabei sendo rejeitado.

Durante todos esses anos, aprendi outros métodos terapêuticos, pois até completar 50 anos ainda não me sentia pronto, continuava minha busca e ainda não tinha respostas sobre mim mesmo. Tudo o que aprendia experimentava em mim e nos outros. Assim, pude desenvolver um grande patrimônio de experiências terapêuticas – sem certificados nem associações, que, para ser sincero, tampouco me interessavam, pois com eles eu teria ficado preso a um grupo e a todas as suas convicções. Porém, nunca deixei que se intrometessem em minha linha de raciocínio.

A hipnoterapia segundo o psiquiatra americano Milton Erickson (1901-1980) me impressionou muito. Ele partia do princípio de que toda pessoa traz no inconsciente a possibilidade de curar a si mesma, que pode ser ativada pelo transe. Nesse sentido, enfatizava a individualidade do cliente e a necessidade a ela relacionada de um acesso especial. Milton Erickson tratava seus clientes com muito respeito e levava em conta até seus menores movimentos, pois eles costumam ser os mais importantes e revelam o verdadeiro desejo. Com frequência opõem-se ao que o cliente diz. Por exemplo, quando alguém narra um fato e, ao mesmo tempo, balança a cabeça em sinal de negação, muitas vezes isso não corresponde ao que diz. A partir dessas experiências, mais tarde reuni muito conhecimento para a constelação familiar.

Da hipnoterapia de Milton Erickson também adotei o princípio dos conceitos simples. Por isso, na constelação familiar, não há termos técnicos incompreensíveis; qualquer pessoa pode entender tudo de imediato e com facilidade. Assim, por exemplo, não falo de identificações, mas de sentimentos assumidos.

Devo uma compreensão mais aprofundada da hipnoterapia de Milton Erickson a três de seus alunos. Inicialmente, aos psicólogos norte-americanos Jeffrey K. Zeig e Stephen R. Lankton, ambos nascidos em 1947, que ganharam reconhecimento com suas publicações e aulas sobre o esclarecimento e a sistematização do método de Erickson. Mais tarde, também fiquei impressionado com o trabalho do psicólogo americano Stephen Gilligan (nascido em 1954), que desenvolveu a hipnoterapia de Erickson na chamada *self-relations psychotherapy*. Com o auxílio dessa "psicoterapia das autorrelações", ele estimulava seus clientes a converter pensamentos negativos em energia positiva. Para tanto, integrava elementos do *aikidô*, do budismo e da meditação.

Complementei a hipnoterapia com uma formação em programação neurolinguística (PNL), que no fundo é uma hipnoterapia aplicada e ampliada. Nesse método, trata-se de influenciar o pensamento e a ação com o auxílio da linguagem. Aprende-se a liberar de sua rigidez posições inflexíveis e as consequentes imagens interiores por meio de alterações mínimas. Ao mesmo tempo, a PNL ajuda o indivíduo a compreender melhor a si mesmo e os outros, contribuindo para o êxito na comunicação.

Ofereci cursos nessa disciplina, mas com a hipnoterapia e a PNL conheci sobretudo a importância terapêutica de histórias espontâneas. De maneira respeitosa e discreta, elas conseguem estimular o cliente a mudanças positivas. Gostaria muito de introduzi-las também em meu trabalho, mas simplesmente não me ocorreu nenhuma – até que, em um curso, de repente alguém disse: "Conte uma história". Essa foi a faísca inicial, e logo me veio à mente, sem mais nem menos, a história do pequeno e do grande Orfeu. Gosto muito dessa história, pois ela mostra o que realmente importa na vida.

A felicidade nos parece tentadora e enganadora, atraente e perigosa. Isso porque com frequência o que desejamos traz infelicidade, e o que tememos, felicidade. Às vezes preferimos nos agarrar à infelicidade, pois ela nos parece mais segura ou maior. Ou, então, porque a consideramos inocência, mérito ou garantia para a felicidade que está por vir. Assim, talvez menosprezemos a felicidade como algo habitual, transitório e fugaz, ou a temamos como culpa, traição, sacrilégio ou sinal de infelicidade. Por isso, chamei a história de "Felicidade dupla":

## Felicidade dupla

Antigamente, quando os deuses ainda pareciam muito próximos dos homens, dois cantores de nome Orfeu viviam em uma pequena cidade. Um deles era o Grande. Inventara a cítara, precursora do violão, e quando tocava suas cordas e cantava, a natureza ao seu redor ficava enfeitiçada. Animais selvagens deitavam mansos aos seus pés, árvores altas se curvavam até ele: nada resistia às suas canções. Por ser tão grande, cortejou a mais bela mulher. Em seguida, começou seu declínio.

A bela Eurídice morreu durante a cerimônia do casamento, e o cálice cheio se rompeu ainda quando ele o erguia. Porém, para o grande Orfeu, a morte não era o fim. Com a ajuda de sua elevada arte, descobriu a entrada para os Infernos, desceu ao Reino das Sombras, atravessou o rio do esquecimento, passou por Cérbero, compareceu vivo perante o trono do deus dos mortos e comoveu-o com sua canção.

A morte libertou Eurídice, porém, com uma condição: Orfeu não poderia virar-se para vê-la até que ambos deixassem os Infernos. Orfeu ficou tão feliz que não notou o escárnio por trás desse favorecimento. Pôs-se a caminho, de volta à vida, ouvindo os passos de sua amada esposa atrás de si. Passaram ilesos por Cérbero, atravessaram o rio do esquecimento, iniciaram a subida à luz, viram-na de longe. Então, Orfeu ouviu um grito. Eurídice havia tropeçado. Assustado, virou-se e ainda viu as sombras caírem na noite. Estava sozinho. Dominado pela dor, cantou a canção de despedida: "Ah, eu a perdi, toda a minha felicidade se foi!"

Ele próprio retornou à luz, mas depois de ter estado entre os mortos, a vida se tornou estranha para ele. Quando mulheres embriagadas quiseram conduzi-lo à festa do novo vinho, ele recusou, e elas o dilaceraram vivo. Tão grande era sua infelicidade, tão inútil era sua arte. Porém, o mundo inteiro o conhecia!

O outro Orfeu era o Pequeno. Não passava de um menestrel. Aparecia em pequenas festas, tocava para pessoas sem importância, proporcionava pequenas alegrias e se divertia com isso. Como não conseguia viver da própria arte, aprendeu uma profissão comum, casou-se com uma mulher comum, teve filhos comuns, pecava de vez em quando, era feliz como um comum mortal e morreu "velho e farto de dias".

Porém, ninguém o conheceu – apenas eu!

Após essa história, desfez-se o encanto. Escrevi muitas outras. Elas me ocorriam de maneira totalmente espontânea em determinadas situações. Até hoje incorporo-as em seminários. Muitas vezes, uma história destina-se a determinado cliente, mas não o revelo. Sempre a narro para todo o grupo, pois, com frequência, os outros também se comovem com ela. Foi o que ocorreu, por exemplo, com a seguinte história, que na verdade era para um cliente que sofria de asma.

### A remoção

Alguém mora em uma pequena casa e, com o passar dos anos, acumulou muita tralha em seus cômodos. Muitos hóspedes levavam suas coisas para lá e, quando iam embora, deixavam algumas malas. Era como se permanecessem ali, embora já tivessem partido havia muito tempo, para sempre.

Também o que o proprietário havia acumulado era mantido na casa. Nada deveria acabar nem se perder. A memória também estava presa às coisas quebradas; por isso, elas permaneciam no local e tomavam a melhor parte do espaço.

Somente quando o dono da casa estava quase sufocando, começou a arrumá-la. Começou pelos livros. Ainda queria observar os quadros e compreender doutrinas e histórias estrangeiras? O que já havia sido realizado muito tempo antes foi eliminado, e nos cômodos entraram a luz e a claridade.

Então, ele abriu as malas que não eram suas à procura de alguma coisa que ainda pudesse lhe servir. Descobriu algumas preciosidades e as colocou de lado. O restante, pôs para fora. Jogou toda a tralha em uma cova profunda, cobriu-a bem com terra e plantou grama em cima.

É fácil reconhecer o que constitui a diferença entre uma exortação direta à ação e a narração de uma história. Na maioria das vezes, aquele a quem se dá um bom conselho sente-se inferior. Como ele se protege, então, dessa perda de autoestima? Para manter sua dignidade, acaba não seguindo o conselho e, se possível, chega a fazer justamente o contrário. Em contrapartida, as histórias não lhe tiram a dignidade, e o conselho nelas escondido é seguido. Desse modo, elas levam à cura.

Também me ocupei da terapia provocativa do americano Frank Farrelly (1931-2013), professor de assistência social e psiquiatria. Em sua terapia de curta duração, ele desafiava o cliente de maneira bem-humorada, mostrando seu comportamento autodestrutivo ou os pensamentos que o paralisavam, porém sem ofendê-lo nem magoá-lo. Desse modo, o cliente conseguia rir de si mesmo e ganhar liberdade para mudar.

Além disso, frequentei os cursos de Jacob Levy Moreno (1889-1974), psiquiatra e fundador do psicodrama, que nasceu em Bucareste, viveu por muitos anos em Viena e em 1925 emigrou para os Estados Unidos. Como em uma peça de teatro, o cliente apresentava-se como o protagonista de seu tema emocional. Com o auxílio do grupo e o apoio do diretor, ou seja, do terapeuta, a ativação da espontaneidade e da criatividade possibilitariam o abandono de estruturas estanques dos papéis.

Contudo, nos anos 1970, outra orientação ganhou importância: a terapia familiar, que se tornaria a precursora da constelação familiar, fundada por mim mais tarde.

Em 1973 foi publicado nos Estados Unidos o livro pioneiro de Iván Böszörményi-Nagy (1920-2007) e Geraldine M. Spark, *Invisible Loyalties: Reciprocity in Intergenerational Family Therapy* [*Lealdades Invisíveis: Reciprocidade na Terapia Familiar Intergeracional*], traduzido para o alemão em 1982. O professor de psiquiatria, que nasceu em Budapeste, passou boa parte da vida em Viena e depois emigrou para os Estados Unidos, era diretor do Eastern Pennsylvania Psychiatric Institute, na Filadélfia, que se tornou o maior centro de formação em terapia familiar na América. Entre suas inovações mais significativas estava a perspectiva multigeracional, que contemplava mais de duas gerações de uma família na terapia. Seria uma maneira de evitar a transmissão de padrões de conflito e a repetição de padrões de relacionamento. Com base em dados empíricos, Böszörményi-Nagy também reconheceu que o sucesso do tratamento de pacientes esquizofrênicos é maior quando os membros da família são incluídos na terapia.

Foi especialmente significativo e para mim o trabalho da psicoterapeuta americana Virginia Satir (1916-1988), que também costuma ser chamada de "mãe da terapia familiar". Tal como Iván Böszörményi-Nagy, ela se empenhava por incluir a família do cliente, ao longo de várias gerações, em seu trabalho terapêutico, para assim poder tratar os padrões e as problemáticas dentro do sistema familiar. Em 1959, Virginia Satir era membro da equipe fundadora do famoso Mental Research Institute, em Palo Alto, Stanford. Sob sua direção surgiu ali o primeiro programa americano de formação para terapia familiar.

Entre as excelentes produções de Virginia Satir encontra-se o desenvolvimento da chamada "escultura familiar". Nela, os membros reais de uma família se posicionam como em uma escultura humana. Suas relações recíprocas se exprimem nas posturas corporais assumidas, bem como nos pensamentos e sentimentos que vão surgindo. Assim, o cliente consegue reconhecer como a relação consigo mesmo e com as outras pessoas é determinada no sistema familiar por processos e estruturas ocultas.

Além disso, Virginia Satir desenvolveu o método da reconstrução familiar, uma mistura de psicodrama e Gestalt-terapia, em que o cliente se insere em diversos papéis da história familiar e revive acontecimentos marcantes ou traumáticos. Desse modo, ele pode alterar suas próprias perspectivas.

Desenvolvi uma estreita ligação e amizade com a psicóloga Jirina Prekop, que em 1970 chegou à Alemanha, vinda da Tchecoslováquia. Ela trabalhava com a chamada "terapia do abraço". Mais tarde, demos seminários juntos, nos quais combinávamos essa forma terapêutica com minha constelação familiar.

No início dos anos 1980, participei de um curso de Thea Schönfelder (1925-2010), psiquiatra e diretora médica do Hospital Universitário de Hamburg-Eppendorf (UKE), oferecido por ocasião das Semanas de Psicoterapia de Lindau. Foi a primeira mulher na Alemanha a ser nomeada para uma cátedra em psiquiatria infantil e juvenil. Graças a ela, cheguei à constelação familiar. Ao empregar a escultura familiar, Thea Schönfelder trabalhava não com os membros reais da família do cliente, e sim com representantes, ou seja, com pessoas do grupo que assumiam o lugar do respectivo membro da família e o substituíam.

No curso, ela me escolheu como representante do pai de um rapaz esquizofrênico. Sem nenhuma experiência, mas com autoconfiança e otimismo, deixei que me constelassem. De repente, ela moveu o representante do rapaz, e eu caí em um buraco profundo, já não era mais eu. Ao final, senti-me como em uma paisagem diferente, ampla e pacífica. Posteriormente, tornei a encontrar Thea Schönfelder nas Semanas de Psicoterapia de Lindau e mais uma vez fiquei muito comovido com seu trabalho. Não consegui entender o que se passou na ocasião. Ela própria não deu nenhuma explicação sobre os contextos.

Posteriormente, visitei Snowmass, no topo das Rocky Mountains, nos Estados Unidos, para um seminário de quatro semanas sobre terapia familiar, conduzido pelos terapeutas familiares americanos Ruth McClendon e Les Kadis. Mais uma vez estive no papel do representante, e mais uma vez passei por altos e baixos. Ainda não conseguia compreender a razão, e McClendon e Kadis tampouco me deram alguma explicação.

Um ano mais tarde, Ruth McClendon e Les Kadis vieram à Alemanha e ofereceram dois cursos de terapia multifamiliar, nos quais trataram de cinco famílias ao mesmo tempo, com pais e filhos, durante cinco dias. Novamente tive dificuldade para compreender o que se passou em termos mais específicos. A vivência estava ali, mas a compreensão ficou de fora. No entanto, entendi uma coisa: ali estava o futuro.

Bert Hellinger conduzindo uma constelação em 2015, em Irkutsk (Rússia).

Público gigantesco: seminário sobre constelação em 2015, em Buenos Aires (Argentina).

Bert Hellinger conversando com um participante do seminário.

Bert e Sophie Hellinger, em 2014, com uma participante do seminário em um campo de treinamento em Bad Reichenhall.

Evento na Universidade CUDEC, na Cidade do México. À esquerda, ao lado de Bert Hellinger, sua esposa Sophie; à direita, ao lado dele, Angelica Olivera Malpica e o diretor da CUDEC, Alfonso Malpica Cardenas.

Os primeiros diplomados da Universidade CUDEC.

Bert Hellinger (à direita) com o padre Hermann Stenger, em 1970.

Bert Hellinger e a psicóloga Jirina Prekop, com quem mantinha laços de amizade. Em 1970 ela migrou da Tchecoslováquia para a Alemanha.

Bert com seus irmãos e sua mãe, em 1929.

Bert (o segundo à direita na primeira fileira) com seu irmão Robert (o primeiro à direita na primeira fileira) no jardim de infância, em 1929.

Bert em seu primeiro dia de escola, em 1931.

Bert com sua irmã Marianne e os avós maternos, em 1931.

Bert banhando-se no lago com seus irmãos Robert e Marianne, em 1933.

Bert, aos 9 anos, e seus irmãos na festa de Natal, em 1934.

Bert e sua irmã Marianne, em 1935, em Leimen.

Bert, aos 12 anos (na frente, à direita), com seus pais e irmãos.

Bert com um amigo de escola no jardim do Internato Aloysianum, em Lohr am Main.

Bert Hellinger estudante, aos 16 anos, em 1941.

Bert Hellinger, aos 17 anos, no *Arbeitsdienst* (Serviço de Trabalho) com sua mãe.

Como soldado na Segunda Guerra Mundial, na França (em pé, terceiro à esquerda).

Bert Hellinger no Natal na França, em 1943 (em pé, terceiro à direita).

Bert Hellinger durante uma aula na África do Sul.

Bert Hellinger com uma aluna na África do Sul, em 1960.

Grande dia de festa: primeira missa de Bert Hellinger como sacerdote, em 1952.

Fim dos anos 1950, na construção de uma igreja na África do Sul.

Em 1960, passando férias com os pais em seu país natal, vindo da África do Sul.

Bert Hellinger e Herta, sua primeira esposa.

Lendo o manuscrito de um de seus livros.

Bert e Sophie Hellinger, com quem desenvolveu a constelação familiar clássica e deu continuidade à nova.

Bert e Sophie Hellinger casaram-se em 2003 e foram unidos por um amor profundo.

Bert e Sophie Hellinger em 2015, em um seminário em São Paulo (Brasil).

Lotado até a última fileira: seminário em Ávila (Espanha).

Bert Hellinger aos 92 anos, em sua casa.

# 7
## A Descoberta da Constelação Familiar

Portanto, a constelação familiar não foi um conhecimento que caiu do céu para mim. Ao contrário, os trabalhos de Thea Schönfelder, Virginia Satir, Ruth McClendon e Les Kadis me transmitiram uma ideia das relações de causa e efeito emocionais, até então desconhecidas. O acesso a elas me foi facilitado essencialmente pela teoria do *script*, que eu apresentara durante muito tempo em meus cursos. Seu criador, Eric Berne, descobrira que vivemos nossa vida segundo um plano secreto, como se seguíssemos um roteiro que apresentamos no palco da vida de maneira quase literal. Contudo, constatei que há frases nesse roteiro que não se adaptam à própria vida.

Essa percepção me ocorreu em uma conversa com meu amigo Rüdiger Rogoll. Ele me falava da teoria do *script* de um cliente, que nomeou o conto de fadas da Branca de Neve como história da primeira infância e a saga de Cassandra como história dos últimos dois anos. Na mitologia grega, Cassandra é a bela filha do rei Príamo de Troia. O deus Apolo apaixona-se por ela e lhe confere o dom de ver o futuro. Porém, Cassandra o despreza, e Apolo amaldiçoa o dom que lhe deu. Ninguém deveria acreditar em suas profecias. Em vão ela advverte sobre a queda de Troia. Depois que a cidade é tomada, Cassandra é violentada por Ájax, o Lócrida, no templo de Atenas e levada por Agamêmnon como escrava a Micenas, onde Agamêmnon é assassinado por sua esposa Clitemnestra e seu amante Egisto. Cassandra tem o mesmo destino.

Na história da Branca de Neve, a bela filha do rei deveria ser morta por ordem da madrasta malvada. No entanto, consegue fugir para a casa dos sete anões.

A frase que unia essas duas histórias na teoria do *script* dizia: "Uma jovem de sangue nobre sai de casa". Em seguida, Rüdiger Rogoll pediu ao cliente que dissesse essa frase a seu pai, que lhe respondeu o seguinte: "Está na hora de lhe contar. Antes de me casar com sua mãe, eu tinha outra mulher, com quem tive uma filha. No entanto, vivíamos no interior, onde um filho fora do casamento não era possível, era visto como bastardo. Para proteger a menina, nós a mandamos para outra família". O cliente não sabia de nada disso. Mesmo assim, representou sua meia-irmã no *script* da vida.

Quando ouvi essa história, fiquei eletrizado, pois tinha passado por uma experiência semelhante. Um de meus clientes nomeou como *script* a tragédia *Otelo*, de Shakespeare. Na peça, o general Otelo, incitado por uma intriga, mata sua mulher Desdêmona por ciúme e, em seguida, comete suicídio. Eric Berne partiu do princípio de que os *scripts* surgem por meio de instruções negativas dos pais na infância. Contudo, uma criança não tem como vivenciar em si mesma o que significa a figura de Otelo. Por isso, perguntei ao cliente: "Quem na sua família matou alguém por ciúme?" E ele respondeu: "Meu avô matou seu rival".

De repente, ficou claro para mim que a maioria dos *scripts* não está relacionada a experiências pessoais. Ao contrário, são assumidos por outros membros da família. O *script* que desempenhamos em nossa vida já foi apresentado antes por outra pessoa de nossa família. No fundo, nós o assumimos e repetimos. Nesse momento, entendi o que significa envolvimento: em nossa vida, estamos envolvidos no destino de outra pessoa. Também entendi o que leva a esse envolvimento: estamos envolvidos no destino de pessoas que se perderam de nossa família porque foram esquecidas ou excluídas por ela. De repente, compreendi o que ocorre nas constelações familiares. Por meio do representante, vem à luz quem são esses excluídos e como podem ser trazidos de volta para a família e nosso coração, aliviando o sofrimento de muitos.

Ao mesmo tempo, ao escrever uma palestra sobre culpa e inocência em sistemas, entendi que há uma ordem original. Nos sistemas, os que vêm primeiro têm a preferência em relação aos que vêm depois. Para mim, essa foi a descoberta da constelação familiar. As outras ordens, que chamei de ordens do amor e que predominam nos sistemas familiares, revelaram-se para mim na meditação. Assim passo várias horas por dia.

Como todos os grandes conhecimentos, aquilo que mais tarde conduziria à constelação familiar anunciou-se ao mesmo tempo em diversas mentes brilhantes. Era como se uma ideia do grandioso que atua nos sistemas familiares já se houvesse propagado entre várias pessoas. Entre elas certamente se contavam Eric Berne, Thea Schönfelder e Virginia Satir, Ruth McClendon e Les Kadis, Jeff Zeig e Iván Böszörményi-Nagy.

O grande psiquiatra suíço Carl Gustav Jung (1875-1961) já escrevera em sua biografia, publicada em 1962, em edição póstuma: "Quando trabalhei com as árvores genealógicas, compreendi a estranha comunhão de destinos que me ligava a meus antepassados. Tenho a forte impressão de estar sob a influência de coisas e problemas que foram deixados incompletos e sem resposta por parte de meus pais, meus avós e outros antepassados. Muitas vezes parece haver em uma família um karma impessoal que é transmitido dos pais para os filhos. Sempre pensei que teria de responder a perguntas que o destino já propusera aos meus antepassados, sem que estes lhes houvessem dado qualquer resposta; ou melhor, que deveria terminar ou simplesmente prosseguir, tratando de problemas que as épocas anteriores haviam deixado em suspenso". (Carl Gustav Jung, *Erinnerungen, Gedanken, Träume* [*Memórias, Sonhos e Reflexões*]. Organização e edição de Aniela Jaffé. Walter Verlag Zürich und Düsseldorf, edição especial, 13ª edição 2003, p. 237.) Impressiona-me ver que cerca de dez anos antes do surgimento da constelação familiar Carl Gustav Jung já havia desenvolvido uma sensibilidade para os envolvimentos na família. Até hoje sou grato a todos os mestres que me levaram a compreender as leis que regem os sistemas familiares. Vejo como uma grande dádiva o fato de poder reconhecer isso. Alguma força, seja ela qual for, deu-me esse conhecimento. Talvez Einstein dissesse que foi a força do pensamento, pois, quando lhe perguntaram o que o levara à teoria da relatividade, coerentemente ele respondeu que havia sido a constante reflexão a respeito.

Quanto a mim, acredito que a compreensão de contextos maiores também é sempre uma graça. Por isso, olho com grande humildade para o que pude realizar com a constelação familiar. Nunca poderia sonhar que um dia aquilo que chamo de "ajuda para a vida" seria praticado no mundo inteiro e que com ela eu pudesse ajudar tantas pessoas, realizar-me com felicidade e profunda gratidão por meu destino.

Quando nos sentimos especialmente bem-sucedidos? Quando aquilo que empreendemos serve à vida. Nesse sentido, o maior sucesso é um filho e, mais tarde, tudo o que o torna apto para a vida, até que ele possa transmiti-la.

Aquilo que conseguimos fazer de um modo que sirva à nossa vida e à alheia é um sucesso permanente. Com essa realização, a vida é mantida e transmitida.

Temos orgulho desses sucessos? De uma boa maneira, sim. Os pais têm orgulho dos filhos, e quando realizamos bem alguma coisa que trará bons frutos também ficamos orgulhosos. Nesse caso, o orgulho é a felicidade mostrada externamente por termos servido à vida de uma boa maneira. Esses sucessos são permanentes, pois a vida continua com eles.

Vitórias também são sucessos. Sucessos pessoais, quando nos mostramos os melhores em um desafio. A competição pelo melhor lugar e as energias que ela libera servem à vida. Todos que participam de uma competição, bem como aqueles aos quais ela é imposta para que sobrevivam, levam a vida adiante, mesmo quando submetidos a um caso especial. Toda vida tem de se impor e é bem-sucedida quando o faz. Em todas as áreas da vida, temos de enfrentar o desafio e assumir um comportamento positivo em relação a ele.

Muitos que se encontram juntos em uma competição podem se unir para obterem resultados melhores do que teriam se estivessem sozinhos. Seu sucesso se torna coletivo e beneficia muitos. Nesse caso, é menos o indivíduo e mais o grupo a sentir-se orgulhoso. Muitos sucessos destroem sobretudo aqueles que permanecem centrados em si mesmos, sem servir à vida. A menos que também os coloquemos a serviço da vida.

Esses sucessos são uma realização pessoal e pressupõem uma ação pessoal. Crescemos com eles.

Não se pode dizer o mesmo dos sucessos que se dão à custa dos outros, sobretudo da vida deles e de sua família.

Como podemos ter nosso próprio sucesso de maneira correta? Quando por meio de nosso sucesso os outros são beneficiados em sua vida. Esses sucessos fazem a nós e aos outros felizes.

# 8
## A CONSTELAÇÃO FAMILIAR CLÁSSICA

A partir de 1982, dei em seminários o que hoje chamo de "constelação familiar clássica" e que mais tarde aperfeiçoei com Sophie, até chegar a uma nova constelação familiar.

No início, eu achava que a constelação familiar fosse exclusivamente um enriquecimento para o trabalho de psiquiatras e psicoterapeutas; porém, mais tarde, afastei-me dessa opinião. Reconheci que ela também é importante para leigos. Por isso, quando se trata de constelação familiar e de nova constelação familiar, falo não de um método terapêutico, e sim de uma ajuda para a vida, pois aquele que irá constelar quer esclarecer algo para si mesmo – por exemplo, quer descobrir as possíveis razões para uma doença, para as dificuldades no relacionamento com o parceiro ou para o que o impede de ter sucesso na vida.

Na verdade, a constelação familiar clássica ocorre de maneira muito simples. O condutor da constelação escolhe representantes para a família do cliente, e este os apresenta a um grupo em sua relação uns com os outros. Em alguns casos, o cliente também escolhe os representantes. De repente, os representantes se sentem como as pessoas que representam, sem conhecê-las nem receberem qualquer informação sobre elas. Às vezes falam com a voz delas e apresentam seus sintomas. Por exemplo, começam a tremer ou já não ouvem nem enxergam direito.

Esse fenômeno não pode ser esclarecido com conceitos tradicionais. Dentre as muitas tentativas de explicação, a que lhes pareceu mais evidente até o momento foi a de que os representantes entram em outro campo espiritual. O biólogo britânico Rupert Sheldrake chama isso de "campo morfogenético". Isso significa que nele os acontecimentos anteriores, relativos a uma família ou grupo, e os sentimentos a eles ligados são armazenados em uma memória coletiva.

Depois que os representantes são constelados, pergunta-se ao cliente como ele está se sentindo. Em geral, ele fica muito abalado com o resultado, pois a configuração é diferente da que tinha imaginado. Em seguida, pergunta-se aos representantes o que estão sentindo. São mudados de posição até que todos se sintam bem no final. Com frequência, são escolhidos outros representantes, que acabam sendo integrados. Por exemplo, quando todos olham na mesma direção, isso significa que estão olhando para alguém que foi excluído da família ou esquecido por ela. Muitas vezes, trata-se de um filho morto precocemente. Quando alguém é constelado para esse filho, os outros se sentem aliviados. Desse modo, uma ordem oculta é revelada e se mostra fundamental.

O condutor dirige a constelação, decide quais outras pessoas devem ser incluídas como representantes dos membros da família e ajuda com frases de solução para restabelecer a ordem no sistema familiar. Note-se ainda que uma constelação tem efeito não apenas sobre o cliente, mas também sobre todos os membros reais de sua família que foram representados por outras pessoas. Portanto, uma constelação familiar influi até dez anos depois.

O foco nessas constelações reside tanto na família do presente quanto na da origem. Quando se trata preponderantemente de um casal e de seus filhos, muitas vezes descobre-se que seus problemas estão relacionados a algo incompleto em suas famílias de origem. O foco permanece limitado a essas duas famílias.

Minha realização foi reconhecer quais leis influem nos sistemas familiares. A compreensão essencial das ordens das relações humanas só me ocorreu aos poucos, passo a passo, em um longo caminho de conhecimento, que percorri de maneira puramente fenomenológica, ou seja, orientando-me apenas por aquilo que sempre aparecia e se verificava nas constelações. Essas leis nada têm a ver com ética ou moral, tampouco se orientam pela compreensão. Quando são infringidas, provocam sofrimentos emocionais, mas também físicos. Trata-se de leis universais e férreas, que chamei de "ordens do amor".

# 9

## A Diferenciação das Consciências

Minha compreensão das ordens do amor foi precedida por outro conhecimento revolucionário: entendi que existem diferentes tipos de consciência. Na época em que eu trabalhava com a constelação familiar clássica, distingui duas formas de consciência: a pessoal e a coletiva, também chamada de "consciência de clã". Ambas abordam campos espirituais. Mais tarde, com a nova constelação familiar, a elas se acrescentou um terceiro tipo de consciência. No entanto, como não quero me antecipar, inicialmente me limitarei a descrever os dois primeiros tipos.

A consciência pessoal é vivida como um sentido por meio do qual percebemos diretamente o que é necessário para pertencermos à família ou a um grupo. É como o senso de equilíbrio: assim que nos afastamos do equilíbrio, sentimos tontura. Essa sensação nos leva a tentar corrigir nossa postura de imediato, para que possamos recuperar o equilíbrio e a estabilidade. Algo semelhante faz a consciência pessoal. Quando alguém se afasta do que é válido em sua família ou em seu grupo, ou seja, quando precisa temer que poderá ser excluído do grupo devido à sua ação, fica com a consciência pesada. Como essa situação é muito desagradável, sua consciência pesada o leva a mudar seu comportamento, para que ele possa voltar a fazer parte do grupo.

Desse modo, vivenciamos a consciência pessoal como boa e má consciência. Na boa nos sentimos bem, e na má nos sentimos mal. Ficamos com má consciência quando pensamos, sentimos e fazemos alguma coisa que não corresponde às expectativas nem às exigências daquelas pessoas e daqueles grupos aos quais queremos e muitas vezes até precisamos pertencer e que são importantes para nosso bem-estar e nossa sobrevivência. A sensação de proteção que esse pertencimento nos proporciona é boa e nos faz bem. Não precisamos nos preocupar em ficar sozinhos e desprotegidos de um momento para outro. Portanto, de certo modo, nossa consciência fica atenta para que continuemos ligados a essas pessoas e a esses grupos. Quando percebe que esse pertencimento é ameaçado e nos afastamos dos outros, nossa consciência reage com um sentimento de medo. Por isso, a significação da consciência pessoal não pode ser suficientemente estimada. É o que também revela sua elevada importância na sociedade e na cultura.

Por nos unir apenas a determinados grupos e pessoas, excluindo outros, essa consciência é limitada. Por conseguinte, as distinções entre bem e mal também valem para ela. Sentimos como boa consciência tudo o que assegura nosso pertencimento. De nosso próprio ponto de vista, não refletimos muito sobre se ela é realmente boa ou se pode até ser ruim para nós ou para os outros. Sem pensar, sentimos e defendemos o que consideramos bom, uma vez que só é percebido como boa consciência – mesmo quando, para um observador fora desse campo espiritual, pareça estranho ou até ameaçador à vida de muitos.

A mesma coisa vale para o mal. Porém, nesse caso, ele é sentido por nós com mais intensidade do que o bem, pois está ligado ao medo de perdermos nosso pertencimento e, com ele, nosso direito à vida.

A diferenciação entre bem e mal serve, portanto, à sobrevivência do indivíduo em seu grupo.

A consciência pessoal nos une com mais força quando nos encontramos em uma posição inferior em um grupo e dependemos dele. Porém, assim que ganhamos poder nesse grupo ou nos tornamos independentes dele, esse vínculo é afrouxado e, com ele, também a consciência.

Contudo, os fracos são conscienciosos e permanecem fiéis porque estão ligados. Em uma família, são as crianças; em uma empresa, os funcionários de baixo escalão; em um exército, os soldados rasos; e em uma igreja, os fiéis. Para o bem dos fortes, arriscam conscienciosamente a saúde, a inocência, a felicidade e a vida, mesmo quando os fortes os exploram, sem nenhum escrúpulo, por aquilo que chamam de "fins superiores". São os pequenos que se responsabilizam pelos grandes; os carrascos que fazem o trabalho sujo; os heróis em uma batalha perdida; as ovelhas que seguem o pastor que as leva ao abatedouro; e as vítimas que pagam a conta.

Quando a consciência une, ela também restringe e exclui. Por isso, quando queremos permanecer em nosso grupo, muitas vezes temos de negar ou recusar aos outros o pertencimento que reivindicamos para nós, só porque eles são diferentes. Portanto, quem sempre segue a própria consciência acaba rejeitando outras pessoas. Para poder pertencer à sua família ou ao seu grupo, necessariamente menospreza os que são diferentes por terem outra consciência e considera-se melhor do que eles. Assim, por meio da consciência, tornamo-nos temíveis para os outros, pois o que tememos para nós mesmos como a pior consequência de uma culpa e a máxima ameaça, acabamos desejando ou fazendo aos outros em nome da consciência, só por eles serem diferentes: a exclusão do grupo.

No entanto, o que fazemos com eles, outros fazem conosco em nome da consciência. Assim, para o bem, estabelecemos mutuamente uma fronteira, e para o mal a removemos em nome da consciência. Todas as diferenciações entre bem e mal, entre eleito e rejeitado ou entre céu e inferno vêm da consciência.

Desse modo, culpa e inocência não são a mesma coisa que bem e mal, pois muitas vezes realizamos ações ruins com boa consciência e ações boas com má consciência. Realizamos ações ruins com boa consciência quando elas servem para nos unir ao grupo importante para nossa sobrevivência, e realizamos ações boas com má consciência quando elas ameaçam a união a esse grupo.

Assim, a boa consciência de um e a boa consciência de outro tornam-se o pomo da discórdia que separa pessoas, povos e religiões. A boa consciência deles coloca uns contra os outros. Justifica as piores crueldades contra os semelhantes, por exemplo nas guerras religiosas. Com isso, a consciência se opõe ao respeito e ao amor por quem é diferente.

Portanto, o critério para a consciência é o que vale no grupo ao qual pertencemos. Por isso, pessoas provenientes de grupos diferentes também têm consciências diferentes, e quem pertence a vários grupos tem uma consciência específica para cada um. A consciência nos mantém no grupo assim como o cão mantém as ovelhas no rebanho. Porém, quando mudamos de ambiente, como um camaleão, ela também muda de coloração para nos proteger. Nesse sentido, com a mãe temos uma consciência diferente daquela que apresentamos em relação ao pai. A consciência na família não é a mesma que temos na profissão. A que demonstramos na igreja tampouco é igual à que revelamos entre amigos. No entanto, sempre se trata de vínculo, do amor de vínculo e do temor da separação e da perda.

Quando se considera a consciência pessoal com mais profundidade, constata-se que ela segue três necessidades. No fundo, chega a ser idêntica a elas:

**1. A necessidade já descrita de pertencimento.**

**2. A necessidade de equilíbrio entre dar e receber.** Essa necessidade possibilita o intercâmbio entre os membros do sistema. Como está ligada à necessidade de pertencimento, em geral manifesta-se do seguinte modo: quando recebo algo bom, tenho a necessidade de compensar. Porém, como me sinto parte integrante do grupo e amo, dou um pouco mais do que recebi. No outro ocorre algo semelhante: ele também restitui um pouco mais. Assim, o equilíbrio aumenta e o relacionamento se aprofunda.

Entretanto, essa necessidade de equilíbrio também tem seu lado negativo: quando alguém me faz um mal, tenho a necessidade de revidar. Assim, o equilíbrio aumenta em sentido negativo. Essa necessidade de justiça e vingança é tão forte que sua necessidade de pertencimento acaba sendo sacrificada. Mesmo entre os povos, o excesso de desavença e hostilidade tem a ver com essa necessidade de justiça e vingança. O verdadeiro e, por assim dizer, correto equilíbrio seria fazer ao outro um mal menor do que ele nos causou.

**3. A necessidade de ordem.** Valem certas regras que têm de ser cumpridas. Quem as segue sente-se consciencioso; quem não as segue sente que terá de pagar um preço por elas, por exemplo por meio de uma punição.

Entretanto, por trás da consciência que sentimos atua outra consciência. Ela é poderosa e, por seu efeito, muito mais forte do que a pessoal. Contudo, do ponto de vista do sentimento, permanece amplamente inconsciente. Essa segunda consciência, chamada de coletiva ou de clã, é mais extensa. Também defende os interesses dos excluídos pela consciência pessoal. Por isso, costuma entrar em conflito com ela. A razão para tanto é o fato de que, em nosso sentimento, a consciência pessoal tem prioridade em relação à coletiva. Uma vez que a consciência coletiva atua de modo inconsciente, não podemos sentir sua força especial, apenas constatar seus efeitos em nossa vida. No entanto, só conseguimos fazer isso quando conhecemos as leis férreas da consciência coletiva, as ordens do amor. Posteriormente, Sophie nomeou-a "princípios básicos da vida". Tenho de admitir que essa expressão corresponde bem mais ao significado das leis, pois de sua observância depende nossa felicidade, nosso sucesso e até nossa saúde. Para dizer sem meias-palavras, o conhecimento acerca das ordens do amor decide sobre a vida e a morte.

# 10

## A Primeira Ordem do Amor: o Direito ao Pertencimento

—⁓—

A consciência coletiva ou de clã é uma consciência de grupo, pois todo ser humano está ligado aos seus pais e ao seu clã em uma comunidade de destino. Com nossos pais também partilhamos seus clãs e passamos a pertencer a um clã, no qual os do pai e da mãe se uniram.

Um clã se comporta como se fosse mantido coeso por uma força que une todos os membros e por um senso de ordem e equilíbrio que, de certo modo, influi em todos os membros. Quem é unido e guiado por essa força e quem é contemplado por esse senso pertence ao clã. De modo geral, trata-se das seguintes pessoas:

1. Todas as crianças, incluindo as abortadas, as que partiram, as natimortas, as entregues para adoção e as esquecidas. Meios-irmãos também contam como membros integrais da família.

2. Os pais e seus irmãos de sangue, incluindo os abortados, os que partiram, os natimortos, os entregues para a adoção e os esquecidos.

3. Ex-companheiros dos pais.

4. Os avós, mas sem seus irmãos, embora haja exceções nesse sentido.

5. Em casos excepcionais, também os ex-companheiros dos avós.

6. Todos cuja morte ou perda precoce proporcionou algum benefício aos membros da família e se desse modo contribuíram para a sobrevivência da família atual e de seus descendentes.

7. Se membros da família foram culpados pela morte de outras pessoas, suas vítimas também pertencem à família.

8. O contrário também é verdadeiro: se na família houve vítimas de assassinos externos, estes também pertencem à família.

9. Se a família obteve alguma vantagem em detrimento de outrem, o prejudicado também pertence à família.

Enquanto a consciência pessoal é sentida pelo indivíduo e serve ao seu pertencimento e à sua sobrevivência pessoais, a consciência coletiva ou de clã considera a família como um todo, pois a preservação da integridade no clã, ou seja, sua plenitude, depende estreitamente do vínculo do destino.

Por isso, de acordo com a primeira ordem servida por essa consciência, todo membro da família tem igual direito de pertencimento. No entanto, em muitas famílias e em muitos clãs esse direito é recusado aos membros. Por exemplo, se um homem casado tem um filho ilegítimo, às vezes sua mulher diz: "Não quero saber dessa criança nem da mãe dela; elas não pertencem a nós". Ou quando um membro da família teve um destino difícil, por exemplo quando a primeira esposa do avô morreu após o parto, seu destino amedronta os outros, que não mencionam o fato, como se a mulher não tivesse existido.

Crianças mortas precocemente ou natimortas também costumam ter esse direito negado, por exemplo ao serem esquecidas. Às vezes também acontece de os pais darem ao filho seguinte o nome do filho morto. Desse modo, é como se dissessem ao primeiro: "Você já não está entre nós, encontramos um substituto". A criança morta nem sequer pode manter seu nome. Com frequência, diz-se a um membro da família que demonstra um comportamento desviante: "Você nos envergonha, por isso o estamos excluindo".

Na prática, a moral muito arrogante nada mais significa do que uns dizerem aos outros: "Temos mais direito de pertencer a esse grupo do que vocês". E: "Vocês têm menos direito de pertencer a esse grupo do que nós". Ou ainda: "Vocês perderam seu direito de pertencimento". Nesse sentido, o bem nada mais significa além de: "Tenho mais direitos". E o mal: "Você tem menos direitos".

Quando os membros de um clã recusam a um membro anterior seu direito ao pertencimento – seja porque o desprezam, porque temem seu destino, seja porque não querem reconhecer que ele abriu espaço para os descendentes – ou quando não reconhecem algo pelo qual, ao contrário, deveriam ser-lhe gratos, um descendente se identifica com ele e o imita sem perceber nem conseguir evitá-lo, pressionado que é pelo senso de compensação da consciência de clã. Muitas vezes, ele nem sequer conhece o excluído e nada sabe de sua existência.

Esse membro assume, então, como representante, o destino do excluído. Pensa como ele, tem sentimentos semelhantes, vive de maneira análoga e chega a ter uma morte parecida. Portanto, esse membro da família encontra-se a serviço da pessoa excluída e defende seus direitos. É como se fosse possuído pela pessoa excluída sem perder seu próprio *self*. Pois sempre que a um membro for negado o pertencimento, haverá no clã um ímpeto irresistível para restabelecer a integralidade perdida e compensar a injustiça ocorrida.

A esse respeito, dou um exemplo: um homem casado conhece outra mulher e diz à primeira: "Não quero mais saber de você". Se tiver filhos com sua nova esposa, um deles representará a primeira mulher abandonada e combaterá o pai talvez com o mesmo ódio que ela. Ou, então, se afastará dele com a mesma tristeza que ela. Mas esse filho não sabe que está rememorando e legitimando a excluída.

Isso significa que um poderoso senso de ordem, que de certo modo age em todos os membros, zela para que todos os pertencentes ao clã perdurem além da morte. Pois o clã abrange tanto os vivos quanto os mortos, em geral até a terceira e às vezes até a quarta e quinta geração anterior. Ninguém quer ser separado de sua família pela morte. Sobretudo, a consciência coletiva quer até mesmo trazer os membros de volta para a família. Em outros termos, embora com a morte percamos a vida atual, nunca perdemos nosso pertencimento à família.

Não é que a pessoa excluída queira espontaneamente ser representada desse modo. Em primeiro lugar, é a consciência coletiva a provocar essa representação. Chamo isso de envolvimento. Com frequência, ele explica o comportamento estranho de um membro da família.

Comparada com a consciência pessoal, a coletiva se mostra como totalmente imoral ou amoral. Não faz distinção entre o bem e o mal nem entre a culpa e a inocência. Por isso, não se pode imaginar essa consciência como uma pessoa que persegue objetivos pessoais após uma reflexão amadurecida. Ela age, antes, como uma pulsão, uma pulsão de grupo, que só quer uma coisa: salvar e restaurar a integralidade. Desse modo, é cega na escolha de seus meios. Praticamente se apropria de um membro inocente da família e o vincula ao destino do excluído. Por outro lado, a consciência de clã protege todos do mesmo modo, uma vez que pretende restaurar seu pertencimento quando este é negado.

É extremada e trágica a maneira como a consciência de clã relembra, ao longo de várias gerações, um membro esquecido da família por meio de outro, que atua como seu representante. É o que veremos no exemplo a seguir, que um cliente me relatou por carta e que reescrevo atendo-me fielmente às suas informações:

A bisavó do cliente casou-se com um jovem agricultor, de quem engravidou. Ainda durante a gestação, seu marido morreu aos 27 anos, no dia 31 de dezembro, de febre tifoide. A partir dessa época, acontecimentos consistentes indicavam que, já durante o casamento, a bisavó teria tido um relacionamento com aquele que viria a ser seu segundo marido e que a morte do primeiro estaria relacionada a esse fato. Chegou-se a suspeitar de que ele teria sido assassinado.

A bisavó se casou com o segundo marido (o bisavô do cliente) em 27 de janeiro. Esse bisavô sofreu um acidente fatal quando seu filho tinha 27 anos. Nesse mesmo dia, 27 anos depois, um neto do bisavô morreu do mesmo modo. Outro neto desapareceu aos 27 anos.

Exatamente cem anos após a morte do primeiro marido da bisavó, um bisneto morreu aos 27 anos no dia 31 de dezembro; portanto, com a mesma idade e na mesma data em que morrera o primeiro marido da bisavó. Esse bisneto havia enlouquecido e se enforcou no dia 27 de janeiro, dia do casamento da bisavó com o segundo marido.

Nessa época, sua esposa estava grávida, tal como a bisavó, quando seu primeiro marido morrera.

Um mês antes de entrar em contato comigo, o filho do homem que se enforcara, portanto o tataraneto da bisavó do cliente, completara 27 anos. Meu cliente estava com o mau pressentimento de que poderia acontecer algo com esse filho, mas achava que o perigo recairia no mesmo dia da morte do pai dele, ou seja, 27 de janeiro. Procurou o rapaz para protegê-lo e com ele visitou o túmulo de seu pai. Em seguida, a mãe do rapaz contou que no dia 31 de dezembro ele havia perdido a cabeça, manuseado um revólver e tomado todas as providências para se matar. Todavia, ela e seu segundo marido conseguiram dissuadi-lo. Esse fato ocorreu exatamente 127 anos depois que o primeiro marido da bisavó morrera aos 27 anos no dia 31 de dezembro. Vale notar aqui que esses familiares nada sabiam do primeiro marido da bisavó. Portanto, nesse caso, um acontecimento ruim repercutiu de modo trágico até a quarta e a quinta gerações. Contudo, a história ainda não terminou. Alguns meses após me escrever, o cliente me procurou em pânico, pois tinha pensamentos suicidas, que já não conseguia evitar. Disse-lhe para imaginar-se diante do primeiro marido da bisavó. Deveria olhar para ele, curvar-se diante dele, até o chão, e dizer-lhe: "Concedo-lhe a honra. Você tem um lugar em meu coração. Por favor, abençoe-me se eu ficar".

Em seguida, pedi-lhe que dissesse o seguinte à bisavó e ao bisavô: "Não importa qual foi sua culpa, deixo-a com vocês. Sou apenas um filho". Pedi também para que ele se imaginasse tirando sua cabeça de uma corda com cuidado, andando devagar para trás e deixando a corda pendurada. Foi o que ele fez. Em seguida, sentiu-se aliviado e liberto de seus pensamentos suicidas. Desde essa data, o primeiro marido da bisavó é um amigo que o protege.

Com esse exemplo, também mostrei uma solução que, por meio da cura, cumpre o que é exigido pela consciência de clã. Os excluídos são reconhecidos e recebem o lugar e o estatuto que lhes cabem. Assim, ninguém mais precisa imitá-los. E os pósteros deixam a culpa e suas consequências no local a que pertencem, retirando-se delas com humildade. Em linha de princípio, esse é um processo interior. Desse modo, chega-se a um equilíbrio que traz reconhecimento e paz para todos.

Como esse processo é produzido na constelação familiar? Como um membro da família que imita um excluído pode ser libertado do envolvimento? Tomemos novamente o caso da mulher abandonada. Na constelação, a segunda mulher diria, por exemplo, à primeira: "Você é a primeira, sou a segunda. Reconheço que cedeu espaço para mim". Se a primeira mulher sofreu uma injustiça, a segunda pode acrescentar: "Reconheço que você foi injustiçada e que consegui meu marido à sua custa". E ainda pode dizer: "Por favor, seja amigável comigo se aceito e mantenho meu marido como meu, e seja amigável com meus filhos". Nas constelações familiares é possível ver que o rosto da primeira mulher se descontrai e concorda, pois recebeu atenção. A ordem é restabelecida, e nenhum filho terá mais de representá-la.

Dou outro exemplo extraído de meu trabalho: um jovem empresário e representante exclusivo de um produto na Alemanha chega com seu Porsche e narra seus sucessos. Não há dúvida de que é capaz e de que possui um charme irresistível. No entanto, gosta de beber, e seu contador o adverte de que gasta muito dinheiro da empresa com assuntos particulares, pondo os negócios em risco. Apesar de seu sucesso até o momento, intimamente buscou perder tudo.

Descobriu que sua mãe havia deixado o primeiro marido porque, como ela mesma disse, ele não era de nada. Casou-se, então, com o pai desse rapaz, levando consigo o filho do primeiro casamento, que não pôde mais ver o pai biológico e até esse dia não tinha retomado nenhum contato com ele. Tampouco sabia se ainda estava vivo.

O jovem empresário notou que não tinha coragem de ser bem-sucedido por muito tempo. Na constelação familiar, ficou claro que representava o primeiro marido excluído da mãe e assumia inconscientemente sua falta de êxito. Ao mesmo tempo, reconheceu que devia sua vida à infelicidade de seu irmão. Na constelação familiar, também se reconheceu ao primeiro marido o lugar que lhe cabia. Além disso, o jovem empresário encontrou a seguinte solução para sua ação:

Em primeiro lugar, conseguiu reconhecer que o destino relacionava o casamento de seus pais e sua própria vida à perda que seu irmão e o pai dele tiveram de enfrentar.

Em segundo lugar, apesar disso, pôde afirmar sua felicidade e dizer aos outros que passaria a considerá-los iguais e com os mesmos direitos.

Em terceiro, estava disposto a ajudar seu irmão como prova de sua disposição para compensar os atos de dar e receber. Por isso, decidiu descobrir o paradeiro do pai desaparecido do irmão e intermediar um reencontro entre os dois.

Onde as ordens do amor prevalecem, cessa a corresponsabilização familiar por uma injustiça ocorrida, pois a culpa e suas consequências permanecem em seu devido lugar, e em vez da vaga necessidade de compensação no mal, que gera continuamente o mal a partir do mal, ocorre o equilíbrio no bem. Esse equilíbrio dá certo quando os pósteros recebem os antepassados, independentemente do preço pago, e quando os honram, independentemente do que tenham feito. O equilíbrio também se dá quando os fatos já ocorridos, tenham sido bons ou ruins, podem ficar no passado. Os excluídos recebem, então, o direito à hospitalidade e, em vez de nos aterrorizarem, trazem a bênção. E quando também lhes concedemos em nossa alma o lugar que lhes cabe, ficamos em paz com eles e nos sentimos plenos e completos, pois temos conosco todos que nos pertencem.

# 11

## A Segunda Ordem do Amor: a Hierarquia

Outra lei fundamental atua na consciência coletiva: em toda família ou em todo grupo predomina uma ordem arcaica e hierárquica, que se orienta pelos antepassados ou pelos pósteros. Portanto, é determinada pelo tempo do pertencimento. Quem já foi membro da família tem preferência em relação aos que vêm depois. Assim, os que vêm primeiro estão em posição mais elevada, e os que vêm depois, em posição inferior. Desse modo, um avô tem precedência sobre seu neto, assim como os pais têm precedência sobre seus filhos, e o primogênito, sobre seu irmão mais novo, e assim por diante. Na consciência de clã, os pósteros e os antepassados não estão em pé de igualdade. Muitas dificuldades manifestadas por crianças, como um comportamento agressivo ou estranho e até mesmo algumas doenças, estão relacionadas ao fato de elas se encontrarem no lugar errado. Quando se acha o lugar certo para elas na constelação familiar, elas acabam mudando.

Assim, cada membro da família tem o lugar que lhe cabe. Ninguém pode nem está autorizado a disputá-lo, por exemplo, querendo ultrapassá-lo ou suprimi-lo. Muitas vezes a hierarquia é violada em nossa cultura, pois é desconsiderada por muitos que evocam a liberdade pessoal e o direito de se desenvolverem segundo os próprios conceitos.

No entanto, para os que violam a hierarquia, as consequências são devastadoras. Por isso, quando há um comportamento autodestrutivo em uma família e alguém, perseguindo objetivos aparentemente nobres, encena seu fracasso e sua ruína de maneira deliberada, em geral o agente é um sucessor que, com seu fracasso, finalmente sente-se como que aliviado por honrar seu antecessor. Desse modo, o poder usurpado termina como impotência; o direito usurpado, como injustiça, e o destino usurpado tem um fim trágico.

A consciência coletiva não permite que os pósteros se intrometam nos assuntos de seus antepassados, mesmo que as intenções sejam as melhores. Como já descrito, há na alma dois movimentos que se opõem: a consciência pessoal e a coletiva. Por exemplo, quando um filho assume algo por seu pai, ele tem uma boa consciência pessoal. Sente que ama seu pai e que é inocente. Ao mesmo tempo, viola a hierarquia da consciência coletiva, pois esta é poderosa e pune a violação com o fracasso e a morte. Por isso, as grandes tragédias terminam com a morte daqueles que pensam estar fazendo o bem. Por isso, os pósteros não devem sentir-se compelidos a impor o direito dos antepassados no lugar deles, a expiar sua culpa nem a libertá-los posteriormente de um destino ruim. Quem vem depois nunca pode ajudar quem vem antes. Contudo, se isso acontecer, o póstero reage a essa usurpação sob a influência da consciência de clã com uma necessidade de fracasso e ruína.

Em última instância, a punição para a violação da hierarquia é a pena de morte em sentido amplo, embora, na maioria das vezes, a hierarquia seja violada de maneira inconsciente ou por amor. Por exemplo, quando uma criança percebe interiormente que um dos pais se move no sentido da morte, ela diz em sua alma: "Antes eu do que você". Isso pode ser enunciado da seguinte maneira:

*"Antes eu adoecer do que você".*
*"Antes eu morrer do que você."*
*"Antes eu pagar por um crime do que você."*
*"Antes eu carregar a culpa do que você."*
*"Antes eu desaparecer do que você."*
*"Antes eu me matar do que você."*

Todavia, na hierarquia, a criança está abaixo dos pais. Se quiser assumir o destino deles, eleva-se acima deles, como se pudesse dispor da vida e da morte. Com essas frases interiores, a criança se coloca em primeiro lugar. Porém, não tem consciência disso, pois se eleva com um amor que está disposto a sacrificar a própria vida pelos pais. No entanto, esse amor, que dentro das ordens do amor é uma usurpação, conduz a criança à morte, sem que ela consiga retirar seu destino dos outros.

Portanto, prevalece no clã uma ordem arcaica que aumenta a infelicidade e o sofrimento em vez de impedi-los, pois quando um descendente, pressionado por um senso cego de equilíbrio, quer recolocar em ordem um fato passado para alguém que veio antes dele, o mal não encontra fim. Essa ordem mantém sua força enquanto permanecer inconsciente. Porém, ao vir à luz, podemos cumpri-la de outra maneira e sem suas consequências ruins. É o que acontece na constelação familiar. Dou alguns exemplos à guisa de ilustração, inicialmente em relação às frases "sigo você" e "antes eu do que você".

Quando alguém diz interiormente esse tipo de frase, peço-lhe que a repita na constelação familiar diante da pessoa em questão, substituída por um representante. Ao olhar nos olhos dessa pessoa, o cliente já não consegue dizer as frases, pois reconhece que ela também o ama e rejeitaria tal oferta. O próximo passo seria ele lhe dizer: "Você é grande, e eu sou pequeno. Curvo-me diante do seu destino e tomo o meu, tal como me foi dado. Por favor, abençoe-me se eu ficar e deixá-la ir – com amor". Desse modo, ele se une a essa pessoa em um amor muito mais profundo do que se a seguisse ou tomasse o destino dela para si como representante. A partir de então, a pessoa velará por ele com amor, em vez de ameaçar sua felicidade, como talvez ele tivesse temido.

Ou quando alguém quer seguir um parente que morreu, por exemplo, uma criança que deseja seguir um irmão recém-falecido, pode dizer-lhe: "Você é meu irmão (ou minha irmã), respeito-o como meu irmão (ou minha irmã). Em meu coração, você sempre terá um lugar. Curvo-me diante do seu destino, seja ele qual for, e defendo meu destino, tal como me foi determinado". Em vez de os vivos se dirigirem aos mortos, são os mortos que vão até os vivos e velam por eles com amor.

Ou quando uma criança se sente culpada por viver, enquanto seu irmão morreu, ela pode dizer-lhe: "Querido irmão, querida irmã, você se foi, eu ainda vou viver por um tempo, depois também morrerei". Desse modo, a usurpação em relação ao morto cessa, e justamente por isso a criança que sobreviveu pode viver sem se sentir culpada.

Apenas dentro de sistemas fechados a lei da hierarquia é oposta. Nesse caso, quem vem depois tem preferência em relação a quem vem antes. Por conseguinte, isso vale para família do presente em relação à família de origem, e para a nova família, por exemplo, devido ao segundo casamento da primeira família, mas apenas quando houver pelo menos um filho. Nesse caso, apenas a hierarquia no nascimento dos filhos é mantida. Exemplo: pela hierarquia, o primeiro e o segundo filho da primeira família vêm antes dos filhos da segunda família.

Portanto, o primogênito daquela vai para o terceiro lugar, e os outros filhos, respectivamente, para os lugares sucessivos.

A violação de uma hierarquia se revela na constelação familiar. Ao se constelar, a ordem é restaurada e, assim, obtém-se o pré-requisito espiritual para o sucesso na vida. No entanto, é o próprio cliente quem tem de implementar essa ordem, pois a constelação não substitui a própria ação.

# 12

## A Terceira Ordem do Amor: o Equilíbrio Entre Dar e Receber

A ordem de dar e receber nos é determinada por meio de nossa consciência. Quando tomamos ou recebemos alguma coisa de alguém, sentimo-nos obrigados a compensá-lo de maneira correspondente. Somente depois que fazemos isso é que nos sentimos livres novamente. A dependência deixa de existir, e ambos podem seguir seu caminho. Porém, quando a restituição é insuficiente, a relação continua a existir em duplo sentido: o primeiro beneficiário sente-se em dívida com o segundo, que, por sua vez, ainda espera algo dele.

Porém, a compensação ocorre não apenas no bem, mas também no mal. Curiosamente, ambos os lados contam com ela, e não apenas a vítima, que planeja vingança. O culpado quer se livrar de sua culpa expiando-a. Mas o que acontece quando a vítima lhe faz algo pior? O culpado sente que ela foi longe demais, pensa em vingar-se e, por sua vez, retribui-lhe com algo ainda pior. Assim, a compensação vai se agravando.

Algo diferente ocorre no relacionamento de um casal, pois além da necessidade de compensação, nesse caso o amor desempenha um papel. Isso significa que quando recebo algo de alguém que amo, restituo-lhe mais do que o equivalente. Assim, o outro se sente novamente em dívida comigo e me restitui um pouco mais. Surge um movimento crescente positivo, e o relacionamento ganha profundidade e amor.

Contudo, ocorre uma desordem quando sempre dou mais ao outro do que ele pode restituir. Desse modo, a relação perde seu equilíbrio. Como consequência, aquele que recebeu em excesso se aborrece e deixa a relação com desculpas esfarrapadas.

A compensação no campo do mal também é necessária no relacionamento de um casal. Quem sempre perdoa o parceiro por uma ação ruim, sem compensação, ameaça o relacionamento. Mais do que isso: intimamente, quer se livrar do outro sem ter consciência disso. O outro já não se sente em pé de igualdade, mas inferior. Qual seria a boa solução? Aquele que sofreu um mal vinga-se com amor, ou seja, restitui com algo menos ruim. Como não quer perder o outro, é menos malvado. De repente, o outro se surpreende. Ambos se olham e se lembram de seu antigo amor. Assim, o círculo vicioso é rompido por violações cada vez mais recíprocas. Essa compensação tem outra vantagem: graças a ela, ambos se tornaram mais cuidadosos e lidam com o outro de maneira mais cautelosa. O resultado dessa compensação é o aprofundamento do amor deles.

Apenas na relação entre pais e filhos a compensação entre dar e receber é anulada. Os filhos não podem compensar o que os pais lhes dão. Realizam essa compensação mais tarde, dando a seus próprios filhos. Porém, pode acontecer de um dos pais sobrecarregar o filho com coisas materiais.

A ordem de dar e receber na família é invertida quando quem vem depois, em vez de receber de quem veio antes e honrá-lo por isso, quer dar-lhe algo, como se fosse igual ou até superior a ele. Isso ocorre, por exemplo, quando os pais recebem dos filhos e estes querem dar aos pais o que estes não recebem de seus pais ou de seu parceiro. Nesse caso, os pais querem receber como filhos, e os filhos querem dar como pais. Em vez de fluir de cima para baixo, o dar e receber flui de baixo para cima, contra a força da gravidade. Contudo, esse dar vem como um riacho que quer correr montanha acima, em vez de montanha abaixo, escolhendo seu próprio destino. Uma exceção é quando os filhos cuidam dos pais na velhice. Nesse caso, são os filhos que dão aos pais e, com razão, estes exigem e recebem de seus filhos. Isso porque pais e filhos formam uma comunidade de destino, na qual cada um deve contribuir de acordo com seu patrimônio para o bem-estar comum. Nela todos dão e todos recebem.

Entretanto, quando um filho infringe a prioridade do ato de dar e receber, é fortemente penalizado, em geral com o fracasso e a ruína, sem que tenha noção da culpa e do contexto. Quando ele dá ou recebe o que não lhe diz respeito, viola a ordem do amor. Não percebe essa usurpação e acha que está tudo bem. No entanto, a ordem não pode ser superada pelo amor, pois antes de todo amor, atua na alma um senso de equilíbrio que ajuda a ordem do amor a alcançar a justiça e a compensação mesmo à custa da felicidade e da vida. Por isso, a luta do amor contra a ordem também é o início e o fim de toda tragédia, e só há um meio de escapar: conhecer a ordem e segui-la com amor. Conhecer a ordem é sabedoria, e segui-la com amor é humildade.

# 13

## As Ordens do Amor Entre o Homem e a Mulher

Quando um homem e uma mulher se sentem atraídos um pelo outro, ambos são atravessados por uma felicidade e um desejo até então insuspeitos. Dizem um ao outro: "Amo você", unem-se e tornam-se um casal. A relação se inicia com enormes expectativas, e os parceiros colocam um ao outro em um pedestal. É o que se chama de "paixão". Apaixonado é aquele que não está no chão, mas nos céus.

Todavia, seria esse amor forte o bastante para uma união duradoura? No auge da paixão, o que sabem de fato um sobre o outro, sobre o lado obscuro de sua origem, sobre seu destino e sua vocação específica? Portanto, não demora muito e ambos caem decepcionados das nuvens. O outro é diferente do que se tinha imaginado. Talvez seja possível encontrar outro parceiro, e a paixão se reinicia. Uma hora tem de dar certo! Esses são os sonhos e as ilusões do amor.

Alguns estão convencidos de que existe o parceiro ideal. Porém, e se ele existir de fato? Não seria preciso fazer mais nada, pois o outro assumiria tudo. Com o parceiro ideal, volta-se a ser criança. Porém, felizmente o parceiro ideal nunca vem, e temos de nos contentar com um habitual.

O amor real tem os pés no chão, fica embaixo. Quanto mais preso ao chão ele estiver, mais profunda será sua força. Vemos o parceiro como ele é, sem o desejo de que, de alguma maneira, seja diferente. Aceitamos sua riqueza e suas limitações. Esse é o início da felicidade. Em vez de "amo você", a declaração passa a ser: "Amo você e o que nos conduz". Desse modo, os parceiros são levados a outra extensão e a outra profundidade, já não olham apenas para si próprios e seus desejos, mas para algo que os supera. Isso ocorre mesmo quando ainda não são capazes de compreender o que essa frase exige deles em especial, o que ela lhes dá nem qual destino caberá posteriormente a cada um e aos dois juntos.

Entretanto, alguns casais veem seu relacionamento como um acordo, cujos objetivos são estabelecidos aleatoriamente e cuja duração ou ordem pode ser predeterminada, alterada ou cancelada por eles, dependendo do humor ou da disposição. Assim, entregam o relacionamento à leviandade e à arbitrariedade. Talvez reconheçam tarde demais que no relacionamento de um casal predomina uma ordem à qual têm de se submeter. Por exemplo, quando um parceiro termina um relacionamento de maneira desrespeitosa e despreocupada, às vezes um filho dessa união acaba morrendo ou se matando, como se tivesse de expiar uma grave injustiça. Isso porque os objetivos de um relacionamento nos são dados previamente e, para serem alcançados, requerem resistência e sacrifício. A esse respeito, certa vez escrevi uma reflexão.

**Ordem e amor**
O amor preenche o que a ordem abrange.

Ele é a água, e a ordem, o jarro.

A ordem reúne,

o amor flui.

Ordem e amor agem juntos.

Assim como uma canção que acompanha a harmonia,

o amor acompanha a ordem.

E assim como os ouvidos dificilmente se acostumam

às dissonâncias, mesmo quando explicadas,

nossa alma dificilmente se acostuma

ao amor sem ordem.

Muitos lidam com essa ordem

como se ela fosse uma opinião

que temos ou podemos mudar aleatoriamente.

Porém, ela nos é predeterminada.

Age mesmo sem a compreendermos.

Não é pensada, mas encontrada.

Nós a deduzimos, como sentido e alma,

do efeito.

No relacionamento de casal também atuam leis que devem ser seguidas para que tragam bons resultados. Assim, por exemplo, à ordem do amor entre o homem e a mulher pertence a renúncia, que já se inicia na infância. Isso porque, para se tornar homem, o filho tem de renunciar à primeira mulher de sua vida, ou seja, à sua mãe. Do mesmo modo, para se tornar mulher, a filha tem de renunciar ao primeiro homem de sua vida, ou seja, ao seu pai. Por isso, o filho tem de sair cedo da esfera de influência da mãe e entrar na do pai, e a filha tem de sair daquela do pai e entrar na da mãe. Na esfera de influência da mãe, geralmente o filho é levado a ser apenas um adolescente ou mulherengo, mas não um homem; e na esfera de influência do pai, a filha geralmente é levada a ser apenas uma adolescente ou amante, mas não uma mulher.

Se o filho permanecer na esfera de influência da mãe, a feminilidade inundará sua alma e o impedirá de aceitar seu pai, limitando sua masculinidade. De maneira análoga, a masculinidade inundará a alma da filha quando ela permanecer na esfera de influência do pai e a impedirá de aceitar sua mãe, limitando sua feminilidade. Carl Gustav Jung chamava a parte feminina da alma de *anima*, e a masculina de *animus*.

Se o filho permanecer na esfera de influência da mãe, sua alma desenvolverá a *anima* em excesso. Curiosamente, ele terá menos compreensão e compaixão pelas mulheres e, de modo geral, também encontrará pouca aprovação entre as outras pessoas. Se quiser se libertar da parte feminina de sua alma, terá de fazê-lo à custa de sua mulher. Algo análogo ocorre quando a filha permanece na esfera de influência do pai. Em sua alma, o *animus* se desenvolve em excesso e, por conseguinte, ela tem menos compreensão e compaixão pelos homens. Também ela é vista com menos simpatia.

Um homem que tenha permanecido na esfera de influência da mãe tampouco se mostra pronto para assumir responsabilidades maiores. Sem hesitar, precipita-se em aventuras audaciosas e não teme nenhum perigo. No fundo, a maioria dos heróis – quer saltem impavidamente da estratosfera, quer se dirijam com imprudência à zona da morte do Monte Everest – e todos os durões – sejam os chefes armados das zonas de prostituição, sejam os membros de gangues brutais de motociclistas – não passam de meninos mimados, pois um homem de verdade não se arrisca de modo leviano. Tem consciência de que é responsável por sua família.

O que acontece, então, quando um filho influenciado pela mãe e uma filha influenciada pelo pai se casam? Em geral, o homem busca uma substituta para a mãe e a encontra em uma amante. E a mulher costuma buscar um substituto para o pai e o encontra em um amante. Porém, quando um filho influenciado pelo pai se casa com uma filha influenciada pela mãe, acabam se tornando um casal confiável. É o que se verificou em centenas de constelações familiares.

De resto, com frequência, o filho influenciado pelo pai se entende bem com o sogro, e a filha influenciada pela mãe, com a sogra. Inversamente, o filho influenciado pela mãe costuma entender-se bem com a sogra e mal com o sogro, enquanto a filha influenciada pelo pai se dá bem com o sogro e mal com a sogra.

Uma ordem do amor no relacionamento do casal requer que a mulher siga o homem, ou seja, que o siga em sua família, em seu *habitat*, em sua língua, em sua cultura e aceite que os filhos o sigam. Não posso justificar essa ordem, mas em seu efeito ela se mostra como o caminho correto. Basta comparar as famílias em que isso ocorre com aquelas em que o homem segue a mulher e as crianças seguem a mãe. Com frequência, esses matrimônios fracassam porque o homem acaba deixando a família. Contudo, quando na família do homem há destinos graves ou doenças, é adequado tanto para ele quanto para os filhos e, sobretudo, mais seguro, se entrarem na esfera de influência da mulher e de seu clã.

Como compensação pelo fato de a mulher seguir o homem, este tem de servir ao aspecto feminino. Isso também pertence à ordem do amor entre homem e mulher.

O servir que parte do coração é a mais profunda realização da vida. Isso significa que servimos para alcançar o coração do outro, para que seu coração bata mais forte graças ao nosso serviço e no mesmo compasso de felicidade que o nosso.

O que significa aqui servir, fazendo o outro feliz?

Em primeiro lugar, servir significa estar com o outro e para o outro, simplesmente estar com ele, sem fazer algo especial. Só o fato de o outro saber que estou presente já o deixa feliz.

Em segundo lugar, servir significa que dou ao outro algo de mim de que ele precisa para sua vida e seu cotidiano. Muitas vezes, trata-se apenas de uma boa palavra, de um pequeno gesto de carinho. Ou, então, lhe dedico atenção, tiro dele um peso e cuido dele de várias maneiras.

Em terceiro, servir significa fazer algo juntos, algo que dê prazer a ambos. Por exemplo, celebrar uma comemoração. Significa também servir juntos a uma causa. Em geral, sobretudo aos filhos, mas também aos vizinhos, aos amigos e às pessoas que estiverem em dificuldade.

Nesse sentido, há que se pensar a quem servimos. Quem vem primeiro em nosso serviço? O outro ou nós? Nosso coração bate pelo outro ou, em primeiro lugar, por nós? Será que, com nosso serviço, queremos conquistar o outro para algo em que ele e seu desejo ficam em segundo plano?

O servir que serve à vida também serve, em primeiro lugar, ao outro e àquilo de que ele precisa no momento para viver. Nesse sentido, nosso servir é reservado. Estamos presentes quando ele precisa de nós, e o deixamos livre quando seu caminho conduz a outra direção.

Para que o relacionamento de um casal dê certo, as ordens do amor entre homem e mulher não podem ser idênticas àquelas entre pais e filhos. Por exemplo, se um parceiro busca no outro um amor incondicional como um filho o faz com os pais, esperará uma segurança que apenas os pais podem dar aos filhos. Isso conduz a uma crise no relacionamento, ao final da qual aquele de quem se esperou muito vai embora. E com razão. Porém, um parceiro também tem de ir embora quando lhe dizem: "Sem você não consigo viver". Ou: "Se você for embora, eu me mato". Essa ameaça é uma cobrança despropositada, que entre adultos iguais é inadmissível e intolerável. Porém, faz sentido quando um filho diz algo parecido aos pais, pois de fato não pode viver sem eles.

Uma transferência inadequada de uma ordem da infância para o relacionamento de um casal também ocorre quando um parceiro dá ao outro na mesma medida que os pais dão ao filho. É o que acontece, por exemplo, quando um parceiro financia os estudos do outro durante o casamento. Quem recebeu tanto do outro já não consegue equilibrar a compensação entre dar e receber e acaba perdendo sua igualdade. Como não suporta esse fato, em geral deixa o parceiro quando termina os estudos. Para recuperar sua igualdade, teria de restituir integralmente tanto as despesas totais quanto o esforço ligado a elas.

Em um relacionamento de casal, o homem e a mulher são iguais do ponto de vista da ordem original. Entraram ao mesmo tempo em contato um com o outro, não há um antes nem um depois. No entanto, muitas vezes nas constelações familiares vemos que o homem aparece em primeiro lugar na hierarquia. Não porque seja melhor, mas em razão de sua função. É o que ocorre quando o homem trabalha e a mulher permanece em casa, pois, nesse caso, é o homem quem cuida do sustento da família. Se a mulher trabalhar e o homem ficar em casa, naturalmente é ela quem aparece em primeiro lugar. Nesse sentido, muita coisa mudou nesse meio-tempo. Nos dias atuais, com frequência o homem e a mulher estão em pé de igualdade no que se refere ao sustento da família.

Mesmo assim, a mulher ainda reina em casa – não por ser melhor. Ela tem, antes, outra força, é aquela que mantém a família unida. Há que se reconhecer que as mulheres compreendem melhor o que é essencial e sabem o que é importante no momento.

Na constelação familiar, a relação entre os parceiros se mostra no lugar em que ambos se sentem bem. Se o homem aparecer à direita da mulher, então ela confia nele e se sente protegida por ele. Se o homem aparecer à esquerda da mulher, ele se sente menos responsável. Goza de certa liberdade para se comportar como bem entende, e muitas vezes a mulher acaba assumindo a responsabilidade por ele. Contudo, nesse caso, ele é pequeno. Muitas vezes se verificou que o homem que fica à direita permanece, e o que fica à esquerda vai embora. Desse modo, as constelações revelam a realidade.

As piores consequências para o relacionamento de um casal surgem por meio dos envolvimentos no próprio clã, por exemplo quando um dos parceiros é forçado a representar um dos parceiros para a solução de conflitos do passado. Essa costuma ser a razão pela qual um parceiro quer deixar o relacionamento e a família, mesmo tendo havido muito amor. A relação só tem um futuro quando esses envolvimentos se revelam e são resolvidos em uma constelação familiar.

Um primeiro elemento desses envolvimentos se dá quando alguém diz interiormente a um membro de sua família: "Vou seguir você após a morte". É o que costuma ocorrer quando o pai ou a mãe de um dos parceiros morreu precocemente. Como filho, esse parceiro sente a necessidade de seguir seu parente e tenta sair do relacionamento, o que pode provocar uma reação em cadeia. Muitas vezes, o filho quer assumir esse comportamento no lugar do pai ou da mãe e diz ao sair de um envolvimento: "Faço isso no seu lugar". Mais tarde, quando se casa, ainda sente esse ímpeto e, tal como seu pai ou sua mãe, quer deixar o relacionamento. Talvez seu próprio filho também diga: "Faço isso por você". Assim, os envolvimentos perduram por gerações.

Há alguns anos presenciei um envolvimento fora do comum em um curso para casais em Washington, ao qual uma mulher compareceu sem o marido. Coloquei diante dela um representante para seu marido. Esse representante começou a tremer até mesmo com certa intensidade. Então, perguntei à mulher: "Alguma vez você já pensou em matá-lo?" Ela respondeu afirmativamente. Nesse momento, interrompi a constelação. Expliquei-lhe que o desejo de matar o parceiro sempre estava relacionado a um acontecimento na família de origem.

Mais tarde, a mulher veio até mim e disse que tinha descoberto algo importante sobre sua família de origem. Seu pai teria participado da produção da bomba atômica. De passagem, mencionou que se surpreendia por ter se casado com um japonês. Na constelação familiar subsequente, revelou-se que a mulher se identificava com a bomba atômica. Em seu casamento, o conflito entre o Japão e os Estados Unidos prosseguiu como representante. Nem a mulher nem seu marido tinham consciência disso. Impotentes, ambos estavam entregues a seus envolvimentos. Somente quando estes foram revelados, o amor deles pôde se desenvolver.

Eu ainda gostaria de chamar a atenção para outra observação importante. Em muitos relacionamentos, os parceiros sempre brigam pela mesma coisa. A razão disso reside no chamado "deslocamento duplo". Nele, uma pessoa assume o sentimento de um membro da família, por exemplo, a raiva por alguém. Porém, não apenas o sujeito é deslocado, mas também o objeto. A raiva assumida dirige-se a alguém que nada tem a ver com a questão, tampouco pode ser responsabilizada.

A esse respeito, cito um exemplo de um seminário: um homem e uma mulher sabem que têm uma forte ligação um com o outro, mas entre eles sempre ocorrem conflitos que eles próprios não conseguem esclarecer. Isso também aconteceu durante o seminário. Observei como a mulher se posicionou diante do marido e como sua feição se alterou. De repente, parecia uma idosa. Em seguida, acusou seu marido de coisas que não podiam estar relacionadas a ele. Perguntei-lhe: "Quem é a mulher idosa?" Então, ela se lembrou de que sua avó, dona de um restaurante, muitas vezes era puxada pelos cabelos e arrastada no estabelecimento pelo marido, avô da mulher – e isso na frente de todos os clientes. A mulher entendeu que a raiva que sentia por seu marido era a raiva outrora reprimida de sua avó por seu avô.

Muitas crises conjugais inexplicáveis têm seu fundamento nesse tipo de deslocamento. Trata-se de um processo inconsciente, ao qual estamos entregues enquanto o desconhecermos e que nos assusta. Se soubermos da existência desses envolvimentos, podemos controlá-los melhor quando nos sentimos tentados a fazer mal ao outro sem nenhuma razão.

Também é possível reconhecer e resolver esses deslocamentos duplos sem a constelação familiar. Para tanto, há que se investigar a origem do sentimento. Com frequência ele se encontra nas gerações anteriores, pois sempre que alguém luta por justiça e ordem está defendendo o direito de um membro da família. Por isso, sente esse fervor especial, desencadeando sempre o mesmo conflito.

Revelo mais um segredo: conheço as três palavras mágicas para um relacionamento feliz. São elas: sim, por favor, obrigado. Fechem os olhos e imaginem o seguinte:

Estamos olhando para nosso parceiro, com quem temos um relacionamento, e ele está olhando em nossos olhos. Em seguida, um diz ao outro: "Sim, aceito-o como você é. Para mim, você é ideal do jeito que é. Sim, amo-o exatamente como é. Amo sua mãe, exatamente como ela é. Amo seu pai exatamente como ele é. Amo sua família como ela é, como igual à minha". O "sim" é a primeira palavra mágica.

Depois vem a segunda. Ambos se olham e dizem um ao outro: "Por favor. Por favor, apoie-me em meu desenvolvimento. Por favor, apoie-me em meu próprio caminho". O que se altera na alma apenas com a expressão "por favor"? Ela abre o coração e deixa o amor fluir.

Por fim, vem a terceira palavra mágica. Ambos se olham, e um diz ao outro: "Obrigado. Obrigado. Obrigado". Todos os dias há muitas ocasiões para dizer obrigado, por exemplo quando o parceiro prepara uma refeição para ambos, quando ouve com atenção e dá um conselho ou quando demonstra seu amor com um gesto, mesmo que pequeno.

# 14
## A Relação Entre Pais e Filhos

A maior alegria que presenciei em meus mais de noventa anos foi a de pais olhando os filhos. Não há nada mais belo nem simples. Essa é a alegria de viver. Nela sempre se vê que a felicidade é simples e profunda. Em contrapartida, alguns esperam um grande acontecimento para serem felizes. No entanto, a vida cotidiana esconde a maior felicidade.

"Não há dois sem três", diz o ditado. Por quê? De um mais um chega-se ao três. O que é o número três aqui? Para um casal, o três é o filho. O três é o número da plenitude.

Há outro número para isso: o sete. Ele é o dois, mais dois, mais dois, mais um. Três casais mais um filho: os pais, os avós e o filho. Também podemos dizer: o três, mais dois, mais dois. Para o filho, não apenas o três é o número da plenitude, porém mais ainda o sete.

Também na semana o sete é o número da plenitude. Somente ele a completa. Ela é três, mais três mais um. O primeiro três é o pai com seus pais, o segundo, a mãe com seus pais, e o um, que completa o sete, é o próximo filho.

Apenas na família o três é o número da plenitude. Em outros relacionamentos, ele é o número que separa alguma coisa. Quando outras relações são transformadas em um grupo de três, em um relacionamento triplo, de acordo com o padrão básico do três na família, a terceira pessoa divide o grupo. Nele, apenas dois podem ser iguais, assim como no relacionamento entre um homem e uma mulher. Se uma terceira pessoa se acrescenta a ele, como em um triângulo amoroso, ela divide o dois. Fora da família, dois se comportam em um grupo de três como iguais e excluem a terceira pessoa da igualdade. Por isso, duas pessoas trabalham bem juntas. Quando chega uma terceira, a produção cai.

Um grupo de quatro também trabalha bem junto, pois seus componentes logo se comportam como dois mais dois. Uma quinta pessoa sobraria, como a proverbial quinta roda da carroça.

Efeitos semelhantes têm os números entre os irmãos. Dois irmãos formam uma boa coesão. Se um terceiro se acrescenta a eles, um dos três logo se sente um estranho. Com a chegada de uma quarta criança, tem-se novamente dois mais dois. Formam uma boa coesão, mas como dois mais dois. A quinta criança se sente menos integrada, embora toda criança adicional seja um enriquecimento para todos os irmãos.

Por isso, a terceira criança – ou uma das três crianças – também se sente uma estranha, pois o pai e a mãe têm uma relação mais estreita com um de seus filhos. Assim, o primeiro dois é o pai e um filho, e serão mais íntimos se esse filho for uma menina. O segundo dois é a mãe com um filho, e serão mais íntimos se esse filho for um menino. Assim, o terceiro ou o quinto filho fica de fora dessas duas relações de dupla.

A divisão para um dois pelo terceiro já pode ser observada após o nascimento do primeiro filho, pois às vezes a relação da mãe com esse filho é mais íntima do que com o marido. Nesse caso, mãe e filho formam um dois, e ao pai cabe o papel do terceiro, que, então, se torna um estranho. É possível mudar algo nisso? Ou será que se deve mudar algo nisso? É suficiente quando conhecemos essas ordens. Quando um homem se torna de certo modo um estranho após o nascimento de seu primeiro filho, ele passa a se empenhar mais externamente, o que pode ser uma vantagem para a família. Conquista seu lugar trabalhando especialmente para a família. Esperar que se dedique ao filho do mesmo modo que a mãe pode ser mais um peso para as relações familiares do que uma ajuda para todos, pois ele nunca conseguirá ser como ela e, desse modo, se sentirá mais como um estranho do que quando cuida da família sobretudo externamente, por meio de seu trabalho.

O terceiro filho, justamente por também ser um quinto, é o que consegue se desvencilhar da família com mais facilidade. Com frequência, também é o menos sobrecarregado pelos destinos da família e tem de assumir menos responsabilidades do que os irmãos. No entanto, quem não consegue ter a mesma intimidade privilegiada com um dos pais, como seus irmãos, nem sempre é o terceiro filho de acordo com o número, e sim aquele que se torna o terceiro filho a partir da dinâmica das relações dos pais com cada filho.

Por que digo tudo isso? Para que esperemos pelo três da plenitude com amor e, de vez quando, também tenhamos cautela com ele!

Relações de diversos tipos seguem diversas ordens. Por isso, também existem ordens próprias para a relação dos filhos com os pais. Em primeiro lugar, vale dizer que os pais dão e os filhos recebem. Nessa situação, os pais transmitem aos filhos o que antes receberam de seus pais e o que, como casal, recebem um do outro. Assim, o intercâmbio necessário entre dar e receber é assegurado. Analogamente, mais tarde os filhos dão a seus próprios filhos o que receberam dos pais. Cada um que recebe precisa honrar o que recebeu e o doador de quem o recebeu. Isso mostra como deveria ser o comportamento dos filhos em relação aos pais.

Além daquilo que os pais são e dão, eles também têm algo que adquiriram por mérito ou sofreram como perda e que pertence à sua pessoa. Os filhos participam apenas indiretamente disso, mas os pais não podem nem são capazes de dar-lhes esse bem, pois, nesse caso, cada um é responsável por forjar a própria felicidade. Quando um filho se apropria do bem e do direito pessoal dos pais sem esforço próprio, sem ter um destino e um sofrimento próprios, e quando toma para si uma culpa, uma obrigação ou uma doença dos pais, como póstero eleva-se acima de um antepassado e, assim, viola a hierarquia. No nível do inconsciente, isso é sentido como usurpação e punido com fracasso e ruína.

Há mais uma questão a ser observada nesse contexto: o destino pessoal de quem veio antes, ou seja, dos pais, pertence à sua dignidade e tem uma força especial quando lhes é deixado por quem vem depois. Certa vez, recebi em um curso uma mulher cujo pai era cego e cuja mãe era surda. Ambos se complementavam bem. Porém, a filha achava que tinha de cuidar deles. Constelei a família e, durante a constelação, a filha se comportou como se fosse grande e os pais, pequenos. No entanto, a mãe lhe disse: "Posso fazer isso sozinha com o papai". E o pai lhe disse: "Posso fazer isso sozinho com a mamãe". Então, a mulher ficou muito decepcionada. Foi reduzida à sua estatura de filha.

Na noite seguinte, ela não conseguiu dormir e no próximo dia do seminário me perguntou se eu podia ajudá-la. Eu lhe respondi: "Quem não consegue dormir acha que tem de ficar atento". Por isso, contei-lhe uma breve história de Wolfgang Borchert,* intitulada "Mas Ratos Dormem à Noite". Trata de um menino em Berlim que, após a guerra, zela por seu irmão morto, para que os ratos não o devorem. A criança sente-se extenuada, pois acha que precisa ficar de vigília.

---

\* Escritor e dramaturgo alemão (1921-1947). (N. T.)

Então, chega um homem amigável e lhe diz: "Mas Ratos Dormem à Noite". Na noite seguinte, a mulher conseguiu dormir melhor.

De acordo com a hierarquia nas famílias, por virem primeiro, os pais têm prioridade em relação aos filhos. Por isso, é importante que na família os pais sejam grandes e assim permaneçam. Em contrapartida, os filhos não têm os mesmos direitos dos pais nem as mesmas demandas. Precisam permanecer pequenos, pois somente assim crescerão. Filhos que se comportam como se fossem grandes permanecem pequenos por toda a vida. Arrogantes, mas pequenos.

Como os filhos recebem a vida dos pais, a ela não podem acrescentar nada nem podem excluir ou recusar nada dela, pois não apenas têm seus pais, mas também são seus pais. Portanto, na ordem do amor, o filho aceita sua vida tal como os pais a deram a ele, como um todo, e aceita os pais tais como são, sem nenhum outro desejo, nem defesa, nem temor.

Podemos experimentar em nós o efeito desse ato de receber se imaginarmos o seguinte: ajoelhamo-nos diante de nosso pai e de nossa mãe, inclinamo-nos profundamente até o chão, esticamos os braços para a frente, com as palmas das mãos viradas para cima, e lhes dizemos: "Concedo-lhes a honra". Em seguida, erguemo-nos, olhamos nosso pai e nossa mãe nos olhos e agradecemos-lhes o presente da vida, por exemplo, dizendo:

> *Querida mãe,*
> *de você recebo*
> *tudo, o todo,*
> *o pacote completo,*
> *e pelo preço integral que lhe custou*
> *e que me custa.*
> *Com o que recebo farei algo para alegrá-la.*

*Não terá sido em vão.*

*Vou mantê-lo comigo e honrá-lo*

*e, se me for permitido, transmiti-lo, tal como você fez.*

*Recebo-a como minha mãe,*

*e você pode me ter como seu filho.*

*Você é ideal para mim,*

*E eu sou seu filho ideal.*

*Você é grande, e eu, pequeno(a).*

*Você dá, eu recebo – querida mãe.*

*E fico feliz por você ter aceitado o pai.*

*Vocês dois são os ideais para mim.*

*Apenas vocês!*

O mesmo deve ser dito ao pai. Quem conseguir essa realização, ficará em paz consigo mesmo e se sentirá bem e pleno.

Ao aceitarem os pais dessa maneira, alguns pensam que depois algo ruim poderia influir sobre eles, algo que eles temem. Por exemplo, uma peculiaridade dos pais, uma deficiência ou uma culpa. Porém, desse modo também se fecham para o bem dos pais e não recebem a vida como um todo. Muitos que se recusam a aceitar seus pais integralmente procuram compensar essa falta. Talvez busquem a realização pessoal e a inspiração. No entanto, essa é apenas a busca secreta pelo pai e pela mãe que ainda não foram aceitos. Quem rejeita os próprios pais rejeita a si mesmo e, analogamente, sente-se não realizado, cego e vazio.

A vida independe de como são o pai e a mãe de uma criança. A partir desse ponto de vista, podemos e devemos olhar nossos pais de maneira diferente – mais precisamente, com profundo respeito. Isso porque quando o filho olha para os pais, através deles também olha ao longe, para o passado, de onde originariamente veio a vida. Recebe a vida não apenas dos pais, mas, ao mesmo tempo, de um lugar muito distante. Esse receber é uma realização humilde. Significa aceitar a vida e o destino tal como me foram dados por intermédio de meus pais, os limites que assim me foram impostos, as possibilidades que me foram doadas, os envolvimentos no destino da família, na culpa dessa família, no lado pesado e no leve dessa família, sejam eles quais forem. A partir dessa perspectiva, não existem pais melhores nem piores. Existem apenas pais.

Quando reconhecemos isso e nos submetemos a isso, podemos aceitar integralmente a vida dada por nossos pais. Porém, quem em seu íntimo rejeita e critica os próprios pais fecha seu coração para a plenitude da vida. Desse modo, recebe, por assim dizer, apenas uma parte ou, melhor dizendo, toma para si apenas uma parte. Contudo, todo mundo também é definido pelos pais de uma maneira bastante determinada.

Tenho diante de mim a imagem de uma árvore. No outono, o vento sopra e espalha as sementes. Uma delas cai em solo fértil, outra em terreno rochoso, e cada uma delas tem de se desenvolver onde se deposita. Não pode escolher o lugar. Do mesmo modo, não podemos escolher nossos pais. Eles são o lugar onde nossa vida germina, o único lugar. Quer a semente tenha caído em solo fértil, quer em terreno rochoso, será uma verdadeira árvore, não importa como cresça. E dará frutos. Suas sementes se espalharão de novo, e a mesma árvore tornará a crescer de maneira distinta em diferentes lugares.

Para que possamos crescer de fato, temos de aceitar o lugar ao qual estamos ligados, seja ele qual for. Com "vantagens" ou "desvantagens", todo lugar condiciona a um desenvolvimento específico, tem oportunidades específicas e estabelece determinados limites. Porém, a vida é pura e autêntica tanto num quanto noutro lugar.

Os pais nos dão não apenas a vida. Eles também nos alimentam, educam, protegem, cuidam de nós, dão-nos um lar. É correto que aceitemos tudo isso tal como o recebemos de nossos pais. Assim, dizemos-lhes: "Aceito tudo – com amor". Essa é uma maneira de receber que, ao mesmo tempo, equilibra, pois os pais se sentem respeitados e dão com mais amor. Porém, quando o filho lhes diz: "Vocês têm de me dar mais", o coração dos pais se fecha. Por serem cobrados, já não são capazes de lhe dar tanto e com tanto prazer. Quando um filho insiste em suas exigências com os pais, não consegue se soltar deles.

Com o avançar da idade, os pais precisam impor limites aos filhos, limites com os quais eles possam entrar em conflito e amadurecer. Teriam os pais menos amor por seus filhos? Seriam pais melhores se não lhes impusessem nenhum limite? Ou se mostram bons pais justamente por exigir dos filhos o que os preparará para a vida adulta?

Nessa fase, muitos filhos se irritam com os pais porque prefeririam manter a dependência originária. Porém, justamente ao se retirarem e frustrarem essa expectativa é que os pais ajudam os filhos a se desvencilharem dessa dependência e, passo a passo, agirem com responsabilidade. Somente assim os filhos ocupam seu lugar no mundo dos adultos e passam de recebedores a doadores.

Ao se tornar adulto, o filho deveria dizer aos pais: "Recebi muito, e é suficiente. Vou levá-lo comigo em minha vida". Assim, o filho se torna satisfeito e rico. E acrescenta: "O restante, faço sozinho". Essa também é uma bela frase que proporciona autonomia. Em seguida, o filho ainda diz aos pais: "E agora os deixo em paz". Assim, solta-se dos pais, mas os preserva, e os pais preservam o filho.

Contudo, como se configuraria a relação entre pais e filhos no caso de uma separação? Considera-se aqui que os filhos são mais protegidos pelo progenitor que, para eles, mais respeita e honra o parceiro. O ideal é que ambos, pai e mãe, respeitem e amem um ao outro, mesmo que estejam separados, pois isso também faz bem aos filhos.

Como regra vale o fato de que os meninos são mais bem protegidos pelo pai, podendo desenvolver melhor o aspecto masculino. Após o sétimo ano de vida, aproximadamente, deveriam ficar com pai. Se a mãe ficar com eles, impedirá o desenvolvimento de seu aspecto masculino. Do mesmo modo, também é melhor para as meninas ficarem com a mãe. É o quadro da ordem. Obviamente há situações em que isso não é possível nem correto. São aquelas em que todos os filhos, meninos ou meninas, têm de ficar com a mãe ou, ao contrário, com o pai. Depende das circunstâncias.

Fundamentalmente, vale a seguinte regra: toda criança precisa dos pais e tem de poder amá-los. Ela não entende por que seus pais se separam, pois ama ambos em igual medida. Contudo, após a separação, depende em todos os sentidos do pai ou da mãe com quem vive. Sente medo de mostrar a esse progenitor que ama o outro da mesma maneira, pois teme irritá-lo e perdê-lo. Porém, intimamente, continua a amar a mãe ou o pai. Se a criança que vive com a mãe e a ouve dizer, por exemplo, que amou muito o pai, então, ela também poderá demonstrar que ama o pai e, assim, sente-se aliviada.

A esse respeito, dou um exemplo extraído de um seminário. Uma mãe chegou com a filha de 16 anos. Convidei a menina a se sentar do meu lado. Ela olhou rapidamente para mim, sorriu, depois olhou para o chão. Reproduzo o decorrer da situação no seguinte texto:

Hellinger para o grupo: Se olharem para ela, quantos anos acham que tem em sua alma e em seu sentimento? Três anos. Alguma coisa aconteceu.

Para a menina: O que aconteceu?

Ela balança negativamente a cabeça e olha para a mãe em meio ao grupo. Hellinger chama a mãe, que se senta ao seu lado.

Hellinger para o grupo: O que aconteceu quando ela tinha 3 anos?

Mãe: Quando tinha 3 anos, mudamos para a casa do meu atual marido.

A menina começa a chorar e soluçar.

Hellinger: O que aconteceu com o pai dela?

Mãe: Ele nos deixou. Foi embora com outra mulher.

Hellinger: Ela sente falta do pai, vemos isso de imediato.

Hellinger olha para ela. Ela balança a cabeça com força, negando.

Hellinger para o grupo: Ela está negando com a cabeça. Vocês sabem por quê? Está com medo de admitir isso na frente da mãe.

Hellinger olha para a mãe: Diga a ela: "Amei muito o seu pai".

Mãe: Amei muito o seu pai.

Hellinger: Diga com amor.

Quando ela estava para responder: Devagar. Lembre-se do quanto o amou. Então, diga-o do fundo da alma.

Ela respira fundo.

Hellinger: Olhe para ela.

Mãe: Amei muito o seu pai.

A mãe está muito emocionada. A menina chora.

Hellinger pede à mãe que se sente ao lado da filha e a abrace. Ela abraça, beija e acaricia a filha. Em seguida, ambas se sentam lado a lado, de mãos dadas.

Hellinger para o grupo: Esta mãe compreendeu bem do que se trata. Agora a filha pode dizer com facilidade que ama o pai. Ela também sabe que pode procurá-lo. Vai sentir-se bem ao fazer isso. Agora está feliz.

Mãe e filha sorriem uma para a outra. A mãe a abraça e a beija.

Hellinger para o grupo: Era o que estava faltando.

No que se diz respeito à relação entre pais e filhos, eu ainda gostaria de abordar um tema bastante difícil: o incesto. Por exemplo, uma moça que esteve envolvida em uma relação incestuosa com o pai não consegue se desvencilhar dele e posteriormente terá dificuldade para iniciar um relacionamento se o primeiro não foi resolvido com amor. Por certo, essa declaração será recebida por muitos com indignação. Contudo, esse recurso de resolver o primeiro relacionamento com amor se mostrou pertinente em inúmeras constelações. Ou será que, por medo da indignação dos outros, eu deveria privar a vítima da possibilidade de acabar com seu sofrimento psíquico? Isso não é do meu feitio. Eu sempre disse o que penso e reconheço, sem me preocupar com as possíveis reações, pois o que se revela nas constelações familiares não é uma visão ou opinião, e sim a realidade e a verdade que vêm à luz. Para mim, pouco importa se são adequadas ou não aos outros.

Portanto, quando se procede com indignação contra quem pratica o incesto, como fazem muitos terapeutas, por exemplo, levando-os aos tribunais, os efeitos se dão sobre a filha. Essa indignação faz muito mal. Porém, quando a filha pode dizer ao pai: "Eu o amei muito, e por você fiz tudo", o amor é reconhecido, e a filha pode separar-se do pai.

Porém, nesse contexto, há que se pensar que o incesto quase sempre é um triângulo amoroso. De fato, em geral, há dois culpados. No caso do incesto entre pai e filha, quase sempre a mãe está envolvida, na medida em que se esquiva do marido e o conduz à filha como compensação. Ou, então, ao levar a filha para um segundo casamento e exigir do homem mais do que dá a ele. Como compensação, ocorre o incesto. Por isso, com frequência, ele ocorre entre o padrasto e a enteada.

Para resolver essa dinâmica, a filha teria de dizer ao pai ou ao padrasto: "Fiz isso por minha mãe". E teria de dizer à mãe: "Fiz isso por você". Nesse momento, a dinâmica oculta é revelada, e a mãe pode dizer à filha: "Sinto muito". O pai ou padrasto também pode dizer à filha: "Sinto muito. Agora vou me retirar". Então, a filha também pode se retirar. Seu amor e sua inocência foram revelados. Ela está livre e pode iniciar um novo relacionamento.

# 15
## O Aborto

Quando comecei a trabalhar com as constelações, ainda partia do princípio de que crianças abortadas não pertenciam ao sistema como um todo, mas ao relacionamento íntimo e, portanto, secreto, dos pais. Por isso, na época supus que também não se deveria falar aos próprios filhos de um aborto. Sobretudo graças ao trabalho de Sophie, minha segunda esposa, que desenvolveu as constelações familiares até chegar às novas constelações, foi possível reconhecer que as crianças abortadas devem ser levadas em conta no sistema familiar.

Digo aqui, logo no início de minhas argumentações sobre o aborto, algo que escandalizará muitos: no sistema familiar, o aborto é sentido como assassinato no nível do inconsciente. Essa declaração nada tem a ver com meus conceitos morais pessoais nem com a adesão a proibições eclesiásticas ou convicções conservadoras. Nunca me deixei monopolizar por orientações políticas de nenhum partido nem por diretrizes sociais e religiosas. Sou totalmente livre e olho apenas para o que se mostra e constitui a realidade, trabalhando de modo puramente fenomenológico e empírico. Milhares de constelações fa-

183

miliares demonstraram que o aborto é visto como assassinato. No sistema familiar, não se questiona se o que se revela é adequado ou não para alguém.

Como os filhos abortados são membros plenos do sistema familiar, os filhos vivos precisam saber deles, pois as constelações mostraram que os primeiros contam como irmãos plenos. Se forem silenciados, ocorrerá uma violação da hierarquia – com as conhecidas consequências graves.

Quando uma mulher, por exemplo, sofre dois abortos e em seguida tem o primeiro filho, no nível do inconsciente esse entrará no primeiro lugar em vez do terceiro na hierarquia dos irmãos, se não souber das crianças abortadas. Por conseguinte, essa criança passará a vida sob forte pressão. Com frequência se sentirá responsável por tudo e acreditará que tem de realizar muitas coisas. Contudo, apesar de seus intensos esforços, não terá o merecido sucesso.

Muitas vezes esse comportamento também influi em uma ulterior relação de casal. O equilíbrio entre dar e receber é perturbado, uma vez que esse filho acredita ser muito cobrado no relacionamento. Desse modo, talvez satisfaça todos os desejos do parceiro sem esperar pela contrapartida e, no pior dos casos, até a rejeita. Inconscientemente, essa postura o leva a escolher um parceiro que, por exemplo, em razão de um distúrbio narcisista de personalidade, sempre exige, mas nunca oferece algo em troca. Essas uniões estão fadadas ao fracasso, pois, com o passar do tempo, aquele que apenas toma sem dar acaba se irritando e vai embora.

Mesmo que esse filho saiba apenas na idade adulta dos irmãos abortados, assumirá seu devido lugar na sequência dos irmãos. A hierarquia é restabelecida, a pressão termina e – como é possível observar – muitas vezes também o relacionamento entre os parceiros.

Contudo, os abortos têm efeitos mais dramáticos para os filhos vivos. Pode acontecer de um filho identificar-se em nível inconsciente com o irmão abortado e ser impelido para a morte. Ou, então, o filho assume a sensação do abortado de ter sido rejeitado e se torna agressivo.

Há alguns anos, durante um congresso na Espanha, uma mulher de origem sul-americana, mãe de um menino de 7 anos, constelou sua família. O filho era tão agressivo que a mulher já não sabia o que fazer com ele. A constelação mostrou que o menino se sentia atraído por uma pessoa ausente. Constatou-se que a mulher tinha sofrido muitos abortos. Por conseguinte, os filhos abortados foram inseridos no sistema familiar – e o representante do menino logo fico em paz. Portanto, o filho havia esperado que a mãe desse seu amor também aos filhos abortados.

Depois dessa constelação, um juiz que participava do congresso pediu a palavra. Ele relatou suas experiências com mulheres e seus filhos, que muitas vezes eram tão agressivos que as mães tinham medo deles. Chegavam a chamar a polícia, pois já não sabiam como lidar com eles. O juiz contou que anos antes da regulamentação do prazo para o aborto na Espanha não houvera nenhum caso do tipo. Depois, a proibição da interrupção da gestação, embora ainda fosse vigente, passou a ter uma aplicação mais liberal. Inicialmente, houve três ou quatro casos de crianças muito agressivas por ano; após doze meses, foram vinte e, um ano depois, duzentos. A agressão dos filhos dirigia-se sempre à mãe, nunca ao pai.

Qual a melhor maneira de contar aos filhos sobre um aborto? Em uma comemoração de aniversário, por exemplo, pode-se colocar um prato a mais na mesa e dizer: "Mais uma pessoa tem lugar à mesa. É seu irmão/sua irmã. Mas ele/ela morreu". Se a criança olhar para o irmão abortado e lhe disser: "Você tem um lugar em meu coração", ela receberá a bênção desse irmão.

A dificuldade no caso do aborto é o fato de ele estar ampla-mente ligado à ilusão de que se pode desfazer alguma coisa. A criança é tratada como algo de que se pode dispor como bem se entende. Não é vista como um semelhante. Porém, como filha de um casal, realmen-te está presente e atua no sistema familiar. Por isso, o aborto tem sem-pre um efeito drástico sobre a relação do casal, que, em geral, separa-se em seguida. De fato, para usar a mesma metáfora, o parceiro também é abortado com a criança. O amor não costuma tolerar isso. Se o aborto ocorrer em um casamento, com frequência a relação sexual termina depois dele. Esse é o caso sobretudo quando o aborto é reprimido.

Em princípio, após um aborto, a mulher já não está disponível para o homem, pois parte dela permanece com a criança. O homem lhe diz: "Você está sempre com a cabeça em outro lugar, nunca total-mente comigo". Por isso, é importante que o homem saiba o que acon-tece dentro da mulher após um aborto. Assim, ele poderá entendê-la melhor e aceitar o fato de que ela só está parcialmente disponível para ele e a família. Contudo, se ele quiser mais do que ela é capaz de lhe dar, às vezes a ela só restará como única saída deixá-lo.

No entanto, um aborto resultante de outro relacionamento tam-bém influi no relacionamento atual e reduz a união. Mesmo quando o novo homem sabe dele, não pode fazer nada, pois, devido ao aborto, ain-da predomina uma forte ligação com o antigo relacionamento, sobretudo porque, por ter ocorrido antes, ele tem prioridade em relação ao segundo.

Com frequência, quando ocorre um aborto, o homem tenta exi-mir-se da responsabilidade e atribuí-la à mulher. Porém, a responsa-bilidade cabe integralmente a ambos os pais. De todo modo, a mulher nunca pode furtar-se à responsabilidade, uma vez que tomou a última decisão. Em contrapartida, o homem só estaria livre se fosse integral-mente franco com a mulher e a criança. Mesmo que não tenha sabido do aborto e, por isso, não tenha precisado tomar nenhuma decisão, está envolvido nele, pois se mais tarde vier a saber do aborto, haverá de se perguntar como teria se comportado. O aborto é um caso extremo de tomar e dar. A criança dá tudo, e os pais recebem tudo. Mesmo sem saber de nada, o pai recebeu tudo, dependendo de como teria sido seu comportamento com a mulher e a criança. Por isso, a mulher tem de informar o homem sobre o aborto.

Minha observação é que, em geral, o aborto tem consequências muito mais graves do que a aceitação da criança. Por isso, a declaração "minha barriga me pertence" deveria ser alterada para "minha barriga me pertence – com todas as consequências". O peso que se carrega com um aborto é essencialmente maior do que quando se tem a criança. Isso porque, sejam quais forem as justificativas ou explicações para um aborto, os pais sempre pagam por ele, sobretudo a mulher. Muitas vezes, ela o expia quando não encontra outro parceiro ou não consegue manter-se com ele. Também são frequentes os casos de doenças graves como expiação pelo aborto de um filho. Foi o que observei em constelações com doentes de câncer.

A expiação nada mais é do que a tentativa de compensar algo com o mesmo sofrimento e o mesmo destino, para que o indivíduo possa sentir-se melhor. Mas para quem olha aquele que expia? Para a criança abortada ou para si próprio? Quando alguém expia uma culpa, fecha os olhos. Não olha para quem feriu ou prejudicou. Olha apenas para si próprio, e o outro permanece sozinho.

Nesse contexto, observei mais uma coisa interessante: após um aborto, muitas mulheres têm nos olhos uma expressão de grande saudade que atrai os homens. Porém, essa saudade dirige-se a outro lugar, geralmente à criança abortada. O homem não sabe disso e quer salvar a mulher. Mas o que pode fazer de fato? Nada, pois essa saudade não se dirige a ele, e sim à criança abortada. Se mesmo assim ele quiser ajudar, dará mais do que a mulher poderá receber. Com isso, o equilíbrio entre dar e receber é ameaçado, e o fracasso no relacionamento é pré-programado.

Qual seria a solução no caso de um aborto? Aceitar ou trazer de volta para a família a criança abortada que foi *afastada*. Isso se dá por meio do luto, que se mostra em uma dor profunda. Desse modo, a criança passa a ser vista. Quando se trabalha na constelação familiar com um casal que teve um filho abortado, pode-se proceder da seguinte maneira: dizer-lhes para olharem para essa criança e pousarem a mão em sua cabeça. Isso gera um contato. Se a criança for vista, virão as lágrimas. Com elas, o amor flui até a criança, que é consolada. A dor a dignifica e a reconcilia com os pais. A mãe poderá, então, dizer: "Sou sua mãe, e você é meu filho. Agora o tomo como meu filho e lhe dou um lugar em meu coração". E o pai poderá dizer o mesmo. Isso traz um alívio, que, no entanto, nunca é completo, pois o que aconteceu não pode ser anulado.

O luto em comum e a reinserção da criança na família tornam a unir o casal, que havia sido separado pelo aborto. Porém, não é a mesma relação de antes, pois ela atravessou um processo de morte. Ainda que tenham se reencontrado, os parceiros já não têm a mesma intimidade descontraída de antes. Ao mesmo tempo, a relação é fortalecida com o reconhecimento da culpa comum a ambos.

Contudo, também a culpa precisa passar depois de algum tempo. Isso faz bem não apenas aos culpados, mas também às vítimas. Portanto, quando a dor pelo filho abortado emerge, é mantida no coração. Nessa situação, é um bom exercício os pais carregarem o filho interiormente ou o pegarem pela mão e lhe mostrarem o mundo. Após cerca de um ano, com muita consideração e respeito, pode-se permitir que a criança retorne à morte e, assim, morra de fato. Com o sofrimento em comum dos pais, a relação ganha em plenitude, que em efeito chega superar a serenidade e a alegria superficiais de antes. Essa é a compensação por terem reconhecido o filho. Em sua memória ainda se pode fazer algo bom, que do contrário não teria sido feito, e não precisa ser nada grandioso.

# 16
## O Que Adoece nas Famílias

Em nosso corpo, a doença está na ponta de uma corrente. Começa com o amor que nos une à nossa família e ao seu destino. Esse amor que vincula é uma necessidade elementar, o profundo desejo de pertencer à nossa família. Por um lado, ele nos une como fonte de força a tudo o que é grandioso e bem-sucedido em nossa família; por outro, a tudo o que é incompleto e difícil, a todo peso e a toda culpa. Tornamo-nos corresponsáveis por tudo isso, embora muitas vezes sem saber e sem cometer nada de errado. Contudo, também somos obrigados a arcar com as consequências. Por isso, aqueles que querem ter uma vantagem acabam se assemelhando aos que estão em desvantagem. Por exemplo, crianças saudáveis querem parecer-se com seus pais doentes, e membros inocentes da família, que surgem posteriormente, desejam assemelhar-se a pais e antepassados que se tornaram culpados de alguma coisa. Desse modo, os saudáveis se sentem responsáveis pelos doentes, os inocentes pelos culpados, os felizes pelos infelizes, e os vivos pelos mortos.

O pano de fundo dessa disponibilidade ao sacrifício é o fato de termos nascido em uma alma comum. Trata-se de um campo espiritual que compartilhamos com todos os membros da nossa família e que nos une profundamente a eles. Ao mesmo tempo, também nos tornamos o destino dos outros. De um modo ou de outro, permanecemos inter-relacionados.

Esse vínculo do destino atua com a máxima intensidade entre filhos e pais, mas também com certa força entre irmãos, bem como entre marido e esposa. Além disso, surge um vínculo especial do destino com aqueles que abriram espaço na família para outras pessoas, sobretudo aquelas que tiveram um destino difícil.

O amor que nos vincula à nossa família chega a ultrapassar nossa própria necessidade de sobrevivência. Por essa razão, muitas pessoas imaginam que, por meio de uma doença ou de sua própria morte, poderiam assumir o sofrimento ou a culpa de outrem na família. Nutrem a esperança de que, renunciando à própria vida e à própria felicidade, poderiam garantir, salvar ou restaurar a vida e a felicidade alheias nessa comunidade do destino, mesmo que elas estejam perdidas há muito tempo.

Portanto, com base no amor que vincula, predomina na comunidade do destino da família um impulso irresistível para o equilíbrio entre a vantagem de um e a desvantagem de outro, entre a inocência e a felicidade de um e a culpa e a infelicidade de outro, entre a saúde de um e a doença de outro, e entre a vida de um e a morte de outro. A partir dessa necessidade, um membro da família também desejará ser infeliz se outro membro tiver sido infeliz. Se um parente adoeceu ou se tornou culpado de alguma coisa, outro saudável e inocente também se tornará doente ou culpado, e se um ente querido morrer, seu familiar também desejará o mesmo fim. Desse modo, tenta-se pagar pela salvação do outro com a própria desgraça.

Como essa necessidade de igualar-se e obter equilíbrio aspira, por assim dizer, à doença e à morte, a alma deseja adoecer. No entanto, há meios de libertar-se dos grilhões desse vínculo que levam a adoecer. Com o auxílio da constelação familiar, os panos de fundo vêm à tona, e os caminhos da salvação podem ser trilhados.

Chamo de deslocamento a transmissão do destino e da responsabilidade de um membro da família a outro. Esse deslocamento ocorre em diversos níveis. Por um lado, o familiar segue uma frase interior: "Sigo você". É o que acontece quando uma criança é atraída pela mãe morta precocemente. Para que a separação seja anulada, ela também quer morrer. Com frequência, vemos a mesma situação em uma mãe que perdeu o filho precocemente e quer segui-lo na morte, sobretudo quando se sente culpada por ela. Em uma observação mais atenta, essas ideias parecem absurdas, mas não para a alma em comum. A ela pertencem os vivos e os mortos na mesma proporção. Dentro dessa alma, a separação entre eles não existe na imaginação nem no sentimento. O desejo de seguir o outro pode levar a doenças fatais e à morte prematura.

Outro deslocamento segue a seguinte frase interior "eu no seu lugar", que também tem amplas consequências para a saúde, pois implica o desejo de adoecer ou morrer no lugar de outro membro da família. Na maioria das vezes, essa frase é dita por uma criança. Ao mesmo tempo, nela se pode observar outro deslocamento, ou seja, o de um familiar que diz: "Você no meu lugar". Nesse caso, trata-se sempre de uma pessoa que se sente culpada, por exemplo, uma mãe que entregou ou abortou o filho. Desse modo, o filho assume as consequências da ação da mãe.

Outra frase significativa, com a qual alguém se despede interiormente da vida, diz: "Eu também". Em geral, é enunciada por uma criança, por exemplo, a um irmão gêmeo que morreu ou um irmão que foi abortado. O comportamento estranhamente agressivo de uma criança, já descrito acima, costuma ter suas raízes nessa frase.

Como a constelação familiar resolve esses deslocamentos? Inicialmente, trazendo à luz a frase que adoece e fazendo o cliente se despedir dela com as chamadas "frases de solução". Por isso, primeiro ele tem de dizer, com toda a força do amor que o move, para a pessoa amada a quem o deslocamento se refere, a frase interior de sua disponibilidade para o sacrifício, por exemplo: "Antes eu desaparecer do que você". Nesse momento, é importante que o condutor da constelação faça o cliente repetir essa frase várias vezes, até a pessoa amada ser reconhecida como oponente e, apesar de todo o amor, ser percebida e aceita como separada do próprio Eu. Do contrário, a simbiose e a identificação serão mantidas.

Quando a enunciação amorosa da frase surte efeito, o cliente traça uma fronteira tanto ao redor da pessoa amada quanto do próprio Eu. Ele separa o próprio destino daquele da pessoa amada. A frase obriga a reconhecer que aquilo que a pessoa que ama gostaria de fazer no lugar da pessoa amada representa para ela um peso, não uma ajuda.

Quando a frase "sigo você" se revela como pano de fundo de uma grave doença ou de acidentes e tentativas de suicídio, o filho da pessoa amada tem de dizer: "Querido pai, querida mãe (ou seja quem for), sigo você". Aqui também é importante permitir que a frase seja repetida várias vezes, até a pessoa amada ser vista como oponente e, apesar de todo o amor, ser percebida como separada do próprio Eu. Assim, o filho entenderá que seu amor não ultrapassa a fronteira entre ele e a falecida pessoa amada e que ele precisa parar diante dessa fronteira.

Também nesse caso a frase obriga tanto o próprio amor quanto aquele da pessoa amada a reconhecer e compreender que esta carrega e cumpre seu destino com mais facilidade quando ninguém mais, sobretudo seu filho, a segue nele.

Em seguida, o filho pode dizer à falecida pessoa amada uma segunda frase, que o libertará da obrigação de uma sucessão ruim: "Querido pai, querida mãe, querido irmão, querida irmã (ou seja quem for), você morreu, eu ainda viverei por um tempo, depois também morrerei". Ou: "Cumpro o que me foi dado enquanto durar. Depois também morrerei".

Quando o filho vê que um de seus pais quer seguir alguém de sua família de origem na doença ou na morte, tem de dizer: "Querido pai, querida mãe, mesmo que você parta, eu fico". Ou: "Mesmo que você parta, eu o honrarei, e você sempre será meu pai/minha mãe". Ou ainda, caso um dos pais tenha cometido suicídio: "Inclino-me perante sua decisão e seu destino. Você sempre será meu pai/minha mãe, e eu sempre serei seu filho".

A meditação seguinte também ajuda a se libertar das próprias frases interiores:

Reservamos um tempo e entramos em um recolhimento profundo e silencioso, que ocorre com mais facilidade se apenas permanecermos no instante, tal como ele é, sem interferir nele nem olharmos para frente e para trás.

Após certo tempo, voltamos para nossa infância. Olhamos para as situações em que nos preocupamos com nossa mãe ou nosso pai.

A principal preocupação de uma criança é sempre se seus pais vão permanecer ou ir embora, se podem adoecer ou morrer. Olhamos para essa situação com os olhos da criança que já fomos. O que se passava em nossa alma? Como lidávamos com nossos medos?

Havia alguma frase interior que dizíamos? Fizemos alguma promessa perante uma força maior ou até um juramento no sentido de "se você fizer com que eles fiquem, então eu...”? Essas seriam frases semelhantes a "antes eu do que você".

A pergunta é: ao que renunciamos no passado e o que estávamos dispostos a sacrificar como contrapartida pelo presente de ver a mãe ou alguém da família em situação melhor e podendo permanecer conosco? Interiormente, sacrificamos parte de nossa saúde? Estávamos dispostos a morrer por isso? Como lidamos posteriormente com nosso corpo?

A pergunta é: como podemos anular essa promessa e essa frase? Como podemos recuperar por completo nossa expectativa de vida, nossa alegria de viver e nossa saúde?

Olhamos para aquelas pessoas pelas quais estamos dispostos a fazer todos os sacrifícios só para que elas fiquem conosco e se sintam melhor. Mentalmente, ajoelhamo-nos diante delas e erguemos nosso olhar até elas. Após um instante, quando realmente nos sentirmos embaixo e percebermos sua grandeza diante de nós, dizemos: "Aqui vocês são os grandes. Aqui permanecem grandes. Diante de vocês sou e permaneço pequeno".

Em seguida, olhamos acima delas para um poder eterno, em cujas mãos, e apenas nelas, o seu destino e o nosso se encontram. Olhamos nos olhos desse poder e talvez vejamos como suas lágrimas escorrem por sua face, pois ele vê o que estivemos dispostos a sacrificar por nossos pais ou outras pessoas. Esse poder pega nossa mão. Reunimos toda a nossa coragem e dizemos: "Por favor, leve todas essas frases, todas as minhas promessas, todas as minhas esperanças de antes. Coloco-as em suas mãos e entrego-as ao seu amor. Assim como lhe peço para salvar meus pais (ou seja quem for), salve-me também dessas frases. Por favor".

Depois, esperamos até percebermos o que mudou em nosso corpo e no modo como sentimos a vida, e dizemos a esse poder: "Obrigado".

Tomei aqui apenas essa frase. De modo análogo, também é possível encontrar a própria solução para as outras duas frases: "você no meu lugar" e "eu também".

Se a solução também funcionar nesse caso, entra-se em outro campo espiritual, receptivo à vida de todos nós. Como? Com felicidade.

As doenças ainda têm muitas outras caras, com frequência a de pessoas às quais foi negado o direito de pertencer à nossa alma ou à nossa família. Nas doenças, elas se manifestam de maneira visível e enfática – porém, sem se indispor conosco. Trata-se de outro poder, que, por meio de uma doença, permite-lhe bater a uma porta que até então lhes fora fechada, para que finalmente possam entrar. Portanto, nosso sistema familiar está presente em nosso corpo. Quando algo falta a esse sistema, falta também ao corpo.

Segundo minhas observações, quase todas as doenças, incluindo as crônicas, graves e fatais como o câncer, estão relacionadas a pessoas excluídas. Para ser mais exato: a doença olha para uma pessoa excluída, que passa a incorporá-la. A relação temporal de uma doença com uma pessoa excluída pode remontar a várias gerações. Raramente é muito próxima, mas também existem casos em que há proximidade. Uma mulher que teve câncer me contou que sua irmã mais nova havia nascido com dez deficiências, entre as quais, por exemplo, os olhos vazados. Essa irmã foi imediatamente levada para um asilo e nunca recebeu visitas. Algumas semanas depois, faleceu. O câncer fez a mulher se lembrar da irmã. Nesse caso, era uma relação muito próxima. Às vezes a doença também está relacionada a um filho abortado, e o vínculo também é muito próximo. Por outro lado, a relação pode ser com um filho abortado da avó, o que faz com que a distância seja maior. Em determinadas doenças, por exemplo a esquizofrenia, o acontecimento pode remontar a até cinco ou seis gerações.

Contudo, muitas pessoas guardam uma expressão amigável para sua doença. Sua expressão facial se ilumina e elas sorriem quando falam de sua doença. Na constelação familiar, algumas contam sorrindo dez, doze doenças. Estão ligadas a ela no amor. Ou, para ser mais exato: por meio dessa doença, mantêm um vínculo de amor com a pessoa excluída. Seria possível, então, curar uma doença como essa, se a alma e a família a quer e precisa dela?

Quando alguém procura uma constelação familiar por causa de uma doença, o sofrimento é constelado por meio de um representante. Em pouco tempo se revela a qual pessoa excluída a doença se refere, e ela é trazida de volta para a família. Cada um pode responder por si mesmo as seguintes perguntas: se depois dessa constelação o doente procurar um médico e concordar em fazer um tratamento, quais são as chances de ele se curar? Quão menores são as chances se a pessoa excluída não vier à luz?

O exemplo seguinte ilustra esse processo: ao final de um curso em Hong Kong, uma mulher me procurou e enumerou suas doenças, onze no total, que constelei no círculo em torno da mulher. As doenças se comportaram como pessoas e, por exemplo, caíram no chão. Todas elas estavam muito mal. Porém, como era a última constelação do curso, por questões de tempo não pude conduzi-la até o final.

Um ano mais tarde, a mulher frequentou um de meus cursos em Taiwan. Sentia-se bem melhor. Veio até mim e disse que gostaria de me falar mais sobre sua família, que era muito pobre e, por isso, tinha vendido sete filhos. Além disso, quatro foram abortados. Portanto, eram onze crianças no total, o número correspondente de doenças da mulher.

Em seguida, fiz a constelação de sua família. As onze crianças e a mulher formaram um círculo. Fora dele, posicionei os pais. Todos os filhos se olharam com um amor incrível, choraram e se mostraram intimamente ligados. E os pais ficaram do lado de fora, soluçando. Em seguida, abri o círculo. Os pais entraram e pegaram a mão dos filhos. Todos estavam juntos novamente.

O que é saúde plena? Quando todos estão presentes.

Outra dinâmica que conduz a doenças, suicídio, acidente e morte é o desejo de expiar uma culpa. Às vezes, algo determinado pelo destino e que não pode ser influenciado é visto como culpa, por exemplo um aborto espontâneo, uma deficiência ou a morte precoce de um filho. Nesses casos, ajuda olhar para os mortos com amor, enfrentar o luto e deixar em paz o que já passou.

Se alguém tem o destino marcado por algo que lhe proporcionou alguma vantagem, a salvação ou a vida em detrimento de outra pessoa, esse fato é vivido como culpa. Porém, também há a culpa a ser expiada pessoalmente, por exemplo quando alguém, sem necessidade, entrega ou aborta um filho, exige ou causa algo ruim ao outro sem ter consideração por ele.

Desse modo, com frequência, tanto a culpa determinada pelo destino quanto aquela pessoal têm de ser pagas com a expiação, pois se acredita que os danos causados a alguém poderiam ser pagos com os próprios. A culpa tem de ser compensada com a expiação, criando, assim, um equilíbrio. Por mais nefastas que sejam para todos os envolvidos, essas realizações são promovidas por doutrinas e modelos religiosos, por exemplo, pela crença no sofrimento e na morte redentores, bem como na purificação dos pecados e da culpa por meio da autopunição e da dor externa.

Mas o que de fato se consegue com uma compensação da culpa por meio da doença, de um acidente ou da morte? Em vez de um prejudicado passa-se a ter dois, e em vez de um morto, por exemplo, tem-se mais um. Pior ainda: para a vítima da culpa, a expiação é um duplo dano e um duplo infortúnio, pois seu infortúnio nutre outro; seu dano gera outro, e sua morte causa a de outras pessoas.

Há algo mais a se levar em conta nesse contexto: a expiação custa pouco. Dor e morte, sozinhas, devem ser suficientes. A relação não é considerada, o outro não é visto, e sua dor não é sentida além de seu infortúnio. Na expiação, simplesmente se paga na mesma moeda. Em vez de agir, basta sofrer; em vez de viver, morre-se. Tal como ocorre com as frases "antes eu do que você" e "sigo você", com a expiação apenas o infortúnio, a dor e a morte são multiplicados.

Desse modo, uma criança cuja mãe tenha morrido no parto, por exemplo, sempre se sente culpada em relação a ela, pois a mãe pagou com a própria morte a vida do filho. Se a criança expiar essa culpa sustentando sua dor e recusando-se a aceitar sua vida também à custa da vida da mãe, ou até mesmo se ela se matar como maneira de expiar, o infortúnio da mãe será duas vezes pior. De fato, desse modo, o filho não honra a vida que a mãe lhe deu nem respeita o amor e a disponibilidade dela de dar-lhe tudo. Sua morte foi em vão; mais do que isso, em vez de vida e felicidade teria trazido apenas mais desgraça e outra morte.

Quando se quer ajudar uma criança como essa, é preciso reconhecer que ela obedece tanto a um desejo de expiação quanto às frases interiores "antes eu do que você" e "sigo você". Para uma solução que leve à cura, é necessário deixar a criança dizer: "Querida mamãe, se você já pagou um preço tão alto por minha vida, então, que não tenha sido em vão. Vou fazer algo em sua memória e em sua homenagem". Porém, em seguida, a criança tem de agir em vez de sofrer, realizar em vez de negar, viver em vez de morrer. Ela não se encontra mais em uma simbiose surda e cega com a mãe, mas a vê com amor, trazendo-a no pensamento e no coração. Assim, a bênção e a força fluem da mãe para o filho, pois, por amor a ela, ele fez de sua vida algo especial. À diferença da compensação barata por meio da expiação, que não tem valor e apenas prejudica, essa compensação é cara, pois é valiosa e traz bênção. Faz com que a mãe e o filho se reconciliem com seu destino.

Com efeito, o bem realizado pelo filho em memória da mãe ocorre por meio dela. Por meio do filho, ela participa desse bem, vive e continua a influir nele.

Essa compensação segue a percepção de que nossa vida só acontece uma vez; de que, ao passar, abre espaço para a que chega e de que, mesmo quando já passou, nutre a atual.

Tudo isso mostra o quanto as constelações familiares podem ajudar a medicina e estarem a serviço da vida com ela. Embora as dinâmicas descritas nas constelações venham à luz e possam ser levadas a uma solução, quero enfatizar que não curo ninguém. Apenas reúno as famílias. O fato de essa reunião ter um bom efeito sobre a doença está de bom tamanho para mim. Apenas constelei as famílias, nada mais. A cura se dá por si só, sem a minha intervenção.

# 17

## O Pano de Fundo Sistêmico das Diferentes Doenças

Em meu trabalho com a constelação familiar, confrontei-me inúmeras vezes com as mais diferentes doenças. Muitas tinham um pano de fundo proveniente do sistema familiar. Em geral, tratava-se de casos de envolvimento ou violações da hierarquia. Em muitos deles, observava-se sempre a mesma dinâmica, responsável por seu surgimento. A seguir, apresentarei algumas dessas doenças.

**Esquizofrenia:** de acordo com minha experiência, a esquizofrenia não é uma doença, e sim um problema sistêmico. Só a encontramos quando houve algum caso de assassinato em uma família; portanto, onde assassino e vítima são parentes. Contudo, há certas exceções, por exemplo, quando a vítima ou o assassino é uma pessoa próxima da família, como um ex-companheiro. Após um assassinato como esse dentro da família, em cada geração seguinte haverá um comportamento esquizofrênico, que, no entanto, em geral não é diagnosticado como tal.

Às vezes, o assassinato ocorreu algumas gerações antes, de modo que ninguém mais consegue se lembrar dele. Porém, o crime está presente na alma da família, e na constelação familiar ele vem à luz. De fato, a esquizofrenia surge quando um membro posterior da família tem de representar, ao mesmo tempo, o assassino e a vítima. Ambos foram excluídos do sistema familiar. Quando assassino e vítima são trazidos de volta para o seio da família, reconhecidos e valorizados, a esquizofrenia também passa.

Obviamente, quando um membro é morto por uma pessoa não pertencente à família, esta também acaba sendo afetada. Porém, esse fato não conduz à esquizofrenia.

**Neurodermatite:** a primeira vez em que observei um caso de neurodermatite foi em relação a uma mulher que estava aborrecida com o ex-marido. O filho que ele tivera em outro relacionamento sofria da doença. Era como uma praga. Mais tarde, vi muitos casos semelhantes. Sempre em situações em que alguém estava aborrecido porque tinha sofrido uma injustiça. Curiosamente, porém, não estava aborrecido com quem lhe tinha feito algo ruim, mas essa sensação era deslocada para uma criança, pois a pessoa em questão ainda tinha um vínculo de amor com o outro.

Em uma constelação familiar, tenta-se abrandar o coração da pessoa que está aborrecida e fazer o outro reconhecer seu erro e compadecer-se dela. Caso se trate de ex-parceiros, pede-se para a pessoa que errou dizer: "Por favor, olhe com simpatia para meu filho/minha filha e para minha nova esposa/meu novo marido". Assim, o outro se torna flexível, não fica mais aborrecido, e todos estão livres para o futuro.

**Bulimia:** na maioria das vezes, o pano de fundo é o fato de a mãe dizer ao filho: "Você só pode aceitar o que vier de mim. O que vier de seu pai não presta". Assim, a criança aceita o que vem da mãe, mas, por amor ao pai, torna a rejeitar tudo. A solução parece ser a seguinte: a criança imagina que está sentada no colo do pai e que toda a comida está espalhada na sua frente. Em seguida, é alimentada pelo pai com uma colher de chá e, a cada colherada, diz: "Pai, gosto de comer com você. Aceito de bom grado o que você me oferece". Essa é a intervenção na bulimia.

**Anorexia:** nesse caso, um dos pais é atraído para a morte, e o filho diz interiormente: "Vou no seu lugar".

**Filhos com dependência química:** sentem falta de uma pessoa, geralmente o pai, que foi excluído do sistema familiar.

**Dores por pressão:** uma dor, como a cefaleia, que se exprime como uma pressão é indício de amor represado. Nesse caso, é preciso criar uma válvula para que essa pressão possa escoar. Isso é possível mediante três métodos, todos com boa eficácia:

1. Olhar com gentileza. O condutor da constelação diz ao cliente: "Olhe para mim com gentileza". De repente, os olhos do cliente brilham, e a grande pressão vai embora. O olhar gentil também faz bem ao condutor da constelação.
2. Expirar com amor. O condutor da constelação pede ao cliente que expire imaginando que está canalizando seu amor para alguém. Tal como o olhar gentil, esse também é um movimento direcionado.
3. Esticar as mãos. O condutor da constelação pede ao cliente que estique suas mãos para alguém.

Esses três métodos mostram que muitas dificuldades surgem de uma desordem no relacionamento. Cura, liberdade e felicidade são o resultado das ordens do amor.

**Câncer:** nesse caso, geralmente atuam as frases interiores "sigo você" e "eu no seu lugar". Porém, em mulheres que sofrem de câncer, também observei, com frequência, que elas se afastaram da própria mãe e lhe disseram interiormente: "Prefiro morrer a lhe conceder a honra, querida mamãe". O curioso é que, para elas, a morte não é ruim. É um modo de vingança.

**Distúrbios da fala:** por trás de muitos distúrbios da fala há um conflito familiar não resolvido. É o que ocorre, por exemplo, quando um membro da família foi ocultado ou dado e, por isso, não pôde expressar-se. Ou quando duas pessoas na família se opunham de maneira irreconciliável, como no caso de um assassino e sua vítima. Como consequência, em geral um descendente representa ambos ao mesmo tempo e não consegue dar a palavra a ambos, para que cada um se expresse; por isso, começa a gaguejar.

Na maioria das vezes, a gagueira tem um pano de fundo familiar semelhante ao da esquizofrenia. Enquanto nesta o conflito não resolvido se torna visível na desorientação, na gagueira ele se mostra na fala. Por conseguinte, a solução para o gago costuma ser a mesma do esquizofrênico. Os que ainda não se reconciliaram na família são confrontados até se reconhecerem e fazerem as pazes. Quando se descobre onde está o verdadeiro conflito, aqueles que sofrem de distúrbios da fala, ou os esquizofrênicos, podem deixá-lo em seu lugar e, assim, libertar-se dele.

No entanto, gaguejar também pode ter outros panos de fundo. Com frequência se observa que, antes de começar a gaguejar, a pessoa olha para o lado. Ao fazer isso, olha para uma imagem interior, ou melhor, para sua pessoa interiorizada, da qual sente medo e diante da qual começa a gaguejar. Se na constelação o gago puder encontrar abertamente essa pessoa e dignificá-la até ela também aceitá-lo e lhe mostrar seu amor, então poderá olhar nos olhos dela e lhe dizer claramente o que sente e o que quer.

Às vezes, por trás da gagueira e de outros distúrbios da fala se esconde um segredo que quer ser revelado e, ao mesmo tempo, assusta a família, por exemplo, uma criança ocultada. Se esse segredo vier à tona por meio da constelação familiar e for encarado, nada mais entravará o caminho da fala. Portanto, com frequência os filhos têm distúrbios da fala porque seus pais querem ou precisam esconder alguma coisa. Somente quando os pais falam abertamente a respeito é que os filhos têm a possibilidade de superar seu distúrbio de fala.

**Sobrepeso:** com frequência observei em mulheres acima do peso que, em sentido figurado, comem a mãe rejeitada. Por isso, nelas a comida tem, ao mesmo tempo, algo agressivo em si. Nesse caso, a intervenção pode ser a seguinte: a cliente se senta à mesa, pega a colher, olha interiormente para a mãe e diz: "Você primeiro". Esse é um pequeno ritual.

No entanto, também pode acontecer de o sobrepeso depender de algo completamente diferente. Isso precisa ser analisado com mais rigor na constelação.

# 18
## Êxitos e Nova Felicidade

Desde meados dos anos 1980, aplico meus conhecimentos sobre as ordens do amor nas constelações familiares que desenvolvi e ofereço cursos a respeito. No início, eu supunha que as constelações familiares fossem um método adicional ao trabalho de psicoterapeutas, mas logo reconheci que poderiam ser úteis também para pessoas que não sofressem de nenhuma doença psíquica. Por essa razão, rejeitei a designação "método psicoterapêutico" para a constelação familiar e chamei-a de "ajuda para a vida". É como a considero até hoje.

Na verdade, eu tinha planejado retirar-me da vida profissional aos 65 anos. Se isso não ocorreu, e mais até, se a constelação familiar se tornou uma história de sucesso internacional, devo ao psiquiatra e psicoterapeuta Gunthard Weber. Ele participou de vários seminários meus e aplicou o que neles experimentou e aprendeu em seu trabalho prático. Além disso, entre mim e Gunthard Weber desenvolveu-se uma amizade pautada no respeito pela pessoa e na consideração pelo trabalho um do outro.

Em 1990, Gunthard Weber me procurou com a ideia de produzir um livro a partir das anotações dos meus seminários. Várias pessoas já tinham me procurado com esse desejo, mas sempre rejeitei. Até aquele momento, eu ainda não tinha publicado nada, pois hesitava em escrever algo ao qual os outros pudessem se apegar, como se fosse uma revelação, ou se revigorar com equívocos. De fato, o que está escrito perde facilmente a relação com o que é vivo; torna-se materializado, simplificado, generalizado sem reflexão e, assim, transformado em modelos e frases vazias. Adotei essa postura por vários anos. Porém, quando Gunthard Weber me procurou, tive a sensação de que era chegado o momento certo de uma publicação e concordei com sua sugestão. Com grande diligência, ele transcreveu partes dos meus seminários e as agrupou em uma sequência e uma combinação inteligentes para uma obra fundamental sobre a constelação familiar. Foi um grande trabalho. O livro *Zweierlei Glück* [*Dois Tipos de Felicidade*], de 1993, com Gunthard Weber como organizador, tornou-se um *best-seller*. Nesse meio-tempo, chegou à sua décima oitava edição e, além do alemão, foi publicado em dezoito idiomas. Porém, o principal é que logo no começo abriu um amplo espaço para a constelação familiar, contribuindo com fatores relevantes para a sua difusão.

O trabalho de Gunthard Weber me encorajou a escrever livros. Comecei com o título *Ordens do Amor*.* Para esse trabalho, transcrevi os vídeos de um curso que dei em 1992 na Universidade de Colônia, bem como um seminário para terapeutas familiares. Como já ocorrera com *Zweierlei Glück*, esse livro foi publicado em 1994 pela editora Carl-Auer, até hoje dirigida por Gunthard Weber e com a qual se desenvolveu ao longo dos anos uma colaboração bem-sucedida e produtiva na publicação de meus livros.

---

* Publicado pela Editora Cultrix, São Paulo, 2003. (N. T.)

Pouco depois fui convidado para a Conferência Internacional de Medicina Humanística em Garmish-Patenkirchen, onde dei uma palestra que caiu como uma bomba. Em seguida, eu deveria oferecer mais um *workshop* com constelações familiares. Tinha sido organizada para 35 participantes, mas 350 pessoas se inscreveram. Então, eu disse: "Vou dar o curso para todos". Achei que ninguém deveria ser excluído. Além do mais, eu estava convencido de que esse grande interesse era orientado por um poder superior e, por isso, teria algum sentido. Com efeito, o trabalho com um grupo tão grande foi muito bom.

Esse *workshop* foi o início de meus grandes eventos, que algumas vezes contaram com mil participantes e, em Würzburg, até com 2.300. Contudo, esse cenário já não é funcional. Considero até quinhentos participantes um número adequado; tudo o que ultrapassar essa quantidade deveria continuar sendo exceção.

O trabalho com grupos grandes aconteceu por acaso e se revelou um desafio repentino. De minha parte, eu nunca teria feito algo parecido e, do ponto de vista teórico, esse tipo de trabalho também não é possível. No entanto, o seminário em Garmisch-Patenkirchen comprovou e mostrou na prática que eu estava autorizado a ousar trabalhar desse modo. Devo dizer que gosto de trabalhar com grupos grandes, pois neles é liberada outra dinâmica. Deixo-me conduzir por essa força e experimento como os níveis de conhecimento se ampliam. Além disso, deve-se considerar que, em uma constelação familiar, muitas vezes vêm à luz destinos pesados que não podem ser amparados por um grupo pequeno; o processo funciona melhor em um grupo grande, no qual tudo é distribuído em muitos sistemas.

Mais tarde, fui criticado por diferentes vertentes por realizar grandes eventos. Enfrentar a desaprovação de alguns era um risco que eu tinha de correr. Porém, na verdade, nenhum risco se apresentou. Além disso, o que teria sido da constelação familiar se eu só tivesse trabalhado com pequenos grupos, e não com grandes eventos? Teria ela se tornado tão conhecida como é hoje e podido ajudar tantas pessoas? Com efeito, foram os grandes eventos que proporcionaram o avanço decisivo da constelação familiar.

Para analisar esses eventos de maneira correta, é importante saber que sempre trabalho com todo o grupo, e não com o indivíduo em particular. Portanto, não exponho o cliente, como afirmam meus críticos, mas todos os presentes podem aprender alguma coisa em igual medida. Todos acompanham o movimento interior e, desse modo, talvez sejam capazes de resolver um problema sem precisarem ser constelados.

Nos anos seguintes, recebi cada vez mais convites para seminários no exterior. França, Espanha e Itália, bem como muitos países do Leste Europeu após a queda da União Soviética, da Hungria até à Rússia, mas também fui aos EUA, à América do Sul e, na Ásia, da China ao Japão e a Malásia, passando por Taiwan, Coreia e Hong Kong, para divulgar a constelação familiar. Assim ela conquistou o mundo e tornou-se um movimento internacional.

Obviamente, eu já não podia vislumbrar retirar-me em uma existência de aposentado. Ao contrário, nesse momento, a vida agitada estava só começando.

Em âmbito privado, também estavam acontecendo muitas coisas. No final dos anos 1990, recebi uma nova participante nos seminários: Sophie Erdödy. Tinha vivido vários anos na Espanha e retornado alguns anos antes para a Alemanha. Por trabalhar nos setores imobiliário e de construção civil, tinha conquistado um patrimônio com seu próprio esforço. Por isso, dispunha de condições financeiras para frequentar meus cursos inclusive no exterior, por exemplo, na América do Sul. Como era uma participante assídua, entrei em contato com ela e fiquei muito impressionado. Sophie Erdödy tinha formação em diversas áreas da medicina alternativa e se ocupava intensamente de orientações espirituais. Seu conhecimento, sua intuição e sua inteligência me fascinaram.

Sophie Erdödy tinha ido quase por acaso a um dos meus seminários. Havia muitos anos se ocupava de inúmeras ofertas referentes a poderes de cura para a alma e de respostas para perguntas sobre o sentido da vida. Porém, em nenhum lugar encontrara uma resposta satisfatória. Em dado momento, cansou-se e interrompeu sua busca. Algum tempo depois, quebrou o pé e, por isso, tinha disponibilidade para ler. Um de seus conhecidos, o doutor Dietrich Klinghardt – cuja forma de diagnóstico e de terapia, a cinesiologia aplicada, entrou para a medicina –, aconselhou-lhe a obra *Zweierlei Glück*, de Gunthard Weber, e meu livro *Ordens do Amor*. Essa leitura foi como um *flash* para ela, que, em seguida, quis saber quem era aquele ex-sacerdote que fazia declarações tão inovadoras e provocadoras. Procurou-me em um curso, sem suspeitar que isso teria um efeito decisivo sobre a vida dela e a minha. O que vivenciou em meu seminário foi a resposta para as perguntas que havia anos a moviam.

Com o passar do tempo, desenvolveu-se entre nós uma estreita relação. Eu ligava para ela todas as noites e perguntava como tinha sido seu dia, pois ela sempre entrava em contato com novas pessoas, fosse durante as compras ou quando passeava com o cachorro. E essas pessoas sempre travavam logo uma ligação com ela, falavam-lhe de suas carências, mas também de suas alegrias.

Em 2000, Sophie Ergödy abriu em Bad Reichenhall uma Hellingerschule [escola Hellinger], na qual a constelação familiar era ensinada e praticada. Nossa relação se estreitou, e nos sentimos atraídos um pelo outro. No entanto, para Sophie, ter um relacionamento com um homem casado estava fora de cogitação. Quanto à minha consciência, eu também me sentia ligado à minha esposa Herta, ainda que nos últimos anos nos tivéssemos distanciado cada vez mais. Isso porque ela não participava do desenvolvimento da constelação familiar. Era um assunto que dizia respeito apenas a mim. Embora no início Herta tenha tomado parte em alguns seminários, eu não estava pronto para lhe falar ou explicar o que tinha vivido. Achava que ela tinha de reconhecê-lo e senti-lo por conta própria, pois apenas desse modo é possível compreender o que acontece em uma constelação familiar. No entanto, meu comportamento despertou mais raiva do que interesse em minha mulher por meu trabalho. Assim, evoluímos cada vez mais distantes um do outro. Herta tornou a estreitar seu vínculo com a Igreja e passou a trabalhar para a Caritas. O que ela fazia exatamente, eu não saberia dizer.

Contudo, eu sentia que tinha uma obrigação em relação a ela. Por muitos anos, ela havia me preservado do trabalho pesado, cuidado das obrigações cotidianas e sido uma companheira fiel. No entanto, já não era possível ignorar nem superar o abismo entre nós.

Um casal consegue ficar junto quando os parceiros reconhecem o caminho um do outro e quando seus caminhos não são muito diferentes. Quando as direções se afastam a ponto de sua similaridade ser questionada, a separação pode ser necessária – pelo bem da fidelidade à própria essência e à própria determinação.

Nos últimos dias de 2001, tomei uma decisão: iria me separar de Herta. Comuniquei-lhe o fato, e ela ficou profundamente abalada.

O rompimento é doloroso, sobretudo em um relacionamento. É especialmente doloroso quando ocorre de repente, como um copo cheio que estamos para beber e escapa de nossa mão ou dela é arrancado e se estilhaça no chão. No entanto, na dor pelo que se quebrou e pela preciosidade que continha, a lembrança ainda permanece desperta: incólume e plena.

Também senti dor por tê-la ferido, mas não havia outra solução.

O importante na separação é que não é necessário haver culpados. Portanto, é inútil buscar razões em si mesmo ou no outro. Basta constatar que a relação não tem futuro. Em geral, as razões apresentadas são pretextos e não satisfazem a complexidade dos processos e das respectivas lealdades. Por isso, antes de qualquer coisa é melhor renunciar às atribuições de culpa para não ferir ninguém inutilmente.

A separação é um processo doloroso. Com ela, alguns esperam até terem sofrido o suficiente para, por assim dizer, conquistarem o direito de se separarem. Contudo, isso só piora as coisas. Separação também significa que ambos os parceiros terão a oportunidade de um recomeço. Às vezes, o "inocente" não concede o recomeço ao "culpado" para não o liberar. Porém, isso acaba se tornando um peso para ambos. O melhor é quando cada um aceita e conserva do outro o que ele lhe deu. Para a separação, isso significa que cada um desenvolve em si aquelas partes do outro que até então haviam sido valorizadas por ele no relacionamento, ou as leva como um presente do outro para o seu futuro. Cada um assume sua parte de responsabilidade. Isso quer dizer que está pronto para responder pelas consequências de sua ação, sem impor ou exigir do outro mais do que o necessário e correto.

Também é importante que haja um justo acerto financeiro, no qual a parte que deseja ativamente a separação também esteja disposta a uma renúncia maior.

Em 1º de janeiro de 2002, liguei para Sophie Erdödy e disse: "Eu irei. Tomei uma decisão que não posso anular, mesmo que você não me queira. Porém, só irei até você no dia 1º de junho. Até lá, terei cumprido tudo o que tenho para acertar". Sophie me esperou.

A felicidade é como um trem. Depois de entrar no trilho certo, vai seguindo seu caminho.

Deixei para Herta nossa casa em Ainring e os rendimentos de todos os meus livros. Sophie também se dispôs a acolher Herta em nossa casa e em nossas viagens, assim ela receberia cuidados em caso de doença. Sophie tinha muita compaixão por minha primeira esposa e sua situação de se ver repentinamente sozinha após trinta anos de casamento. Transmiti a Herta essa proposta, mas nunca recebi uma resposta. Em certo sentido, posso entendê-la.

Mais tarde, convidamos Herta várias vezes para nos visitar, mas ela sempre recusou. Porém, o contato nunca se interrompeu por completo. De vez em quando eu ligava para ela e sempre lhe escrevia no Natal e em seu aniversário. Gostaria de ter podido manter uma relação de amizade com ela, mas após nossa separação nunca houve um encontro nem uma conversa mais longa.

Depois que nos separamos, Herta se uniu ainda mais à Igreja. Em 2005, tornou-se condutora da liturgia da palavra na paróquia de Feldkirchen, em Ainring. Mais tarde, vendeu nossa casa e mudou-se para uma residência para idosos. Só tornei a vê-la no dia de sua morte, em abril de 2016. Vizinhos me informaram que ela estava em um hospital em Salzburgo. Fui imediatamente para lá, mas, ao chegar, recebi a notícia de que já estava em coma. Passei algum tempo ao lado de sua cama e me despedi dela. Sete horas depois de minha visita, ela faleceu.

Em 2003, casei-me com Sophie. A partir de então, passamos a trabalhar juntos. Ela via muito do que eu não conseguia reconhecer, pois tinha uma vantagem em relação a mim: era mãe e avó. Desse modo, tinha acesso a processos da alma que permaneciam herméticos a um homem sem filhos como eu.

No início, nossa colaboração foi vista por muitos com desconfiança; alguns chegaram a se opor com hostilidade a Sophie, como se ela lhes tivesse tirado o pai. Uma razão para isso também foi a grande diferença de idade entre nós, de quase três décadas. À boca pequena, cochichava-se: "Que competência ela tem? O que tem de especial para o Hellinger se envolver desse modo com ela? O que ela quer dele, sendo bem mais jovem? Será que quer seu dinheiro? Por que está se metendo no trabalho da constelação familiar? Por que se faz de importante?" Na época, tomei uma posição clara e declarei: "Quem não a respeitar, que não me respeite também". Além disso, estou convencido de que uma separação é uma decisão muito pessoal. Quem nela interfere ou se permite um julgamento arroga-se o direito de saber mais do que os envolvidos.

Todas essas suposições feriam Sophie. Porém, nem eu nem ela chegamos a nos expressar a respeito. O fato é que, após minha separação, eu não era um homem rico. Também era fato que desejava que Sophie trabalhasse comigo. E era fato que Sophie não interveio por si só no trabalho da constelação. Ao contrário, tínhamos combinado um sinal secreto, com o qual eu a convidava a trabalhar comigo. Na época, alguns de meus seguidores se afastaram de mim. Porém, com sua Hellingerschule, Sophie tinha alguns adeptos, que me receberam de coração aberto. Assim, foi criado um equilíbrio e, ao mesmo tempo, um bom fundamento para nossa relação.

Entretanto, devo confessar que, no trabalho, não dei nada a Sophie. Com frequência, após as constelações, eu lhe perguntava o que tinha lhe chamado a atenção. Às vezes ela conseguia me responder de imediato; outras vezes, apenas no dia seguinte, quando já tinha uma ideia clara. Assim, eu me beneficiava de suas respostas. Inversamente, porém, nunca respondi às suas perguntas. Mesmo assim, ela resistia; mais do que isso, para ela era um estímulo tentar aprender cada vez mais por si só. Isso me impressionou muito. Com o passar dos anos, tornou-se minha assessora mais próxima. Apenas com ela consegui desenvolver a constelação familiar, pois é a única que, com perguntas provocativas, me faz pensar em outras direções. E é a única de quem aceito tal comportamento.

# 19
## Constelações Familiares com Judeus em Prol da Reconciliação

Meus seminários em Israel assumiram uma importância especial para mim em meu trabalho internacional. O enorme sofrimento do povo judeu, infligido pelos alemães, sempre me tocou profundamente. Como eu mesmo fui um opositor do nacional-socialismo, ao olhar para o destino de milhões de judeus assassinados, conseguia abrir minha alma para a dor e não precisava me esconder atrás do escudo da indignação, que, após a queda do Terceiro *Reich*, simpatizantes gostavam de usar para se proteger. Ao mesmo tempo, como alguém que certamente teria ido parar em um campo de concentração se a Segunda Guerra Mundial tivesse tido outro desfecho, eu estava autorizado a olhar para a culpa dos assassinos e para o sofrimento que, a partir dela, se formou dentro das famílias.

Nos anos anteriores, graças às minhas observações nas constelações familiares, aos poucos eu chegara à seguinte conclusão: os crimes dos assassinos tinham deixado vestígios em suas famílias, não apenas na alma da geração imediatamente envolvida, mas também na de seus filhos, netos e bisnetos. Aliás, na alma de seus netos e bisnetos de modo até mais profundo do que na dos verdadeiros criminosos e de seus filhos. Com efeito, as vítimas não são consideradas na família e, por isso, são representadas por um ou até por vários filhos. O filho se sente como a vítima à qual está intimamente ligado e não ousa aceitar sua vida ou aceitá-la em sua plenitude. Portanto, as vítimas pertencem à família dos assassinos e, como membros, têm de ser reconhecidas e dignificadas.

As relações dos assassinos com suas vítimas e destas com eles se tornaram um tema importante para mim, assim como a questão sobre quais foram e ainda hoje são as causas para essa postura desumana em relação aos judeus.

Imbuído dessas abordagens, em 2000 fui pela primeira vez para Israel, a fim de buscar, em um seminário em Haifa, caminhos que permitissem aos descendentes dos assassinos e das vítimas olhar juntos para o passado, recordar os mortos, dar as mãos e, em sua memória, servir juntos à paz. O contato para tanto foi conseguido por meu amigo Peter Scott, empresário judeu de Nova York. O convite para ir a Israel foi estendido aos anos seguintes, para outras oficinas em Tel Aviv, depois que conheci o professor Haim Dasberg, de Jerusalém, que havia feito muito em Israel pelos sobreviventes do holocausto e, com o tempo, se tornou um grande amigo meu. Em 1997, por ocasião do Congresso Europeu sobre as Consequências de Traumas, realizado em Maastricht, ele ficou conhecendo meu trabalho e, em seguida, frequentou vários de meus seminários, nos quais vivenciou o efeito das constelações em si próprio.

Na véspera de um seminário em Tel Aviv, fui convidado para falar sobre meu trabalho com esses clientes para a equipe da AM-CHA, centro nacional israelense para a assistência psicossocial de sobreviventes do holocausto e seus descendentes. Por experiência, eu sabia que sobreviventes do holocausto não costumam falar de seu sofrimento anterior nem mencionar os membros assassinados de sua família, simplesmente porque não querem sobrecarregar seus descendentes. Porém, o que se vê é que os filhos desses sobreviventes reagem muito bem a esses acontecimentos e, por exemplo, comportam-se como se eles próprios fossem vítimas para se solidarizarem com os parentes assassinados em um nível inconsciente. Quando as pessoas excluídas da consciência da família são integradas à constelação, todos os outros familiares podem olhar para esses mortos e sentir que eles os abençoam se permanecerem vivos.

Uma experiência comum aos representantes das vítimas do holocausto é o fato de que, no começo, eles normalmente se sentem muito tristes e não querem falar. É terrível assistir a isso. Porém, tão logo os descendentes vivos olham para os mortos e começam a ser vistos também por eles, e quando demonstram profundo respeito e amor pelos mortos, estes se sentem muito aliviados e condescendentes com os vivos. Além disso, quando reconhecem que seus descendentes têm filhos, ficam felizes com essa perpetuação da vida.

Entretanto, a situação vai um pouco mais além: quando os representantes de ambos os lados – dos assassinos e das vítimas – dirigem-se uns aos outros e juntos lamentam e choram pelos mortos, surge no coração deles uma imagem de como a reconciliação é eficaz e de como um ciclo finalmente se encerra.

Notei pela primeira vez o vínculo especial entre vítimas e assassinos do holocausto no final dos anos 1990, em uma oficina nos Estados Unidos, que também se ocupava do tema do holocausto e da qual participou um jovem judeu holandês. Em uma das constelações realizadas na oficina, tratava-se de uma família judia que vivia nos Estados Unidos. O rapaz foi escolhido como representante do irmão do cliente. Durante a constelação, constatou-se claramente que ele se identificou com o assassino. Achei isso muito estranho. Na época, pela primeira vez entendi que os assassinos estão presentes nas famílias judias e nelas são representados pelos descendentes da geração do holocausto quando se tenta excluí-los.

Alguns meses após o *workshop*, o rapaz me contou em uma carta uma experiência extraordinária. Escreveu novamente, narrando que no intervalo da referida oficina havia conversado comigo e, na época, eu lhe dissera para fazer o exercício de descer ao reino dos mortos, procurar pelos assassinos, deitar-se ao lado deles e lhes dizer: "Sou um de vocês".

Como segundo exercício, ele deveria imaginar que a morte não estaria à sua frente, mas atrás dele, e pedir-lhe todos os dias por sua bênção. Em terceiro lugar, eu lhe dissera: "Não faça esses exercícios por conta própria; espere até sua alma assumir esse trabalho". Esse também seria um exercício.

Três meses depois, ele teve a seguinte experiência extraordinária: ao dormir, foi tomado por algo parecido com um sonho, mas que era mais do que um sonho. Ele pertencia a um pelotão de fuzilamento que executava pessoas – aparentemente judias –, e ele próprio teria matado judeus dessa maneira. Em seguida, foi levado à justiça e teve de se defender perante o juiz. Disse: "Sim, é verdade, sou um assassino. Matei pessoas, mas minha defesa consiste no fato de que sou humano e de que depende das circunstâncias se alguém se torna um criminoso ou uma pessoa de bem. Todo ser humano é capaz de tudo". Em seguida, foi condenado à morte.

Porém, nos meses entre a condenação e o dia da execução, despediu-se dos parentes e entes queridos. Sentiu-se muito sereno e recolhido, com a capacidade de percepção bastante aguçada. No dia da execução, foi conduzido a uma sala por onde se chegava à cadeira elétrica. Porém, primeiro teve de esperar por algumas horas. Por fim, apareceu alguém com a informação de que sua execução fora adiada e ele teria de esperar mais.

Apesar disso, permaneceu o tempo todo tranquilo e pronto para morrer. Em seguida lhe disseram que o juiz havia alterado a condenação e que ele não seria executado, mas exilado. Permitiram-lhe escolher o lugar onde ele viveria em exílio, longe de todas as pessoas. Assim, ele deixou a prisão e ficou do lado de fora.

Ainda no sonho, pronunciou as seguintes palavras: "Sobrevivi e sou uma pessoa inteiramente nova. Para mim, não há mais culpa nem inocência". Escreveu que, após despertar, sentia-se totalmente diferente e acrescentou: "Em minha percepção, as cores se tornaram mais luminosas, e meus movimentos, desacelerados, pois segui com muita atenção tudo o que estava acontecendo".

O rapaz apenas quis informar-me sobre essa experiência. E a relato aqui porque essas coisas são possíveis quando confiamos em nossa alma e lhe entregamos o comando.

No período que se seguiu, refleti muito a respeito da relação entre judeus e alemães, bem como entre judeus e cristãos, em associação com as experiências que tinha feito nas constelações. Resumi o resultado dessas reflexões em uma palestra intitulada "O Judaísmo em nossa Alma", que primeiro proferi em uma igreja protestante em meu distrito e, mais tarde, como não podia deixar de ser, na sinagoga de Graz, em janeiro de 2002.

Em relação ao título da palestra, alma significa aqui a dos cristãos e a dos alemães. Embora ambas estejam amplamente interligadas, no que se refere ao sofrimento do povo judeu durante o domínio do nacional-socialismo alemão, concentrei-me sobretudo nos efeitos desse período sobre a alma dos alemães.

Na alma dos cristãos e dos judeus, a imagem da eleição feita por Deus assume um lugar central. Os cristãos tomaram essa imagem dos judeus, depois designaram a si mesmos como o povo eleito e, por conseguinte, passaram a considerar o povo judeu abandonado e rejeitado por Deus. Portanto, a imagem da eleição sugere que Deus preferiu um povo, elevou-o acima de outros povos e transferiu-lhe o domínio sobre eles em seu nome. Como essa imagem de Deus chega à nossa alma? Poderíamos falar de Deus nesse caso? Com efeito, esse Deus que elege e rejeita causa medo, pois os eleitos também temem que possa bani-los a qualquer momento.

Essas imagens vêm das profundezas da alma. Primeiro da própria alma, depois dos abismos de uma alma comum a um grupo maior. Dessa alma comum emergem imagens de eleição e rejeição. São colocadas no céu, onde são vistas e temidas como algo superior a nós e divino. Os que se sentem eleitos se identificam com o Deus que elege e rejeita. Eles próprios elegem e rejeitam e, assim, tornam-se temíveis para os outros, que consideram condenáveis.

Mas o que acontece quando outros grupos e outros povos agem segundo as mesmas imagens interiores? O resultado é visto nas guerras religiosas, nas quais esses grupos não percebem a si próprios nem os outros como indivíduos. Ambos os lados agem, então, como se estivessem possuídos por um delírio coletivo.

No caso da alma dos cristãos, há que se acrescentar o fato de que creem no mesmo Deus dos judeus, ou seja, também em nome do Deus dos judeus, banem o povo judeu como se fossem Deus e consideram despojá-lo de seus direitos perante Deus. A tentativa dos nacional-socialistas de aniquilar todo o povo judeu mostra a terrível dimensão que isso pôde tomar. Poderíamos argumentar aqui que os líderes nacional-socialistas e seu respectivo movimento não eram absolutamente cristãos. Contudo, não podemos nos deixar enganar, pois do ponto de vista da consciência da eleição, esse movimento carregou traços essencialmente cristãos. O *Führer* sentia-se convocado pela Providência. Convocado para conduzir o novo povo eleito, sob a imagem da raça dominante e, no caminho rumo a esse objetivo, aniquilar o povo que fora eleito anteriormente. Por mais distorcido e cego que isso nos possa parecer hoje, o movimento nacional-socialista e, com ele, amplas porções da população alemã, extraíram grande parte da energia para a Segunda Guerra Mundial desse senso de missão. E os horrores que cometeram praticamente estavam a serviço de um tribunal penal divino.

Mesmo após o fim do Terceiro *Reich*, esse senso de missão ainda não foi superado. É o que vemos nos grupos radicais de esquerda e de direita que surgiram posteriormente. Eles mostram um senso de missão semelhante e, por conseguinte, muitas vezes uma propensão cega para a violência contra outros grupos.

Contudo, apenas a oposição entre o antigo e o novo povo eleito não explica a aversão de muitos cristãos pelos judeus nem a crueldade dos *pogroms* e das deportações. Ela ainda tem outra raiz, que me parece ser a mais importante. Tem a ver com a oposição irreconciliável entre o homem Jesus de Nazaré e a fé em sua ressureição, bem como em sua ascensão à direita de Deus. Entre os primeiros cristãos, o homem Jesus logo passa para segundo plano. Sua imagem é sobreposta por aquela do Cristo elevado ao céu e tornada irreconhecível. Com isso, os cristãos reprimem a dolorosa realidade de que Jesus se viu abandonado por Deus na cruz. O Deus em que ele crera não se mostrou.

Eli Wiesel, importante escritor judeu, relatou o enforcamento público de uma criança em um campo de concentração. Diante desse horror, alguém perguntou: "Onde está Deus?" E Eli Wiesel ouviu uma voz responder dentro dele: "Onde ele está? Ali, pendurado na forca...".

Quando Jesus gritou na cruz: "Meu Deus, por que me abandonaste?", alguém também poderia ter perguntado: "Onde está Deus nesse caso?" E a resposta teria sido a mesma: "Pendurado ali". Os discípulos não conseguiram suportar a realidade do Jesus abandonado por seu Deus. Fugiram dele por meio da fé em sua ressurreição. E por meio da fé de que agora ele está sentado à direita de Deus e virá para julgar os vivos e os mortos.

No entanto, o homem Jesus e seu destino humano não podem ser eliminados com a crença na ressurreição. Ele reaparece para nós na imagem dos judeus. Por conseguinte, o judaísmo na alma dos cristãos é primordial para o homem Jesus, que os cristãos, com sua fé na ressurreição e com a ascensão dele à direita de Deus, já não ousam olhar. Encarar o Jesus abandonado por Deus causa medo nos cristãos e os deixa irritados. Assim, por meio dos judeus, opõem-se ao Jesus que os assusta e ao Deus de Jesus e dos judeus, que também os assusta. Vejo essa imagem quando observo o que ocorre na alma de muitos cristãos.

Dou um exemplo a esse respeito: em um curso de dinâmica de grupo para cristãos muito engajados, no qual todos eram teólogos e estavam integralmente a serviço de suas igrejas, sugeri de repente: "Poderíamos colocar uma cadeira no centro e imaginar Jesus sentado nela. Cada um poderia lhe dizer alguma coisa". No mesmo instante, alguém colocou a cadeira no centro, e os participantes começaram a conversar com Jesus. Foi incrível ver o ódio que manifestaram bruscamente por ele. Um dos participantes chegou a correr até a cozinha, voltou segurando uma faca e apunhalou a cadeira. Ao final, todos estavam abalados com o que havia emergido das profundezas de sua alma. Ficaram muito envergonhados. Mas eu disse: "Não vejo nenhuma culpa nele".

Quando deixo que as imagens dos judeus durante a perseguição que sofreram no Terceiro *Reich* influam sobre mim – o modo como foram amontoados e enviados para a morte, como se submeteram sem resistência, com docilidade e resignação –, neles vejo o homem Jesus e o judeu Jesus. Assim, as vítimas do holocausto destacaram-se em um papel perante os cristãos, no qual estes viam Jesus perante os judeus. Como povo, em seu comportamento e em seu destino incorporaram o comportamento e o destino em que os cristãos viam Jesus diante do Alto Conselho e de Pilatos. Porém, dessa vez os cristãos eram os algozes, e os judeus, os que se assemelhavam a Jesus.

Retorno à ideia da eleição por Deus e, em oposição a ela, gostaria de dizer algo sobre os primórdios da religião na alma, ou seja, o que ocorre na alma dos cristãos quando se tornam cristãos, e o que ocorre na alma dos judeus quando se tornam judeus.

Uma criança nasce em determinada família. Tem determinados pais, que por sua vez estão inseridos em determinado clã, em determinada cultura e em determinada religião. A criança não pode escolher. Se aceita a vida sem nenhum questionamento, tal como lhe é dada, se aceita sua vida com tudo o que ela traz para essa família em termos de destino, possibilidades, limites, alegria e sofrimento, então, essa criança se abre não apenas para seus pais, para esse determinado povo, para essa determinada cultura e para essa determinada religião, mas também para Deus e aquilo que intuímos por trás desse nome. Por isso, aceitar a vida desse modo especial é uma realização religiosa. De fato, é a verdadeira realização religiosa.

Portanto, quem nasceu em uma família judia só terá condições e estará autorizado a iniciar seu caminho até Deus à maneira judaica. Para ele, é o único caminho possível e, por isso, o único correto. Para um cristão, vale o mesmo raciocínio. Por mais que cristãos e judeus se diferenciem em suas crenças, no que se refere à realização religiosa essencial, são iguais. Essa realização independe dos conteúdos de sua religião e, por conseguinte, nunca pode ser abandonada caso mais tarde, talvez, alguém passe a seguir outra religião.

Ilustro esse fato com um exemplo: em um curso, um rapaz procurou ajuda porque se sentia apartado da vida. Veio à luz o fato de que seu avô era um judeu batizado. Ele próprio não se sentia como judeu, mas como cristão. Quando constelamos sua família, ao lado de seu avô dispus cinco representantes das vítimas do holocausto. O avô colocou espontaneamente a cabeça no ombro da vítima e disse após um instante: "Este é meu lugar". Quando o rapaz foi solicitado a dizer ao avô: "Também sou judeu e permanecerei judeu", só conseguiu fazê-lo com muito medo e tremendo. Porém, em seguida, pela primeira vez sentiu-se com seu peso no chão.

O que havia de realmente religioso nesse caso? Sua confissão ao cristianismo ou o retorno às suas raízes judaicas? A realização religiosa fundamental foi sua confissão "sou judeu e permanecerei judeu". Uma árvore não pode escolher o lugar em que cresce. Porém, o lugar onde sua semente cair é o correto para ela. Isso também vale para nós. Para qualquer pessoa o lugar de seus pais é o único possível e, portanto, correto. Para qualquer pessoa o povo ao qual ela pertence, bem como sua língua, sua raça, sua religião e sua cultura são os únicos possíveis e, portanto, corretos para ela.

Quando o indivíduo concorda, em essência, que recebe com humildade algo de uma instância superior a ele e a todos os seres humanos e evolui em seu lugar de acordo com suas possibilidades, então sabe que é igual a todas as outras pessoas. Ao mesmo tempo, reconhece que essa instância superior, ou como quer que a chamemos, tem de dar a todos de igual maneira; portanto, por mais que sejam diferentes, todos são iguais perante essa instância superior.

Considerando-se esse contexto, cabe indagar: como os cristãos e, sobretudo, os alemães, podem lidar com sua culpa em relação aos judeus? O que podem e devem fazer para superar essa culpa e dar aos judeus o lugar que lhes é devido em seu meio? E como os judeus podem lidar com a culpa dos cristãos e dos alemães em relação a eles? O que pode levar à reconciliação nesse caso? Seria possível haver alguma reconciliação perante essa culpa?

Em alguns cursos, reuni experiências de como talvez se possa chegar à reconciliação entre assassinos e vítimas e, em sentido mais amplo, entre judeus e alemães. Para mim foi decisiva uma vivência que tive em um curso em Berna, quando um homem constelou sua família atual e, por fim, disse que gostaria de acrescentar uma informação importante: era judeu. Em seguida, dispus diante de sua família sete representantes das vítimas mortas do holocausto e, atrás delas, sete representantes dos assassinos mortos. Pedi aos primeiros que se virassem e olhassem os assassinos nos olhos. Depois, não fiz mais nada, mas deixei-os entregues a seu movimento, tal como resultava espontaneamente deles.

Alguns assassinos desmaiaram, encolheram-se no chão, soluçaram alto de dor e vergonha. As vítimas se voltaram para os assassinos, olharam em seus olhos, levantaram os que estavam no chão, abraçaram-nos e consolaram-nos. Ao final, surgiu entre eles um amor indescritível.

No entanto, um dos assassinos ficou totalmente paralisado. Não conseguia se mexer. Por isso, coloquei atrás dele um representante para o "assassino atrás dos assassinos", no qual ele se encostou e, assim, conseguiu relaxar um pouco. Mais tarde, esse representante disse que se sentiu como o dedo de uma mão gigantesca, totalmente entregue. Essa também foi a experiência dos outros nessa constelação. Todos, vítimas e assassinos, sentiram-se guiados e carregados por um poder superior. Um poder cujo efeito não identificamos.

Ao final, pedi a todos os participantes que me enviassem um relato sobre o que haviam vivido na constelação. Um representante dos assassinos me escreveu: "Quando você colocou sete homens atrás das sete vítimas, fui tomado por uma sensação muito ruim. Intuí e senti algo negativo, embora ainda não estivesse claro para mim quem teríamos de representar. Quando, então, você disse que seriam os assassinos, um calafrio percorreu minha espinha. Depois, quando as vítimas se viraram e olhei nos olhos de quem estava na minha frente, toda energia escapou de meu corpo. Nunca em minha vida senti tanta vergonha. Apenas olhei para ele, encolhi cada vez mais, e ele cresceu cada vez mais. Eu preferia ter desaparecido em um buraco profundo, em uma toca de rato, nas profundezas da terra.

"Em mim, algo gritava constantemente: 'Não, não, não, não pode ser verdade'. Senti a necessidade de pedir desculpa. Ao mesmo tempo, uma voz dentro de mim dizia: 'Não há do que se desculpar nem disfarçar. Você tem de carregar isso sozinho'. A única expressão que me veio aos lábios foi 'por favor'. Depois disso, minha vítima me abraçou. Sem seu apoio, eu teria caído no chão de vergonha. Em seus braços, eu não parava de ouvir a voz dizer dentro de mim: 'Não mereço isso. Não mereço absolutamente ser amparado por ela'. Felizmente, minhas lágrimas escorreram, do contrário eu não teria conseguido suportar tudo aquilo".

"Depois que minha vítima me soltou, melhorei. Tornei a sentir um pouco do chão sob meus pés e consegui respirar com mais liberdade. Ao mesmo tempo, eu também sabia que aquela tinha sido apenas a primeira vítima. Ainda havia muitas outras em minha consciência. Não apenas duas ou três, mas dúzias ou até centenas. Depois, também senti a forte necessidade de olhar nos olhos de cada uma dessas vítimas para assim alcançar minha paz interior. Quando você colocou o assassino superior atrás de nós, logo ficou claro para mim que eu teria de carregar sozinho a responsabilidade pelo que tinha feito. Para mim, esse assassino atrás dos assassinos não trouxe nenhum alívio. Também tive a forte sensação de que teria sido melhor ficar do outro lado e não me sobrecarregar com essa culpa alucinante".

"Minha necessidade de olhar a próxima vítima nos olhos aumentou cada vez mais. Porém, o contato visual seguinte me fez de fato desabar. Não consegui mais ficar em pé e chorei muito no chão. Perdi totalmente a consciência. Sua voz distante dizendo 'agora voltem lentamente', chegou muito fraca aos meus ouvidos. E o retorno subsequente ocorreu bem devagar. Ainda havia muito o que fazer, eu ainda não tinha olhado para muitas vítimas. Continuei a sentir o forte impulso de terminar o que não estava concluído".

"Após essa constelação, precisei de pelo menos uma hora para me recuperar por completo e tornar a me sentir em plena forma. Para mim, esse foi de fato um dos papéis mais difíceis que vivenciei em uma constelação familiar. Também foi estranho como pensamentos parcialmente cristalinos surgiram em minha consciência. Por exemplo, o fato de não ser possível transferir aos outros a responsabilidade pela própria ação, embora eu fosse apenas uma pequena roda na engrenagem. Após uma experiência como essa, sabemos que não há o que discutir, argumentar ou esclarecer. Simplesmente é assim."

Em uma constelação como essa, também fica claro que não existe grupo no sentido de que as vítimas estão aqui, e os assassinos, ali. Existem apenas as vítimas individuais e os assassinos individuais. Cada assassino tem de se colocar diante de cada vítima. E cada vítima tem de se colocar diante de cada assassino. Desse modo, ficará claro que não haverá paz para as vítimas mortas se os assassinos mortos também não assumirem um lugar ao lado delas e não forem aceitos por elas. E não haverá paz para os assassinos enquanto também não se colocarem ao lado das vítimas mortas. Quando isso não ocorre e quando não permitimos que ocorra, posteriormente os assassinos são representados por descendentes.

Por exemplo, enquanto os assassinos da última guerra não tiverem espaço na alma dos alemães, serão representados, entre outros, por radicais de direita. Em constelações de descendentes de vítimas judias, também vi que em muitas dessas famílias um filho representa um assassino. Portanto, não escapamos da reconciliação com os assassinos.

Além disso, nessa constelação ficou claro que o envolvimento se desfaz apenas entre aqueles aos quais está relacionado; portanto, entre esse assassino e essa vítima. Ninguém pode nem deve assumir seu lugar, como se tivesse um direito, a incumbência ou o poder para tanto. Por isso, nessa constelação, os representantes das vítimas mortas e dos assassinos mortos também não queriam que os vivos se intrometessem. Deveriam manter-se afastados. Os mortos também queriam que a vida continuasse, que não se limitasse ou reduzisse devido à lembrança relativa a eles. Do ponto de vista dos mortos, os vivos eram livres para a vida.

Nesse contexto, fiz um exercício com uma judia que teve muitos parentes mortos. Ela se sentia convocada a reconciliar vivos e mortos. Pedi que fechasse os olhos e entrasse mentalmente no reino dos mortos, ficasse em pé em meio aos 6 milhões de vítimas do holocausto, olhasse para a frente, para trás, para a direita e para a esquerda. À margem de todos esses 6 milhões de mortos encontravam-se os assassinos, que se levantaram. As vítimas e os assassinos viraram-se para o horizonte, no Oriente, onde viram uma luz branca, diante da qual se curvaram profundamente. Em seguida, depois que ela também se inclinou com todos os mortos diante dessa luz, tornou a recuar devagar, deixando os mortos em devoção diante do que emergia no horizonte, mas continuava oculto; por fim, afastou-se dos mortos e voltou para a vida.

Entretanto, algumas vezes os vivos também precisam encontrar os mortos, olhá-los no rosto e serem vistos por eles. Sobretudo aqueles que têm alguma culpa em relação aos mortos, mas também os que tiraram alguma vantagem do triste destino de seus concidadãos judeus. Em muitas constelações, revelou-se que os indivíduos injustiçados possuíam a alma daqueles que lhes causaram mal ou tiraram algum proveito de seu infortúnio. E possuíam não apenas a alma deles, mas também a de seus descendentes até a injustiça ser reconhecida, até que os outros os olhassem nos olhos, os reconhecessem como seres humanos, os honrassem e chorassem com eles por seu destino. Assim, quem havia sido apartado era reintegrado, e os efeitos ruins da injustiça cessavam.

Enquanto essa realização não dá certo, os mortos não encontram sua merecida paz, mas, de certo modo, permanecem entre nós e até próximos de nós. A esse respeito, narro um pequeno episódio. Há alguns anos, viajei à Polônia para dar algumas palestras noturnas, acompanhado e conduzido pelo terapeuta de trauma Zenon Mazurczak. Viajamos de trem da Breslávia até a Cracóvia, passando pela Silésia, e lhe pedi para me contar alguma coisa sobre a Cracóvia e os judeus na Polônia antes da guerra. Ele me relatou sobre um bairro judeu bastante grande na Cracóvia, pois na época um terço de seus habitantes era de judeus. Depois me disse que, no passado, a Galícia fora amplamente colonizada por judeus. Atualmente, quase não há nenhum na região.

Fiquei imaginando a Cracóvia e vi ao redor da cidade um círculo de muitas pessoas querendo entrar sem poder. Eram os judeus que antes moraram ali e que já não existiam. Em meu último dia na cidade, fui com Zenon Mazurczak e outros amigos ao antigo bairro judeu. As casas ainda tinham as inscrições do passado, como se tudo ainda estivesse ali. Apenas as pessoas não estavam mais. Olhei pelas janelas e vi os moradores de antes. Tinham os olhos vazados, de tanto que haviam chorado. Isso me comoveu profundamente.

Dali fomos a Kattowitz, onde eu daria uma palestra à noite para mais de mil espectadores. Contei-lhes sobre minha experiência na Cracóvia, pois a imagem que eu tinha era muito clara: aqueles judeus mortos – todos poloneses, não apenas judeus, mas também compatriotas e concidadãos, ou seja, parte do país – queriam voltar para as almas dos poloneses. Todos os judeus ainda se encontram no gigantesco campo espiritual da Polônia. Ninguém consegue desaparecer desse campo.

Em seguida, fiz uma meditação com os espectadores. Olhamos para os milhões de mortos. Nós os acolhemos em nossa alma e lhes demos o direito de nela residir. Acolhemos igualmente em nossa alma os silesianos expulsos, pois pertenciam ao grupo. Assim, sem que algo tivesse de ser desfeito, eles também receberam um lugar na alma e nela puderam se tornar presentes de novo. Todos os mortos e banidos puderam voltar para casa e nela permanecer, como filhos e filhas perdidos. Os espectadores poloneses aceitaram tudo isso abertamente e com naturalidade em sua alma.

Quando voltei para casa, relatei minha experiência ao professor Haim Dasberg. Ele me escreveu, dizendo que certa vez tivera a mesma sensação na Cracóvia. Também vira muitos mortos judeus nas ruas, como se estivessem se preparando para o Sabá Mas nenhum deles estava lá.

Então, perguntei a mim mesmo: "Como é na Alemanha? Será que os judeus retornam ao país? Teriam uma pátria nas almas?"

Respondo a isso com uma meditação.

**Vocês e eu**
Fechamos os olhos. Vamos aos locais de onde viemos e nos quais vivemos e entramos em ressonância com aqueles que já não estão lá, que mesmo na alma já não poderiam estar ali. Olhamos para eles. A maioria foi assassinada, muitos fugiram e foram expulsos. Dizemos a eles: "Estou vendo você. – Dou-lhe um espaço em minha alma. – E choro. – Você e eu, vocês e eu."

Então os deixamos partir para um lugar onde uma instância superior os acolhe. Olhamos para essa instância superior, vemos como ela os acolhe, e ficamos em silêncio.

Durante um curso de constelação familiar nos EUA, um participante me deu de presente o seguinte poema, que escrevera em 1989. Seu avô tinha sobrevivido ao campo de concentração de Dachau.

### A ressurreição dos judeus na Alemanha
Retornamos.
Não por vingança.
Não por vocês.
Tampouco para provar algo a Deus.
Mas porque a vida assim o quis.
Relutamos em fazer isso.

Mas sabemos que nossa resistência
tem de ceder.
Nossos filhos já querem saber
por que fugimos de nossa pátria
e agora tentamos cobrar
justiça dos árabes,
que nem estavam lá.
Querem saber
onde perdemos
esse Deus
do qual falamos.
Queremos ter filhos honestos
e temos de admitir
que temos um buraco no coração.
No passado, tivemos de fugir ou morrer.
Mas e agora?
Desculpem-nos, queremos orar aqui,
em solo alemão,
onde as almas de nossos entes queridos
ainda não encontram paz na terra.
Sabemos que o sono de vocês
é tão perturbado quanto o nosso,
que vocês fogem de sua pátria
rumo a balneários no mundo inteiro,
que não sabem se estrangeiros
são bem-vindos em seu país,
talvez porque suspeitem
de que vocês próprios também não o sejam;
que também não conseguem

responder às perguntas de seus filhos.
Digam uma coisa: foi por inveja
que nossos entes queridos foram assassinados?
Teriam o *Reich* milenar
e seu povo
sido referências invejosas para nós,
uma vez que a Alemanha teve de lutar por poucas décadas
para permanecer coesa,
enquanto nós o fizemos por milênios
usando apenas livros?
Por acaso nos mandaram para as câmaras de gás
porque vocês mesmos foram mortos com gases nas trin-
cheiras
e não conseguiram revidar?
Seus pensadores debatem
se apenas a cultura europeia amadureceu.
Os nossos, se ainda somos eleitos por Deus.
Mas estaria algum de nós falando com o outro?
Nossos rabinos tentaram por uma geração inteira
nunca esquecer,
porém, o que ficou na memória
foi a morte
que ainda fitamos sem fôlego.
Para realmente voltar a respirar, é preciso uma dor viva.
É preciso que não mais
morramos testemunhando,
mas vivamos plenamente e por muito tempo.
É o que está escrito em nosso livro: escolha a vida.
Em seu livro, lê-se:

Ama o próximo como a ti mesmo.

Ainda somos seus vizinhos.

Imaginem: após uma longa ausência,

nós, seus vizinhos, começamos a retornar.

Em breve mudaremos para a porta ao lado,

E circularemos fazendo barulho nas ruas.

Em breve brincaremos com os funcionários públicos alemães,

nos sentaremos à mesa como *habitués*

e nos casaremos com seus filhos.

As casas e a terra alemã

retornarão às nossas mãos.

Seremos cidadãos de novo!

As sinagogas memoriais vazias começarão a se encher.

Seria um pesadelo? Não.

O mundo inteiro teme uma repetição,

mas é o medo que se repete.

Os tempos são novos.

Nós, judeus, retornaremos à Alemanha.

Não, não de repente, amanhã, todos na fronteira.

Tampouco no próximo ano.

Acontecerá gradualmente,

aqui e ali em um primeiro momento,

depois ganhando força,

como tudo o que cresce.

Vocês vão ver.

© Eric Bendix

# 20
## As Hostilidades

Em 1997 aconteceu o que é o pesadelo de todo terapeuta. Após um seminário em Leipzig, uma mulher que tinha constelado a própria família se suicidou. Qual era o contexto? A mulher tinha vindo com o marido, do qual se separara. Com o auxílio da constelação familiar, o casal queria decidir com quem os filhos deveriam viver. Na constelação ficou claro que o lugar mais seguro para eles seria com o pai. Após a constelação, a mulher deixou a sala sem dizer nada e, mais tarde, suicidou-se.

Fiquei muito abalado. No entanto, não existe terapeuta que, com o passar do tempo, em algum momento não seja confrontado com o suicídio de clientes. Em geral, isso não é levado a público; ao contrário, é mantido em segredo, como se pode muito bem dizer.

O suicídio da mulher resultou em uma ação judicial contra mim. Entretanto, a justiça me absolveu. Constatou-se que a mulher já havia tentado se matar antes. O recurso que usara para pôr fim à sua vida provinha do armário de medicamentos de sua mãe.

Perguntei-me se seu final trágico poderia ter sido evitado. Minha resposta era: não, isso não estava em meu poder. Uma intervenção de minha parte não poderia ter nenhuma influência sobre ela. E inversamente, minha manifestação sobre a realidade não poderia ter sido a razão para seu suicídio. Com efeito, uma pessoa psiquicamente estável não teria decidido, de repente, tirar a própria vida após as declarações de um estranho. Contudo, a morte da mulher ainda era um acontecimento trágico que me abalava profundamente.

No período seguinte, foram publicados diversos artigos de jornais e revistas nos quais meu trabalho era atacado. Abstenho-me aqui de entrar nos detalhes das publicações e de nomear seus autores. O que chamou a atenção foi o fato de que, em muitos casos, minhas declarações foram tiradas de seu contexto e minha pessoa foi apresentada com uma maldade exaltada.

As principais críticas referiam-se a meu trabalho com grandes grupos e minha clara designação daquilo que se revelava como realidade em uma constelação familiar, bem como as consequências resultantes. Contudo, ignoravam o fato de que todos que frequentavam minhas oficinas sabiam o que os esperava. Todos tinham consciência de que as constelações familiares não ocorreriam em um espaço fechado para pessoas de fora, como nas terapias de conversa. Quem me procurava o fazia espontaneamente e declarava estar de acordo com as condições. Além disso, todos eram livres para interromper a constelação a qualquer momento. Embora raras vezes isso ocorresse, sempre respeitei e aceitei essa decisão. Mais do que isso, quando eu percebia que um cliente recusava a solução correta, era eu quem interrompia a constelação.

Na época, não imaginei que todos esses ataques à minha pessoa ainda pudessem ser considerados inofensivos, pois o que estava para me acontecer em 2003 e 2004 era da ordem da calúnia – não há modo melhor de exprimi-lo – e da tentativa voltada a arruinar minha existência.

Mas uma coisa de cada vez.

O que pude vivenciar nas constelações com sobreviventes do holocausto e seus descendentes tinha deixado em mim uma impressão duradoura e profunda. O entendimento de que vítimas e assassinos querem reconciliar-se, de que ambos têm sua origem em um poder secreto, inapreensível e incompreensível para nós e de que somos todos iguais perante esse poder permitiu-me ver a humanidade e cada ser humano com outros olhos.

Tempos atrás, fiz uma excursão ao Lago de Genesaré, em Israel, onde há dois mil anos um homem de Nazaré percorreu suas margens e, em uma colina nas proximidades, falou das oito bem-aventuranças. Havia uma paz extraordinária nesse local. Era possível sentir que se tratava de um lugar especial.

Ali me lembrei do que Jesus disse sobre o que torna alguém bem-aventurado. Uma das coisas era: "Bem-aventurados os que promovem a paz porque serão chamados de filhos de Deus". Também disse: "Amai vossos inimigos e fazei o bem aos que vos odeiam".

Algumas vezes, a maior inimizade e o maior ódio se dão no relacionamento mais íntimo. Por quê? Porque é no relacionamento mais íntimo que também se pode ferir mais profundamente. Porém, não tanto porque um faz algo ao outro. A ofensa mais profunda ocorre quando uma esperança sonhada não se cumpriu. Bem-aventurados são aqueles que amam seus inimigos e fazem bem aos que os odeiam.

Assim, chega-se a um nível superior, que Jesus descreve da seguinte maneira: "Deste modo sereis os filhos de vosso Pai do céu, pois ele faz nascer o sol tanto sobre os maus como sobre os bons, e faz chover sobre os justos e sobre os injustos". Quem alcança esse amor brilha como o sol sobre todos, tal como são, embora sejam diferentes, como o homem e a mulher. E faz cair a chuva que traz a bem-aventurança a qualquer um, tal como é. Refleti a esse respeito às margens do Lago de Genesaré.

Em seguida, tentei compreender o que se passa na alma, qual é o processo que acaba possibilitando esse amor. E me ocorreu uma frase: "Amor significa: reconheço que todos, tal como são, assemelham-se a mim diante de algo maior. Reconheço que todos, por mais diferentes que possam ser, assemelham-se a mim diante de algo maior". Isso é amor. Com base nisso, todo o restante pode desenvolver-se.

E o que é humildade? A mesma coisa: "Reconheço que todos, por mais diferentes que possam ser, assemelham-se a mim diante de algo maior". Humildade significa reconhecer que se é apenas uma pequena parte entre uma multiplicidade e que a plenitude só é alcançada quando tudo o que é diferente puder coexistir de maneira equivalente e ser reconhecido como igualmente válido.

E se houve ofensas? "Perdoar e esquecer são a mesma coisa: reconheço que todos, por mais diferentes que sejam, assemelham-se a mim diante de algo maior."

Podemos aqui fazer um pequeno exercício para compreendermos esse amor. Imaginem-se indo até aqueles que algum dia os ofenderam e feriram. Digam a cada um deles: "Sou como você".

Em seguida, imaginem aqueles aos quais vocês fizeram alguma coisa ou ofenderam de alguma maneira e digam a cada um deles: "Sou como você. Você é como eu".

O que você vivenciará ao final desse exercício? A resposta pode ser resumida em uma única palavra: paz.

A partir de todas essas reflexões, em 2004 publiquei em meu livro *Gottesgedanken* [*Pensamentos sobre Deus*] um texto sobre Hitler, que reproduzo aqui para a melhor compreensão do que segue:

**Hitler**

Alguns o veem como um monstro, como se algum dia tivesse existido alguém que pudesse ser chamado assim. Vejo-o como um ser humano igual a mim: com pai, mãe e um destino especial.

Seria você maior por causa disso? Ou menor? Seria melhor ou pior? Se você for maior, também sou. Se for melhor ou pior, também sou. Isso porque sou um ser humano como você. Se eu o respeitar, também me respeitarei. Se o odiar, também me odiarei.

Posso, então, amá-lo? Será que talvez eu deva amá-lo, já que do contrário não poderia me amar?

Se reconheço que você foi um ser humano como eu, então, olho para algo que dispõe de nós do mesmo modo, que é causa tanto sua quanto minha – e nosso fim. Como eu poderia me excluir dessa causa ao excluí-lo? Como eu poderia acusar essa causa e elevar-me acima dela ao acusá-lo?

No entanto, também não posso sentir compaixão por você. Você depende da mesma causa que eu. Respeito-a em você e em mim e submeto-me a ela em tudo o que ela provocou em você, em mim e em qualquer outro ser humano.

Por isso, sou livre em relação a você, e você é livre em relação a mim. De minha parte, você pode ter sua paz, pois libero tudo o que penso a seu respeito. Também libero tudo o que penso sobre o que você quis e fez, assim como libero tudo o que penso sobre a causa que gerou você e a mim. Com efeito, como meus pensamentos poderiam algum dia alcançar essa causa ou até penetrá-la?

Por essa razão, esqueço você e o libero dos meus pensamentos e do meu sentimento, do meu amor, do meu respeito e do meu julgamento, assim como também quero ser totalmente entregue pelos pensamentos de outras pessoas, por seu sentimento, seu amor e seu respeito, independentemente do que a última causa determinar para mim.

Na época, Sophie me alertou para o risco da publicação. Tinha certeza de que minhas declarações seriam mal interpretadas e compreendidas como uma declaração em favor da pessoa de Hitler. Porém, para mim, o teor desse texto era muito claro; eu não podia imaginar que seria interpretado de outro modo. Com efeito, do meu ponto de vista, eu tinha exposto de maneira bastante explícita que, ao considerar Hitler, incluía a causa oculta que determina todos os seres humanos e que, por isso, obviamente não o absolvia de nenhuma culpa. Apenas não era mais responsável por sua condenação, mas deixava a culpa com ele e sob sua responsabilidade.

Ao mesmo tempo, escrevi o texto também para exortar as pessoas a se conscientizarem de seus próprios abismos. Do contrário, que sentido teriam os memoriais e monumentos que recordam o holocausto, se também não advertissem que um crime tão abominável contra o povo judeu nunca deve se repetir? E se advertem contra uma repetição do holocausto, então, isso significa que ainda há o temor de que os seres humanos possam cometer novamente tais atrocidades. Mas quem seriam esses seres humanos? Não mais o Hitler morto nem a maioria de seus defensores, que também já morreu nesse ínterim. Aqueles que poderiam repetir o holocausto somos nós, os vivos. A advertência se faz a nós e aos lados sombrios de nossa alma, que devemos manter sob controle e dos quais temos de nos conscientizar.

Com esse texto, também quis recordar que há uma causa oculta e incompreensível para nós, capaz de desencadear multidões em uma simultaneidade enigmática. A esse respeito, Carl Gustav Jung falava de arquétipos. Nesse sentido, é possível ler em sua obra *Die Archetypen und das Kolektive Unbewusste* [*Os Arquétipos e o Inconsciente Coletivo*]: "A pessoa sob o domínio de um arquétipo pode ser acometida de qualquer mal. Se trinta anos atrás alguém tivesse ousado predizer que o desenvolvimento psicológico tendia para uma nova perseguição dos judeus como na Idade Média, que a Europa estremeceria de novo diante do *fascio* romano e do avanço das legiões, que o povo conheceria de novo a saudação romana como há dois mil anos atrás e que, em lugar da cruz cristã, uma suástica arcaica atrairia milhões de guerreiros prontos para morrer – tal pessoa seria acusada de ser um místico louco".

Consideremos agora nosso mundo. Após o fim do Terceiro *Reich*, teria havido algum momento, ainda que breve, em que povos ou tribos não estivessem envolvidos em um genocídio ou uma guerra absurda em algum lugar do mundo? Teria algum dia havido algum momento na história da humanidade em que centenas de inocentes, incluindo mulheres, crianças e até bebês, não tenham sido dizimados como em um estado de êxtase? Acho que não. Vale recordar a insanidade do Khmer Vermelho, encerrada há apenas poucas décadas, cujo regime de terror vitimou cerca de 2 milhões de cambojanos. Com esse texto, também quis lembrar essas dinâmicas assustadoras, que arrastam consigo milhares de pessoas e das quais temos de nos precaver.

Quase simultaneamente à publicação do livro, mudei-me com Sophie para uma residência temporária. Havíamos comprado uma casa em Bischofswiesen, no distrito de Berchtesgaden, cuja reforma não estaria concluída até a planejada data da mudança. Em vão tentamos, por meio ano, alugar um apartamento. Por fim, o técnico encarregado da obra em nossa casa encontrou uma solução: anos antes, ele havia comprado o prédio no qual, durante o Terceiro *Reich*, havia sido instalada a "Pequena Chancelaria do *Reich*". Ela era utilizada quando Hitler se hospedava em sua residência de férias em Obersalzberg, uma casa que pertencia à sua companheira Eva Braun. No Berghof *

---

\* Nome como era conhecida a residência de Hitler em Obersalzberg. (N. T.)

também havia um escritório principal, no qual Hitler trabalhava com seus correligionários; porém no vale, no bairro Stanggaß, em Bischofswiesen, havia ainda essa pequena filial da Chancelaria do *Reich*. Nela, alguns funcionários mantinham o contato entre Berlim e o chamado serviço de Berchtesgaden. É bem pouco provável que algum dia Hitler tenha visitado esse escritório no vale.

Depois da guerra, o prédio passou para as mãos do exército americano e, após sua retirada no final dos anos 1990, para as do Estado, que o vendeu para o nosso técnico. Ele o reformou para o aluguel e a venda dos apartamentos. No passado, o terreno pertencera a seu pai, e ele queria recuperá-lo para a família. Naquele momento já moravam ali quatorze inquilinos, e ninguém se incomodava com isso. Até porque não havia nenhum motivo para tanto. No prédio havia um apartamento vago de 190 metros quadrados, que naquela região dificilmente seria alugado em razão de seu tamanho. Nosso técnico o ofereceu a nós como moradia temporária, até podermos mudar para nossa casa.

Nossa mudança para a Pequena Chancelaria do *Reich* foi completamente inesperada para mim e transformada em um escândalo infundado. O programa televisivo *Report München* me filmou saindo da casa e construiu uma ligação minha com Hitler. Três funcionários do jornal *taz* tocaram nossa campainha, insistindo para que eu lhes concedesse uma entrevista e uma resposta. Quando recusei, reclamaram dizendo que não os deixei entrar em nossa casa. Ao seu artigo deram o maldoso título de "O quartel-general do psicoguru".

O ensejo para essas difamações foi meu texto sobre Hitler em meu livro *Pensamentos sobre Deus*. Já antes da mudança para essa morada transitória, o jornalista Colin Goldner lançou uma campanha contra mim, que me aproximava da ideologia do nacional-socialismo.

Anteriormente, com seu livro *Dalai Lama. Fall eines Gottkönigs* [*Dalai Lama. Queda de um Rei-deus*], Goldner já havia realizado um extenso trabalho sobre o líder espiritual dos tibetanos. Depois que a revista austríaca *Ursache & Wirkung* fizera uma dura crítica ao livro, Goldner abriu três processos contra a revista. Em 2002, todos foram recusados em última instância.

Depois do Dalai Lama, fui sua próxima vítima. Com isso, eu estava em boa companhia. Em um artigo para a revista *konkret* (caderno 6/2004), chegou a apelar para linhas de raciocínio grosseiras, a fim de construir uma ligação entre mim e Hitler. Segundo ele, essa ligação estaria nas iniciais de nossos nomes, pois meu nome original é Anton. Portanto: Anton Hellinger e Adolf Hitler, ambos A. H.

Em outros ataques à minha pessoa, feitos pela mídia impressa, frases isoladas de meu texto sobre Hitler também foram retiradas do contexto e citadas para me difamar como próximo do nacional-socialismo e da pessoa de Hitler.

No entanto, qual a razão para esses ataques difamatórios e cheios de ódio contra mim, movidos por um desejo de destruição, cujo efeito alcança os jornais atuais? A principal alegação é o fato de eu reconhecer também os assassinos como seres humanos iguais a mim.

No entanto, ainda havia uma pergunta a ser feita: entre os jornalistas que se manifestaram – embora nenhum me conhecesse nem tivesse frequentado algum dos meus seminários –, teria algum deles feito algum dia uma pesquisa sobre mim? Será que um único deles chegou a ler minhas declarações em sua totalidade, em vez de pinçar frases isoladas e interpretá-las no contexto que lhe era mais conveniente? Ou seriam todos apenas "enviados especiais ao arquivo da redação", como ironicamente se diz no jargão jornalístico alemão? Com efeito, se algum deles tivesse se dado ao trabalho de fazer uma pesquisa, teria descoberto que me opus ao nacional-socialismo e que, se a guerra tivesse tido outro desfecho, provavelmente eu teria acabado em um campo de concentração ou até sido condenado à morte.

Como se não bastasse, em 2 de maio de 2004, Arist von Schlippe, na época diretor da Sociedade Sistêmica, uma associação de terapeutas de família, dirigiu-se a mim em uma carta aberta:

*Caro Bert,*

*custa-me muito escrever esta carta, mas tem de ser assim. Escrevo-a como "carta aberta" porque ela se destina não apenas a você, mas também aos colegas da terapia sistêmica.*

*Seu assunto principal: uma clara rejeição a você. Já faz tempo que me despedi mentalmente de você, depois de ter me impressionado por um longo período. Contudo, inicialmente considerei as inúmeras críticas que li sobre suas manifestações e seu modo de proceder como formas deturpadas e extraídas do contexto do relato. Mais tarde, tentei perdoá-las como sinal de uma postura que se enrijecia com a idade. Por muito tempo tentei ignorá-las com o silêncio. Quando isso já não era possível, porque cada vez mais pessoas me perguntavam o que eu tinha a dizer a respeito, sempre salientei em muitas conversas o quanto eu havia aprendido com você e o admirava, e defendi que os acontecimentos manifestamente criticáveis, a partir dos inúmeros relatos a seu respeito, não deveriam invalidar a possibilidade de examinar o trabalho da constelação do ponto de vista sistêmico e representá-lo em outro sentido e com outro espírito.*

*Defendi você contra críticas que viam em seus conceitos rizomas do pensamento fascista, e mais de uma vez expressei minha tristeza ao ver que conceitos que ofereciam estímulos interessantes e preciosos no contexto de uma formação de terapeutas altamente qualificados estavam sendo invalidados pelo caráter espetacular de grandes eventos. Hoje vejo como um erro o fato de tê-lo convidado em 1995 para um evento como esse em Bremen e ter contribuído para inflacionar seus conceitos com esse tipo de apresentação. Penso que, devido à sua imensa clientela, você acabou perdendo a noção das coisas, correndo o risco de arruinar tudo o que construiu e talvez até mais do que isso, pois muitos dos terapeutas que se baseiam no seu procedimento também se baseiam na terapia sistêmica. Com o livro* Zweierlei Glück, *sua abordagem foi caracterizada como sistêmica e, desde essa época, vincula-se a esse modelo.*

*Sou diretor da Sociedade Sistêmica, uma das duas grandes confederações para terapia sistêmica. Desse modo, além da consternação e da decepção pessoais, não posso ficar indiferente a isso. Nós, da Sociedade Sistêmica, esforçamo-nos para tomar uma posição diferenciada, sem incorrer em críticas indiscriminadas ou polêmicas ignorantes, observadas em muitos críticos. Para nós, trata-se de demarcar claramente os limites entre o trabalho da constelação, compatível com o pensamento sistêmico-construtivista, e outro que não corresponda nem seja adequado a esse pensamento. Contudo, a polêmica continua a assombrar e fermentar o "cenário sistêmico", e vejo isso como uma dinâmica de cisão partindo de você. Essa polarização cada vez mais intensa me causa sérias preocupações.*

*Acrescente-se a isso um fato atual. Um colega me enviou um e-mail com alguns sites em que se leem declarações suas como:*

*"(O) povo judeu só (encontrará) a paz consigo mesmo, com seus vizinhos árabes e com o mundo quando o último judeu orar pela morte de Hitler" (*Mit der Seele gehen [Caminhar com a Alma], *2001, p. 50).*

*E um "Discurso para Hitler": "Se eu o respeitar, também me respeitarei. Se o odiar, também me odiarei. Posso, então, amá-lo? Será que talvez eu deva amá-lo, já que do contrário não poderia me amar?" (*Gottesgedanken, *p. 247).*

*Ao mesmo tempo, vejo fotos em que você faz da antiga Chancelaria do* Reich, *em Berchtesgaden, sua atual morada.*

*Realmente não sei mais o que pensar. Ou melhor: penso em muitas coisas! Lembro-me, por exemplo, de como fiquei decepcionado quando meu amigo israelense – a quem eu dera seu vídeo sobre o trabalho de constelação familiar com as vítimas do holocausto e seus descendentes – me disse que não* conseguira assistir a fita até o final de tão indignado que havia ficado com você e sua arrogância.

Hoje penso que me enganei a seu respeito (e, obviamente, devo assumir a responsabilidade por isso). Não consegui enxergar algo que ele havia percebido com muita perspicácia. Será que agora você vai dizer que, como judeu, ele ainda deveria se curvar perante seus pais — ambos vítimas polonesas do campo de concentração — ou, de acordo com seu livro Gottesgedanken, perante Hitler? Bert, você foi longe demais! Vejo suas declarações nesse discurso como julgamentos vagos de valor, que em sua generalidade valem para todas as pessoas — todo ser humano tem o direito de ter sua humanidade reconhecida e respeitada, mesmo tendo negado esse direito a milhões de seres humanos. Hitler continua sendo o símbolo da mais profunda e sombria aberração a que determinada situação histórica chegou — e pode chegar ativamente. É e será sempre um erro relativizar isso, independentemente do tipo de conceito e descrição que se utilize.

Por isso, hoje eu gostaria de adotar uma posição clara em relação a você, sem esconder-me atrás de declarações genéricas nem da posição de alguma associação. Devo e quero dizer claramente que não posso compartilhar o que nos últimos anos ouvi e soube a seu respeito — nem as flagrantes atribuições causais, nem as ideias incrivelmente abreviadas sobre contextos psicossomáticos, nem os conceitos de ser parte de uma "verdade", tampouco as declarações cada vez mais genéricas sobre homens e mulheres. Vinculadas à sua mudança para o prédio de Hitler, suas últimas declarações representam, a meu ver, uma incrível falta de sensibilidade. Não dá para acreditar! Não consigo entender! Minha rejeição se refere a toda maneira de descrição absoluta e totalitária, com a qual você parece envolver-se cada vez mais.

Tudo isso poderia ser uma questão particular sua ou tema de um grupo, talvez de uma seita. No entanto, os conceitos que você emprega e propaga são, em parte, oriundos da terapia familiar sistêmica e, em parte, publicamente equiparados a ela. Você tem ideia do mal que causou à terapia sistêmica? É bem provável que agora diga algo perspicaz, alegando que *não é responsável pelo que seus alunos – ah, esqueci, você não tem nenhum – fazem com aquilo que defende. Não, para mim, você é responsável, sim! Você retoma e desenvolve conceitos que são utilizados no contexto da terapia sistêmica e que ainda podem ser utilizados, desde que aplicados com a devida precaução profissional. Tal como o entendo, "o trabalho de constelação segundo Hellinger" nada tem a ver com a terapia sistêmica! Quando o conheci nos anos 1980, pensei que, de fato, haveria a chance de que esses conceitos ampliassem a terapia sistêmica em interessantes facetas, de que você fosse oferecer um conjunto de heurísticas no sentido de possibilidades que pudessem ajudar a compreender melhor o acontecimento em sistemas e, por conseguinte, instrumentos construtivos, que fossem úteis do ponto de vista terapêutico. Por isso, a despeito de muitas resistências, fiz com que um excerto desses conceitos fosse inserido no* Lehrbuch der systemischen Therapie und Beratung [Manual da Terapia Sistêmica e Aconselhamento].

*E ainda hoje acho estimulantes e vejo como possibilidades úteis muitos dos pensamentos que conheci com você. No entanto, ao entregar você mesmo e a terapia sistêmica ao ridículo e à dubiedade por meio de comentários indescritíveis, ligados a uma postura de sabichão, percebo que você invalida tudo o que construiu de bom. Isto é o que realmente lamento: você poderia ter feito a psicoterapia como um todo avançar. Entretanto, seu próprio desenvolvimento tomou outro rumo.*

*Si tacuisses,\* Bert! Adeus.*

"Agora já foi", é o que dizemos às vezes quando um segredo estava para ser revelado havia muito tempo, mas temíamos seu efeito ao ser pronunciado. Por exemplo, quando em uma família existem irmãos de outro relacionamento e que foram ocultados dos outros, ou quando um filho descobre quem realmente é seu pai. Todos respiram aliviados

---

\* Da sentença de Boécio (*A Consolação da Filosofia*, 2, 7), *si tacuisses, philosophus mansisses* [se tivesses ficado calado, terias permanecido filósofo]. (N. T.)

e se sentem melhor. Sobretudo porque é possível agir de um novo modo, com outra orientação e um novo amor maior.

Muitas vezes, porém, é melhor que algo não seja dito. Por exemplo, uma culpa. Em vez de confessá-la, guardamo-la conosco. É preferível que nós a carreguemos, em vez de descarregá-la nos outros para assim nos sentirmos melhor. Também nesse caso dizemos às vezes: "Finalmente consegui contar". Mas para quê? Ajuda os outros ou sobretudo a mim, por ter aliviado minha consciência? Haveria outra ação possível para mim, mais afetuosa? Cresci por ter dito isso? Serei maior ou menor por causa disso? Permaneço grande ou me apequeno?

Quando é melhor permanecer em silêncio? Quando quero dizer minha opinião a alguém. Em geral, é melhor não dizê-la. Ela vai tornar o outro melhor se eu a disser? Vai me tornar melhor?

Se eu a guardar comigo, em vez de sair, o movimento entrará. Com efeito, por que quero realmente dizer minha opinião ao outro? Se eu a disser, vou me sentir melhor. Por que vou me sentir melhor? Vou carregar o outro com algo que me diz respeito, pois essa opinião pertence apenas a mim. Ela é a sombra da minha luz.

Muitas vezes dizemos algo sobre outras pessoas sem conhecê-las; dizemos tanto coisas boas quanto coisas ruins. Em regra, também seria melhor não dizer nada em ambos os casos, pois intervenho em algo que pertence ao outro. Tanto as coisas boas quanto as ruins ficam guardadas comigo, apenas comigo. Os outros permanecem livres de mim, e eu deles.

Também é melhor não exprimir muitas interpretações sobre um acontecimento ou o comportamento de outras pessoas. Faremos justiça a esse acontecimento ou comportamento com nossas interpretações? Faremos justiça a nós mesmos?

Diversas coisas me surpreenderam na carta aberta de Arist von Schlippe: em primeiro lugar, ele e eu nunca tivemos um relacionamento muito próximo, como se poderia supor pela leitura do texto. Em segundo, nunca fui membro da Sociedade Sistêmica nem quis sê-lo, pois para tanto teria de abrir mão de minha liberdade intelectual. Além disso, não ofereço nenhuma terapia familiar sistêmica, e sim a constelação familiar, desenvolvida por mim. Em terceiro, por essa razão, tampouco houve de minha parte alguma proximidade entre a constelação familiar e a terapia familiar sistêmica. Por isso, *a priori*, uma rejeição explícita é desnecessária, pois, se não sou próximo de alguém, logicamente tal pessoa não pode nem precisa rejeitar-me.

As declarações de Arist von Schlippe foram avidamente absorvidas pela imprensa e ofereceram munição adicional contra mim da maneira mais barata. Eu mesmo não precisei manifestar-me a respeito da carta aberta. Outros o fizeram gentilmente por mim, também em cartas abertas, que apresento a seguir em sua integralidade, uma vez que assumiram minha defesa de maneira mais convincente do que me seria possível fazer. Os textos foram escritos pelos psicólogos e psicoterapeutas Bertold Ulsamer e Thies Stahl.

# Carta aberta do doutor Bertold Ulsamer
## a Arist von Schlippe

*Prezado doutor von Schlippe,*
*há pouco tempo li sua carta aberta a Bert Hellinger. Seu texto causou muita*
*discussão entre meus colegas. Certamente o senhor receberá muitas reações*
*diferentes a essa carta.*

*Sinto que não foi fácil para o senhor escrevê-la. Respeito sua deci-*
*são de distanciar-se de Bert Hellinger. Também compartilho algumas de*
*suas opiniões sobre pontos críticos do trabalho dele (os perigos dos grandes*
*eventos, o tratamento adequado aos clientes e as armadilhas de declarações*
*absolutas).*

*No entanto, além disso, o senhor cita em sua carta aberta duas de-*
*clarações que são errôneas ou deturpadas. Com isso, "permite" que elas conti-*
*nuem a ser "citadas" e corrobora-as, por assim dizer, para o público.*

*Respondo de maneira igualmente aberta como alguém que pratica*
*a constelação familiar "segundo Bert", pois, com sua carta, senti-me impli-*
*citamente aproximado dessas declarações. Aos poucos, parte do público asso-*
*cia a Hellinger ideias fascistas ou antissemitas. Nesse sentido, sua carta põe*
*ainda mais lenha na fogueira.*

*O senhor cita como declarações de Hellinger:*
*1. "(O) povo judeu só (encontrará) a paz consigo mesmo, com seus vizinhos*
*árabes e com o mundo quando o último judeu orar pela morte de Hitler"*
*(*Mit der Seele gehen, *2001, p. 50). Editei o livro* Mit der Seele gehen
*com Harald Hohnen. A obra contém uma conversa de vários dias com Bert*
*Hellinger. No original, a passagem citada pelo senhor diz o seguinte:*

*"Há pouco tempo recebi uma carta que trazia anexado um artigo*
*de uma revista de homeopatia intitulada* Einblicke [Perspectivas]. *Nele,*
*o autor descreve um* workshop *com um professor chassídico. Certa noite, o*

*professor disse que o povo judeu só encontrará a paz consigo mesmo, com seus vizinhos árabes e com o mundo quando o último judeu orar pela morte de Hitler. Uma afirmação de peso. Com ela se encerram nossas distinções usuais entre bem e mal. O autor continua a descrever como os participantes – a maioria deles era judia – deixaram a aula em silêncio e abalados. Reencontraram-se na manhã seguinte, ainda profundamente inseguros devido a essa declaração. Um dos participantes, psicanalista de Nova York, cuja família havia sido assassinada pelos nacional-socialistas, entrou no recinto. A atmosfera do grupo mudou com sua chegada. Seu rosto, marcado pelas lágrimas e pela luta de uma noite em claro, irradiava paz e serenidade, e todos sabiam o que ele confirmou mais tarde, ou seja, que naquela manhã, vencendo a si mesmo, havia proferido a oração pela morte de Adolf Hitler.*

*"Algo semelhante também vale para a terapia, especialmente para a constelação familiar. Somente quando se consegue respeitar todo ser humano em seu destino e em seu envolvimento, além do bem e do mal, esse trabalho é possível. Os bons não estão menos envolvidos do que os maus. E os maus não estão menos envolvidos do que os bons. Nesse nível, são iguais."*

*O senhor acha adequado e legítimo ter abreviado em sua citação acima as exposições de Hellinger?*

*2. O senhor fala da atual residência de Hellinger, a antiga Chancelaria do Reich. No próximo mês, Hellinger se mudará para sua nova casa, em Berchtesgaden, que no momento está sendo reformada. Essa casa, que foi comprada, não é a Chancelaria do Reich. Segundo as informações de que disponho, quando ele teve de deixar seu antigo apartamento, cujo contrato de aluguel havia sido rescindido, e ainda não podia mudar-se para a nova residência, o técnico encarregado da obra em sua casa ofereceu-lhe a Chancelaria do Reich como domicílio temporário, e ele aceitou essa solução provisória.*

*Na minha opinião, se o senhor repudia essa decisão, isso diz muito mais sobre o tabu alemão "Hitler", do qual Hellinger volta e meia se apro-*

xima e se aproximou em todos os aspectos. Além disso, não concordo com sua visão a respeito do tema "Hitler". O senhor cita Hellinger em um "discurso" dirigido a Hitler: "Se eu o respeitar, também me respeitarei. Se o odiar, também me odiarei. Posso, então, amá-lo? Será que talvez eu deva amá-lo, já que do contrário não poderia me amar?" (Gottesgedanken, p. 247). Aqui também tenho a impressão de que o senhor não leu o capítulo inteiro do livro que tinha em mãos. Do contrário, teria visto em que contexto se insere essa tentativa de enxergar o fenômeno Hitler de uma perspectiva humana. Por outro lado, concordo com o senhor: não é absolutamente possível sentir essa tentativa (que em sua citação contém apenas as palavras de Jesus "ama o próximo como a ti mesmo") como mais ou menos bem-sucedida.

O senhor escreve: "Hitler continua sendo o símbolo da mais profunda e sombria aberração a que determinada situação histórica chegou – e pode chegar ativamente. É e será sempre um erro relativizar isso, independentemente do tipo de conceito e descrição que se utilize". Talvez eu o tenha entendido mal, mas pelo modo como compreendo sua declaração, o senhor aproxima esse esforço da ação imoral (talvez tenha uma palavra melhor para isso). Não sei qual é sua posição em relação a Hitler e ao Terceiro Reich, como alemão e como terapeuta. Seria possível concluir a discussão sobre o tema Hitler com a premissa "nenhuma relativização de Hitler!"?

Nisso vejo sobretudo o desvio da atenção e a desoneração que, para todos os outros alemães, residem nessa relativização. Na minha opinião, Hitler pode muito bem ser usado como símbolo, mas ele também foi um ser humano. Em meu trabalho como terapeuta, parto do princípio de que todo mundo carrega em si, como semente e sombra, essa parte de Hitler, o homem da SS e a guarda do campo de concentração – e obviamente prefere não os ver.

O que o senhor designa como relativização permite abordar essa visão. É mais fácil enxergar Hitler como demônio e símbolo do mal do que olhar para dentro de si. É mais fácil descrever Hitler como um sedutor demoníaco do que olhar para aqueles – seres humanos como você e eu – que gostaram de ser seduzidos.

Não é de admirar que Hellinger tenha cutucado o vespeiro alemão ao falar sobre Hitler. O que ele está colhendo no momento são, sobretudo, reflexos cegos e nenhum trabalho com conteúdo. O modo mais fácil de se retirar da discussão é colocar Hellinger no seu devido lugar. É o que se tenta fazer em público, tanto quanto possível. E sua carta contribuiu ainda mais para isso!

Voltemos ao texto original de Mit der Seele gehen, na continuação da passagem citada acima.

Hohnen: "Francamente! Então nós, alemães, também teríamos de orar pela morte de Hitler. O que significa isso? O que é isso?"

Hellinger: "Significa aceitá-lo na comunidade como um de nós. É o que isso significa. E com compaixão. Isso não o exime em nada de sua culpa nem de sua responsabilidade. Porém, vê-se que alguém carregado com tal culpa tem pela frente um caminho muito longo até encontrar a paz. Muito mais longo do que as vítimas. Contudo, não se pode excluí-lo. Para onde ele iria?"

Hohnen: "Portanto, trata-se de uma situação semelhante àquela de um assassino que se encontra na família da vítima. Eles também estão interligados e estão entre nós."

Hellinger: "Isso mesmo. Também não se pode excluí-lo."

Hohnen: "E o que acontece se nos abstivermos?"

Hellinger: "Com Hitler, isso não dá certo. Temos de aceitá-lo."

O senhor ainda escreve a respeito de sua decepção quando um amigo israelense se indignou com o vídeo sobre o trabalho com as vítimas do holocausto. Isso também me parece inadequado como uma espécie de julgamento conclusivo sobre esse trabalho de Hellinger. Eu era um dos poucos participantes não judeus em Tel Aviv, quando Hellinger conduziu seu primei-

*ro seminário sobre a constelação na cidade. Havia uma expectativa muito grande com a chegada de um alemão que, ainda por cima, havia lutado como soldado no Terceiro Reich e estaria ali para expor a culpa alemã por meio da constelação de assassinos e vítimas do holocausto. Achei uma iniciativa extremamente corajosa apresentar Hitler dessa maneira. De resto, Hellinger foi convidado uma segunda vez para ir a Israel. Mais tarde, iniciou-se em Tel Aviv o primeiro grupo de formação em constelação.*

*Na minha opinião, a acusação em sua carta de que Bert Hellinger teria prejudicado a terapia sistêmica e a psicoterapia recai sobre o senhor. Por fim, como o senhor parece gostar de citações latinas, "audiatur et altera pars" (a outra parte também deve ser ouvida), um princípio fundamental da jurisprudência em casos de acusação e condenação. Como terapeuta e sistêmico, o senhor certamente conhece a relatividade das respectivas declarações e afirmações. Se deseja trazer a público esse tipo de ruptura, entendo que seria adequado apoiar-se não em qualquer citação encontrada na internet, e sim pesquisar com cuidado ou até ter uma conversa prévia e esclarecedora com a pessoa em questão.*

*Cordialmente,*

*Dr. Bertold Ulsamer*

# Carta Aberta de Thies Stahl a
# Arist von Schlippe

*Quickborn, 6 de setembro de 2004*

*Olá, Arist,*

*falamos ao telefone sobre minhas observações críticas à sua carta a Bert (carta aberta de Arist von Schlippe a Bert Hellinger, de 2 de maio de 2004). Em seguida, revisei minhas formulações, uma vez que em sua primeira versão você teve a impressão de que eram didáticas e um pouco arrogantes.*

*Antes desse telefonema, em minha crítica eu considerava sua carta essencialmente incoerente e pretensiosa, porém, após nossa conversa, penso que "didático" e talvez não "arrogante", mas eventualmente "presunçoso" ou "vaidoso" não sejam designações apropriadas ao estilo do meu texto, e sim àquele em que você se dirige a Bert Hellinger em sua carta. Se isso se confirmar, terei permanecido exatamente no modelo que quis criticar em sua carta.*

*Não obstante, assumo o risco de tornar pública minha crítica à sua carta, pois, embora eu não conheça o trabalho de Hellinger nem o dos membros de sua Sociedade Sistêmica o suficiente para poder ou querer validar ou assinar sua "Declaração de Potsdam", posso dizer claramente que não acho correto o modo como você o critica em sua carta aberta.*

*Você diz que o principal assunto dessa carta era uma "clara rejeição" a Bert. Apesar do acréscimo de "clara", você emprega o conceito de rejeição de maneira vaga. Ao longo de toda a carta não fica claro qual o conteúdo concreto de sua rejeição. Você se recusa a convidá-lo a visitá-lo (de novo) em sua casa? Ou a tornar a conversar com ele? Ou a convidá-lo para um congresso? Ou suspende a participação dele em seu manual? Ou se trata mais de uma rejeição profilática, caso Hellinger queira ser aceito como membro (de honra) na Sociedade Sistêmica (da qual você fala explicitamente como diretor)?*

254

Ou seria uma espécie de aviso, deixando claro que novos membros têm de se afastar por escrito de Hellinger, caso queiram ser aceitos como membros nessa sociedade? Ou seria o cancelamento de uma proteção pessoal especial, que você talvez tenha concedido a ele até agora em relação a colegas, estudantes e membros da sociedade? No meu entendimento, a falta desse conteúdo torna a rejeição incoerente.

Você diz que o defendeu "contra críticas que viam em seus conceitos rizomas do pensamento fascista". Em seguida, retoma o tema do fascismo e lhe confere um lugar central em sua carta – inicialmente transmitido por meio de seu amigo israelense, que você apresenta como ser humano que, em razão de seu destino pessoal, é uma espécie de autoridade para dizer alguma coisa a respeito do tema (velado) do fascismo. Como você se teria "enganado" a respeito de Hellinger, não conseguiu enxergar em seu trabalho com as vítimas do holocausto algo que esse amigo "havia percebido com muita perspicácia". O que exatamente teria sido, você deixa em aberto. Arist, acho que você não adota uma "posição clara" em relação à crítica ao fascismo, sobre a qual você se estende, mas se esconde em algum lugar atrás de seu amigo judeu.

Em seguida, mais uma vez por meio de uma citação de seu amigo, você fala da "arrogância" de Hellinger. Você não se dá ao trabalho de usar aspas, por exemplo dizendo "meu amigo achou arrogante algo que percebeu no comportamento ou na conduta de Hellinger". Quando converso com conhecidos e colegas sobre sua carta, sempre ouço que muitos a acharam corajosa. Porém, a mim pareceu que você quis esconder-se atrás de seu amigo. Nesse sentido, considero sua "clara rejeição" bastante imprecisa e um pouco covarde.

Igualmente imprecisa para mim continua sendo sua opinião objetiva por trás de suas manifestações pretensiosas ("me enganei a seu respeito" e "Bert, você foi longe demais!"), que me soam não apenas didáticas, mas também repreensivas. Parecem-me mais uma falsa delimitação do que um "claro posicionamento", uma ostensiva escapada pessoal e emocional, ainda no estágio da profunda indignação. Para mim, sua carta não pode ser lida *como o resultado bem refletido de uma longa discussão com uma figura extraordinária e importante para a história da psicoterapia e para a alma das pessoas, que como "fenômeno Hellinger" ou pessoa Bert afeta posições relevantes da própria orientação terapêutica e aborda necessidades sociais insatisfeitas, de acordo com rituais que ordenam e promovem apoio e sentido, com clareza e uma condução vigorosa.*

*Em todo caso, não se vê em sua posição uma integração, uma revogação real e dialética de premissas e procedimentos teoricamente (ou até humanamente) opostos. Falta algo construtivo, esclarecedor, que entusiasme e aponte para o futuro (como se pode ver nas constelações estruturais sistêmicas de Varga von Kibéd e Sparrer, cujas abordagens "sintatizantes" mostram como se podem evitar as restrições semânticas do estilo de Hellinger e, ao mesmo tempo, preservar seu procedimento).*

*Além disso, Arist, conheço e estimo você há muito tempo, desde a época da Gestalt e de (Virginia) Satir. Por isso, sua opinião me interessa: acha fascista o que Bert faz e diz? Ou pouco refletido? Ou demasiado vaidoso e/ou egoísta? Acha mesmo que Bert tem uma grande vontade de provocar – algo que para muitos colegas é difícil de digerir –, um prazer velado e até diabólico de fazer, ao modo de um guru, um jogo antiguru, que incentiva seus atentos não alunos tanto quanto os deixa profundamente inseguros? Ou seria ele, para os sistêmicos, a personificação da tentação de entregar-se ao prazer da simplificação e de anúncios claros – tentação que têm de recusar ou até abjurar antes de sucumbirem totalmente a ela? Ou você acha que ele é um tagarela narcisista, fascinado com a força de suas próprias ideias e que adora filosofar (de onde o "si tacuisses" na conclusão de sua carta)? Ou você alguma vez pensou, como eu também, que ele talvez assuma algo por todos nós (sem perguntar e, portanto, de maneira um tanto arrogante)? Por todos nós, que talvez às vezes fiquemos bem felizes de que não haja túmulo, monumento, memorial, mausoléu nem algo semelhante de Hitler, pois gostamos de utilizar essa lacuna, esse nada para nele projetar o fascista que reside em nós? Seria essa a razão pela qual nos sentimos incomodados com a mudança de Hellinger para a mencionada casa, que realmente existe?*

*Ocupei-me dessas indagações, mas provavelmente meus esforços para chegar a uma "posição clara" ainda não estejam prontos para a publicação, assim como os seus também não estão. Gostaria muito de ler um estudo fundamentado a esse respeito, que partisse do ponto de vista (realmente) sistêmico – e incluísse Bert Hellinger, você/eu/nós e nossos "cenários" (o sistêmico, o da constelação e o da programação neurolinguística, entre outros), bem como todos os nossos grandes e pequenos fascistas interiores e desconhecidos.*

*Você diz que sua "rejeição se refere a toda forma de descrição absoluta e totalitária", na qual você vê Hellinger "cada vez mais" envolvido. Contudo, é* você *quem vejo (espero que temporariamente) envolvido em um pensamento e em um julgamento não sistêmicos. Para um todo sistemicamente interligado, do qual você, eu e todos nós participamos em nossa sociedade, "estar envolvido em alguma coisa" é uma descrição (sintomática) nem um pouco sistêmica. De que maneira coproduzimos o que depois percebemos como se fosse algo que pode ser observado isoladamente (como um objeto ou um evento da natureza), no qual as pessoas "se envolvem"? Com as críticas imaturas a Hellinger, não estaríamos (co)construindo, por exemplo, esse algo no qual "nos envolvemos" junto com ele?!*

*Também sua declaração "Bert, você foi longe demais", inserida em uma vaga ameaça de suspensão em relação a uma associação que não ficou clara ao longo da carta, não me parece exatamente uma descrição secundária da realidade: por querer anular muitas coisas (a quem interessa o que alguém faz exatamente em determinado contexto, de que maneira e até que ponto? Pautado em quais critérios e com base em qual poder de julgamento, estabelecido por quem e como – ou de que modo por si mesmo?), sua própria declaração é uma breve "descrição absoluta e totalitária", como se tivesse a competência para desenvolver de maneira totalitária e fundamentalista a supressão, a cisão e a exclusão.*

*Considero muito problemática sua declaração "[...] uma dinâmica de cisão partindo de você (Bert)". Uma dinâmica sistemática que parte unilateralmente de um elemento do sistema?! Da autoria de um sistêmico veterano, mas pessoalmente envolvido, isso poderia ser visto como uma verdadeira pérola estilística. Contudo, quanto mais reflito sobre essa breve observação secundária em sua carta – citada não a partir de um caloroso debate em uma reunião informal de sistêmicos, mas a partir de um comunicado oficial do presidente da Sociedade Sistêmica –, tanto mais ela me parece um exemplo justamente para o tipo de negligência em pequena escala de que você acusa Bert em larga escala (de maneira muito indireta, mas clara): por acaso você estaria querendo dizer que Hellinger é para o "cenário sistêmico" algo como um "elemento desagregador"? Como um pomo da discórdia, do qual é preciso livrar-se antes que ele "polarize" a unidade do cenário sistêmico, jurada por você, mas vagamente definida? Alguém que tem de ser excluído antes que cause danos à sociedade dos sistêmicos eleitos?*

*Em todo caso, se você (de modo geral ou ainda) vê Bert como pertencente ao "cenário sistêmico" ou não (o que não fica claro em sua carta), essa declaração é problemática. Do meu ponto de vista, ela é um exemplo de uma variante comum e não reconhecida da percepção, do pensamento e do discurso, mas já fascista em seu esboço, à qual somos todos vulneráveis: a percepção (justamente não sistêmica) de algo linear, que causa uma adversidade vista como ameaçadora para a própria comunidade, é articulada como a atribuição de uma culpa parcial a um "causador". Essa percepção viria acompanhada de uma recusa ao diálogo e ao pertencimento e, frequentemente, de uma exclusão real (cuja pior forma foi produzida pelo fascismo alemão e que você acusa Bert de utilizar de maneira inadequada).*

*Talvez você ache a interpretação desse ponto exagerada. No entanto, se entendo sua carta como uma advertência que se exprime claramente contra o pensamento e a ação fascistas e, sobretudo, toma uma posição prematura, isso também vale para os menores rudimentos desses pensamentos e dessas ações, aos quais todos os dias temos de nos opor. Talvez esse fascismo* cotidiano esteja muito presente em nosso pensamento porque tem suas raízes justamente no pensamento sistêmico e impuro – que acaba sendo favorecido quando, consternados, refletimos sobre sistemas aos quais pertencemos como elementos.

Se, como você diz, "(a polêmica) continua a assombrar e fermentar o cenário sistêmico", na minha opinião esse é um bom sinal de que esse cenário é vivo e saudável. Talvez seja uma comunidade na qual muitas culturas se misturam para o bem-estar integrativo do conjunto. Além do mais, que mal haveria se paralelamente às duas sociedades sistêmicas estabelecidas surgissem outros grupos que dialogassem em vez de travar uma guerra de extermínio? Enquanto algo fermentar, é porque ainda há o que amadure-cer. Talvez um espírito sistêmico totalmente novo, a partir do qual já não sejam escritas críticas a Hellinger, que produzem mais daquilo que fingem combater.

Também acho sua carta um tanto megalomaníaca. Que espécie de filósofo esclarecido ou homem sábio é você para dizer a Hellinger que ele teria agido melhor se tivesse ficado calado?! Mesmo que você tivesse usado a sentença "se tivesses ficado calado" (... terias permanecido filósofo) em tom de brincadeira e conciliação, eu ainda a veria como presunçosa, pois você se di-rige a alguém da geração de nossos pais. Eles foram enviados ainda crianças para a matança, com a justificativa de que o fariam por amor a Hitler! Se você não consegue entender nem conceber isso, talvez seja você quem deva calar-se – até ter certeza de que se informou o suficiente. De minha parte, não me informei o suficiente, mas sei que indagar se e como as palavras "amor" e "Hitler" podem ou não ser associadas em uma mesma frase é uma questão que para nós se coloca de maneira diferente do que para nossos pais.

Desse modo, no meu entender, sua carta pode ser lida essencialmente como uma recusa sua em se dispor a indagar com seriedade e a demons-trar curiosidade – tanto em relação a Bert quanto em relação àqueles que, comovidos, aquiescem quando ele fala. É uma pena, pois você é conhecido justamente por arriscar-se em diálogos que ultrapassam as fronteiras das *rigorosas classificações escolares e das doutrinas puras, erroneamente compreendidas.*

*Acho muita arrogância de sua parte dizer a Bert Hellinger: "Você poderia ter feito a psicoterapia como um todo avançar. Entretanto, seu próprio desenvolvimento tomou outro rumo." Como pode, como contemporâneo (mais novo), fazer uma declaração sobre a "psicoterapia como um todo"? Você está completamente envolvido nela e age como se tivesse a metaperspectiva, uma perspectiva que talvez em cem anos, quando muito, caiba a um grande espírito – pelo menos a um espírito maior do que nós dois juntos possamos ser.*

*Quando falamos ao telefone, você disse que não achava Hellinger fascista em suas ações e em seus discursos. Contudo, conforme demonstrei, sua carta aberta pode ser entendida de uma maneira bem diferente – talvez não com uma justificativa adequada do seu ponto de vista, mas, de todo modo, com a intensidade da minha reação à sua carta aberta, que se tornou clara nessas linhas. Talvez seja adequado você escrever uma segunda carta aberta a Bert – ou convidá-lo para uma correspondência aberta.*

*Espero que nossa relação sobreviva a essa discussão (afinal, já brigamos feio em 1977 e fizemos as pazes).*

*Thies*
*Também contemporâneo e envolvido*

A psicoterapeuta judia Yasmin Guy, que com seu marido organizara meu seminário em Tel Aviv, também esclareceu em uma carta ao canal de televisão ARD: "Todos nós sentimos e testemunhamos que Bert Hellinger sempre teve consideração e uma profunda ligação com o destino dos judeus. Ele designou claramente os agentes como assassinos e Hitler como o agente por trás dos agentes. Nunca houve a menor dúvida a respeito de sua postura, e a confiança que centenas de judeus dentro e fora de Israel depositaram nele comprova isso. Talvez a pior e, ao mesmo tempo, mais cínica forma de antissemitismo seja ridicularizar essa confiança, fazendo de Bert apenas um adorador de Hitler, como se os judeus que trabalharam com Bert não tivessem percebido ou tivessem sido incapazes de perceber que estavam nas mãos de alguém que despreza os judeus. A campanha difamatória contra Bert Hellinger nos deixou estarrecidos por muito tempo; pensamos que o silêncio e a não reação não seriam a resposta adequada à conspurcação do trabalho de Bert."

Sei que muitos consteladores familiares enviaram cartas aos órgãos de imprensa, reclamando do modo como foram tratadas as notícias a meu respeito. No entanto, tudo o que me mostrava sob a luz correta e favorável não chegou a ser publicado. Nesse caso, teriam de admitir seu erro. Em vez disso, continuaram a cometê-lo até agora.

Também foi o que aconteceu com Arist von Schlippe. Em um segundo momento, ele publicou o seguinte posicionamento:

# "Declaração de Potsdam por parte da Sociedade Sistêmica sobre o trabalho de constelação sistêmica"

*O trabalho com representações e constelações cênicas tem uma longa tradição na terapia familiar e na terapia sistêmica. Entre outras coisas, tem suas raízes nas técnicas terapêuticas, tal como foram desenvolvidas no trabalho de escultura familiar ou no psicodrama. Na forma praticada por Bert Hellinger, tornou-se mais conhecida do que nunca em círculos mais amplos. Lamentavelmente, Hellinger afastou-se cada vez mais do trabalho sistêmico originário. Seu mérito continua sendo o de ter contribuído para consolidar o trabalho de constelação. Sobretudo no que se refere à possível resolução das dinâmicas de envolvimento, ele desenvolveu procedimentos novos e inovadores. Contudo, hoje vemos que não apenas partes essenciais da prática de Bert Hellinger – e de muitos de seus seguidores –, mas também um bom número de suas declarações e de seus procedimentos devem ser explicitamente considerados incompatíveis com premissas básicas da terapia sistêmica, por exemplo:*

- *deixar de esclarecer os termos do trabalho e de orientar as questões importantes;*
- *empregar descrições mistificadoras e autoimunizantes ("algo maior", "tomado a serviço", entre outras);*
- *utilizar de maneira ilimitada formulações generalizadas e interpretações dogmáticas ("sempre que", "efeito nocivo", "punido com a morte", "o único caminho", "perder o direito", entre outras);*
- *o uso de intervenções e rituais de submissão potencialmente degradantes;*
- *a suposta conexão forçada das intervenções com determinadas formas de concepção do ser humano e do mundo (por exemplo, em relação a questões de gênero, paternidade, dupla nacionalidade etc.);*
- *a ideia de poder dispor de uma verdade, na qual uma pessoa tem mais participação do que outra. Isso conduz à utilização de formas que abso-*

*lutizam a descrição e implica que não se tentará alcançar uma relação de cooperação entre parceiros.*

*Nós, ao contrário, nos reportamos a muitos exemplos e diferenciações do trabalho de constelação, que são postos em prática no âmbito de uma compreensão sistêmico-construtivista da terapia e levam em conta uma relação terapêutica sustentável e responsável. Entendemos esses exemplos e essas diferenciações como tentativas construtivas de continuar a desenvolver esse instrumento terapêutico já comprovado e de submetê-lo cada vez mais a análises científicas. Nesse sentido, também lutamos contra a crítica indiferenciada a essa forma de prática. O trabalho de constelação "além de Hellinger" deveria continuar a ser desenvolvido como instrumento terapêutico, mas atualmente a estreita ligação ao seu nome já não pode ser mantida.*

*Julho de 2004*

Com esse texto, mas uma vez quiseram demonstrar que eu teria pretendido vincular meu trabalho à terapia familiar sistêmica, o que não é verdade. Centenas de psicoterapeutas assinaram a Declaração de Potsdam, muitos dos quais praticavam minha constelação familiar. Assim, essa declaração demonstrava de maneira bastante surpreendente o efeito da consciência pessoal descrita por mim, que quer preservar a todo custo o pertencimento ao próprio grupo.

Não me manifestei a respeito das acusações e afirmações. Minha esposa Sophie me pressionou a proceder judicialmente contra elas. No entanto, na época eu não quis fazer isso. Hoje, depois que pude observar por longos anos os efeitos dessa campanha difamatória, tenho outra opinião. Tão logo alguém se expressa a meu respeito dessa maneira, transmito a questão a meus advogados e deixo que iniciem as etapas jurídicas correspondentes. Foi o que aconteceu em 2018, quando em um livro para psicoterapeutas não apenas escreveram a meu respeito com o tom habitual, como também me deram por morto duas vezes na mesma página. Isso mostra a qualidade do conteúdo dessas manifestações.

Na época, publiquei apenas um posicionamento de outro tipo, que exponho a seguir:

## Os inimigos

Como lidar com os próprios inimigos, tanto os levianos quanto os sérios?

Seja qual for a intenção deles, a primeira coisa a fazer é respeitá-los. Afinal, não sabemos a quem servem. Por isso, respeito o esforço que dedicam ao discurso, à escrita e à ação, e respeito sua preocupação comigo, com os outros e com o todo maior. Reconheço que, desse modo, servem ao todo maior e nele também a mim e a muitos outros. De fato, sem resistência externa, nada do que é vivo e significativamente humano pode desenvolver-se. Apenas graças à resistência externa é que o indivíduo consegue diferenciar-se, inserir-se em algo maior e encontrar sua força e a percepção do que realmente é possível nos limites que lhe foram impostos externamente. Com efeito, aquilo que já não pode ampliar-se tem de se condensar. Em vez de ganhar em altura e largura, ganha em profundidade.

O segundo ponto é que, ao se oporem a mim, meus inimigos também acabam encontrando com mais facilidade o que lhes é próprio. Desse modo, estimulam mais o todo do que se concordassem comigo ou até me seguissem, negando sua própria particularidade. Pois é essa particularidade que permite ao indivíduo dar sua contribuição única ao todo. Com o passar do tempo, a hostilidade deixa de existir para quem alcança essa etapa, pois a particularidade dos outros já não pode ameaçá-lo, e ele tampouco sentirá o ímpeto de adequá-la à sua imagem.

Quem encontrou o que lhe é próprio tem uma ligação tranquila com tudo e é tolerante em relação à hostilidade alheia. Espera até que essa hostilidade se dissolva na relação com a particularidade de cada um. Contudo, também é preciso considerar que, devido à sua hostilidade, alguns negligenciam ou perdem o que lhes é próprio.

Em terceiro lugar, em geral a hostilidade precisa de companheiros. Ganha força por meio da quantidade e da fidelidade daqueles que nela se aliam contra alguma coisa. Porém, desse modo também fortalecem os seguidores daqueles aos quais se opõem. Quando os seguidores se esfacelam, também se esfacela a força, tanto do lado daqueles que são combatidos quanto do próprio lado. Sem seguidores, os líderes de ambos os lados ficam por conta própria. Somente então se revela o lugar em que se encontra a força maior.

O que permite reconhecer a força maior? Ela se mostra naquilo que perdura, pois apenas isso foi e é essencial.

A campanha difamatória conduzida contra mim em diversos níveis de conteúdo causou efeitos devastadores ao meu trabalho na Alemanha. Centros educacionais para adultos e outras instituições que ofereciam constelações familiares segundo Hellinger as retiraram de sua programação. Comunicou-se aos consteladores que as constelações segundo Hellinger já não eram bem-vindas. O que eles fizeram a partir de então? Continuaram o trabalho, mas com outra designação. A Sociedade Alemã de Terapia Sistêmica, Aconselhamento e Terapia Familiar (DGSF) também se distanciou de mim e, em fevereiro de 2003, declarou em um parecer sobre o tema "constelações familiares": "Por essa razão, a presidência da DGSF espera que os terapeutas e conselheiros sistêmicos tratem de maneira crítica os procedimentos e comportamentos de Bert Hellinger, desconsiderando-os, e que os renomados praticantes das constelações familiares tenham a capacidade de se emanciparem de Bert Hellinger".

Depois disso, nunca mais vi nem ouvi qualquer coisa dos membros da Sociedade Alemã de Constelações Familiares Sistêmicas (DGfS), fundada em 2004 e da qual eu não participava. No entanto, essa sociedade surgiu a partir da Associação Internacional para Soluções Sistêmicas segundo Bert Hellinger (IAG), iniciada por mim em 1996. Contudo, uma busca por meu nome na descrição das funções da DGfS não obtém nenhum resultado.

A perda de minha reputação entre a ampla população alemã foi dramática. Chegou a tal ponto que o prefeito de Bischofswiesen me advertiu: "Se continuar assim, ninguém mais aqui vai lhe vender nem mesmo um pão". As notícias negativas na mídia fizeram com que as constelações familiares segundo Hellinger e minha pessoa passassem a ser vistos com a máxima desconfiança e, muitas vezes, também com repúdio. Desse modo, meu trabalho na Alemanha quase foi paralisado, apesar dos cerca de 2 mil terapeutas que ofereciam a constelação familiar desenvolvida por mim – porém evitando citar meu nome.

Por isso, decidi expandir minha atividade no exterior. Quem veio em meu socorro e me arranjou mais contatos? Apenas meus amigos judeus, como o empresário nova-iorquino Peter Scott e muitos que partilhavam das mesmas ideias. Um fato bastante conclusivo para a afirmação de que eu simpatizava com os nazistas.

# 21
## A Nova Constelação Familiar

—w—

Partindo de minhas experiências e de meus conhecimentos sobre a reconciliação de vítimas e malfeitores nas constelações familiares, desenvolvi com Sophie a chamada "nova constelação familiar". Ela teve início em 2008, depois que participei mais de seis vezes dos seminários de energia Cosmic Power, realizados por minha esposa. Neles, uma nova dimensão se abriu para mim.

Porém, antes de entrar nos detalhes, eu gostaria de falar um pouco mais sobre o que chamo de "espírito". Falo dele no sentido de um poder superior, que deve ser visto como a causa de tudo. Esse espírito também se revela nos movimentos de nosso corpo e de nossa alma. Isso se mostra quando, em uma constelação familiar, os representantes de repente sentem o mesmo que as pessoas que representam, sem ter informações sobre elas.

O que há de novo na nova constelação familiar? Ao contrário da clássica, na nova raras vezes se pergunta aos representantes o que estão sentindo. Em vez da família inteira, geralmente apenas um representante é constelado para o cliente. No entanto, é importante que esse representante – que nada sabe sobre o cliente – se entregue sozinho ao movimento interior, na maneira como o recebe interior e exteriormente. Já não se fazem perguntas a respeito dos sentimentos, das expectativas e dos medos. A constelação não é orientada para um objetivo previamente dado pelo cliente, ao qual o condutor da constelação busca atender. Tudo é consagrado aos movimentos sentidos pelo constelador, para além das concepções do problema e da solução, bem como da psicoterapia no sentido usual até o momento.

De repente é revelado o que de fato se passa nos representantes quando se sentem movidos por outra força. Sentem-se como médiuns que são possuídos e conduzidos por outro poder. O condutor da constelação também acompanha esses movimentos, permitindo que seja tomado e dirigido por eles.

A esse respeito, dou um exemplo: quando o representante do cliente se entrega aos movimentos do espírito, às vezes não consegue impedir que seu olhar se volte para o chão. Pela experiência de muitas constelações, sabemos o que isso significa. Esse representante olha para um morto. Mais do que isso: é atraído por um morto. Para ser bastante claro, isso quer dizer que o cliente quer morrer. Desse modo, a dinâmica do que realmente se passa com o cliente vem à luz.

O condutor da constelação intervém em conformidade com esse movimento. Ele escolhe um representante para esse morto e lhe pede para se deitar de costas no chão diante do primeiro representante, que também se entrega ao movimento interior. De repente algo diferente e inesperado se revela. O representante do morto vira as costas para o primeiro representante e olha na direção oposta. Isso significa que, em vez de o representante do outro olhar para ele, ele olha para outra pessoa. Mais uma vez, algo inesperado vem à luz, sem que uma palavra sequer seja dita. Não é o cliente que se sente atraído por esse morto, mas outra pessoa. Desse modo, o condutor da constelação escolhe outro representante e o coloca no campo de visão do morto. De repente, eles se viram um para o outro, e o representante do cliente respira, aliviado.

O que se revela aí? O cliente quer morrer no lugar de outra pessoa. Podemos imaginar o quanto ele ficou aliviado ao compreender, de repente, que se trata de um deslocamento. Desse modo, a constelação familiar espiritual ultrapassa em muito os limites anteriores da constelação familiar.

Evidentemente, na nova constelação familiar, os representantes e o condutor são possuídos e conduzidos por outro poder. Nesse processo, que ultrapassa todas as separações, são reunidas aquelas pessoas que antes não tinham nenhuma conexão e estavam apartadas. Esse é um poder do amor, que anula todas as separações. O que exatamente isso significa? As distinções entre bem e mal ou entre pertencente e excluído, que muitas vezes se encontram em primeiro plano para nós, deixam de ter validade. O que esperamos até o momento na psicoterapia aparece em segundo plano com tudo o que desejamos alcançar com nossa boa consciência e nossa vontade.

Tudo isso acontece independentemente de nossas concepções comuns e de nosso pensamento habitual. Na nova constelação familiar, os eventos se passam diante de nossos olhos, sem intervenções externas, como uma revelação clara para todos, que seria justamente a intervenção de um poder diferente e espiritual. Os representantes e o condutor da constelação se comportam como médiuns, por meio dos quais outras forças atuam. Estas conduzem a soluções que nos tinham sido recusadas até o momento.

Além da consciência pessoal e coletiva, nesse instante entra um terceiro tipo de consciência em jogo, que chamei de "consciência espiritual". O espírito criador une em um plano superior o que estava separado, pois nesse plano não há rejeição nem exclusão. O indivíduo cresce além de sua consciência pessoal. Reconhece a consciência de outro grupo como igual à consciência de seu próprio grupo. Do mesmo modo, todos os movimentos do espírito se direcionam com amor e benevolência. As distinções entre bem e mal, melhor e pior são superadas. Ao mesmo tempo, a consciência espiritual impede que se despreze os limites da consciência coletiva, pois se destina igualmente a todos.

Percebemos a consciência espiritual ruim como um bloqueio, uma inquietação interior e uma fraqueza. É o que acontece quando excluímos alguém de nosso afeto e de nossa benevolência. Deixamos de estar em sintonia com o movimento do espírito e nos sentimos abandonados, interiormente vazios e entregues a uma falta de sentido ameaçadora. No entanto, por sua vez, esse efeito da consciência espiritual ruim reconduz à harmonia com os movimentos do espírito. Voltamos a ter paz no amor e na atenção por todas as coisas, tais como elas são.

Escrevi sobre o efeito da consciência espiritual em uma história.

## O fio condutor

A imagem do fio condutor remete a Ariadne, que entrega a Teseu um longo fio vermelho para que ele consiga sair do labirinto no qual tem de enfrentar e matar o Minotauro.

Do mesmo modo, em nossa vida também recebemos um fio condutor. Sempre que estamos para nos desviar do caminho certo, com seu auxílio encontramos a saída da escuridão para a claridade.

Essa é uma imagem simples. Na realidade, temos um fio condutor em cada mão. Na direita, um fio espesso; na esquerda, um fio tão fino que nossos dedos mal conseguem sentir.

Após certo tempo, o fio espesso da direita acaba. Embora nosso caminho siga adiante, já não podemos contar com ele. Agarrados a ele, retornamos para o local de onde partimos.

Talvez tentemos uma segunda e depois até uma terceira ou quarta vez, mas o resultado sempre será o mesmo. Para prosseguirmos, esse fio não é suficiente. Se contarmos com ele, passaremos a vida indo e vindo, sem achar a saída que está bem adiante, do outro lado, e conduz a outra claridade e extensão.

Se chegarmos a um fim com o fio condutor espesso, talvez nos lembremos do fio fino, que até então permaneceu quase imperceptível para nós e não nos deu um apoio sólido.

A pergunta é: vamos ter coragem de confiar nele? Vamos ter coragem de soltar o fio espesso e seguir o fino no labirinto de nossa vida?

Nesse meio-tempo, talvez nos perguntemos: quem ou o que é esse fio condutor espesso, que é forte, mas curto demais? E quem ou o que é esse fio fino, mas comprido, que nos indica outra saída e conduz a outra claridade?

O fio condutor espesso, com o qual acreditamos poder contar sem dificuldade, é nossa boa consciência. Ele só conduz até certo ponto do labirinto de nossa vida. No final, em vez de nos fazer prosseguir, traz-nos de volta para o ponto de partida. Por quê? Porque, com sua ajuda, sempre distinguimos o bem do mal e, assim, nosso amor logo chega ao fim. A claridade, na qual nossa imagem é alterada pela chamada consciência ruim, permanece apagada para aqueles que confiam em sua consciência boa. Eles sempre retornam ao mesmo ponto de partida, onde se orientam brevemente, encontram tudo em ordem e começam o mesmo jogo mais uma vez.

Agora queremos saber para onde o fio fino nos conduz. Como o sentimos em nossa mão esquerda?

Nós o sentimos no afeto e no amor por todas as coisas, tais como são, no afeto pelo bem e pelo mal em igual medida, para além de nossa inocência e de nossa culpa. Com esse fio condutor na mão esquerda, paramos a todo instante. Queremos ter certeza de que ainda o estamos seguindo, de que ainda o sentimos em nossa mão esquerda. Somente então prosseguimos, orientando-nos por ele.

Como reconhecemos que ainda o temos na mão e que a ligação com ele continua?

Nós o sentimos em nossa paz profunda, para além da pressa. Em vez de caminhar, sentimos que somos puxados com delicadeza, até que, após algum tempo, com sua ajuda avistamos ao longe a saída do labirinto com uma luz, perto do destino.

Ao chegarmos ao final de nosso labirinto, todas as coisas nos parecem como são, sob uma luz suave. Os contrastes perdem os contornos. Sentimo-nos pacificamente unidos a todas as coisas, tais como são. Como? Com um amor que tudo abrange, levados pelo amor de nossa origem e permanecendo unidos a tudo.

Quando reconhecemos os limites de nossa consciência pessoal e as superamos em sintonia com os movimentos do espírito e com o auxílio da consciência espiritual, a nova constelação familiar torna-se até mesmo um caminho para ultrapassar as fronteiras entre os povos. Reunimos o que antes se opunha. Por exemplo, quando povos que antes travavam guerras uns contra os outros choram juntos pelos mortos de ambos os lados. Quando se dão as mãos por cima dos túmulos e colaboram com estima mútua pelo bem de todos. Também nesse caso a nova constelação familiar revela o que há no caminho desse futuro em comum e como esses obstáculos podem ser superados. Também nesse caso se inicia a paz nas almas, uma vez que ambos os lados permanecem juntos em posição inferior, sem se erguerem acima dos outros e apegando-se a acusações. Todos os participantes de um seminário são incluídos nesse processo e envolvidos nesse movimento de paz e reconciliação. Trata-se de um movimento que ultrapassa a família do indivíduo e leva os participantes para uma dinâmica indescritível e muito além do que se pode imaginar. Mais do que isso: em seguida, muitos já não precisam da própria constelação.

A nova constelação familiar também se mostrou útil e inovadora no setor público das profissões e empresas, sobretudo porque alcança um passado distante. Traz à tona contextos ocultos de sucessos e fracassos e possibilita mudanças decisivas. Nesse caso, o passado significa que aqueles ancestrais, dos quais nada sabemos porque viveram muito antes de nós, e acontecimentos que permaneceram sem solução aparecem na nova constelação familiar. Desse modo, de repente, nos conscientizamos de que nossos antepassados continuaram a viver em nós e de por nosso intermédio e conosco quiseram encerrar alguma coisa para que nós e eles tivéssemos paz. Nesse processo, alguns detalhes continuam ocultos. Contudo, os movimentos decisivos – por exemplo, aquele que reconcilia vítima e malfeitor – podem ser vivenciados e encontram seu fim.

Às vezes percebemos que a escolha de nossa profissão está a serviço dessa reconciliação. Após uma constelação na qual os antepassados são considerados, nossas possibilidades se ampliam em grande medida. Também pode acontecer de nossa vida e nossa profissão tomarem um novo rumo, e nossas capacidades reprimidas até o momento terem uma chance de serem postas em prática.

# 22
## Tudo Segue em Frente

Eu sempre disse: "O que é eficaz acaba se impondo". Assim foi com a constelação familiar, apesar de todas as hostilidades.

Em 2005, agrupei todos os campos da constelação familiar sob o conceito "Hellinger sciencia". Trata-se de uma ciência universal sobre os relacionamentos em todas as esferas da vida. Encontra aplicação prática não apenas na ajuda para a vida, mas também na medicina, na pedagogia, na consultoria empresarial e na justiça.

A instituição particular de ensino e formação CUDEC, na Cidade do México, dirigida e presidida por Alfonso Malpica Cárdenas e sua esposa Angelica Malpica, é líder no campo da pedagogia. Essa instituição contém jardim de infância, todos os níveis escolares e uma universidade que está entre as mais importantes do país. A pedagogia Hellinger é empregada ou ensinada em todas as áreas. Os pais de alunos dessa instituição de ensino são obrigados a frequentar os eventos mensais, nos quais são incluídos na pedagogia aplicada.

Essa pedagogia sistêmica mostra a quais problemas podem ser atribuídas questões como dificuldades de concentração, hiperatividade, dislexia, mas também depressão, psicose e consumo de álcool e drogas. As soluções para esses problemas estão nas histórias familiares dos alunos. Com efeito, as constelações mostram que tipo de amor une as crianças ao seu sistema familiar e como a lealdade a um membro da família pode influenciar seu aprendizado.

Nenhuma criança é problemática. O sistema é problemático quando algo na família está em desordem. A principal desordem em uma família ocorre quando alguém é excluído ou esquecido. O que faz, então, uma criança problemática? Olha para aqueles que foram excluídos. Assim que eles são vistos, a criança é libertada.

Desse modo, observei, por exemplo, que as crianças agitadas, que sofrem do transtorno do déficit de atenção com hiperatividade, olham para um morto que não é visto pela família. Por isso, sempre digo a mesma frase, que deixa todos surpresos: "Todas as crianças são boas". O fato de serem boas pode ser demonstrado em uma constelação familiar. Acrescentei outras palavras a essa frase: "Seus pais também – quando eram crianças".

Quando crianças, os pais também olharam com muita frequência para alguém. Especialmente aqueles pais que consideramos problemáticos são crianças que olham para pessoas excluídas. Muitas vezes não estão disponíveis para seus filhos, justamente porque olham para essa pessoa.

O que acaba motivando essa situação? O fato de que aqueles que tiveram um lugar negado o recuperam. Depois disso, todos respiram com alívio.

Dou um exemplo a esse respeito: certa vez fui procurado por um professor preocupado com crianças problemáticas, que seriam expulsas da escola. Com muito amor e êxito, ele se esforçou para integrá-las. Certo dia, ligou para mim e disse: "Meu filho mais novo é tão agressivo que querem expulsá-lo da escola. O que devo fazer?"

Aqui se vê que mesmo quem tem muita experiência e fez muito bem aos outros pode estar entregue ao destino. Porém, não ao seu próprio, e sim àquele de outras pessoas na família. Eu disse ao homem que ele deveria vir com toda a sua família a um de meus cursos. Ele veio com a mulher e seus dois filhos. O filho agressivo era o mais novo, com cerca de 14 anos. Desde meus tempos como professor na África, eu sabia como lidar com meninos. Conhecia seu lado bom.

No curso, a família sentou-se ao meu lado. Quando olhei para ela, logo vi que a mãe queria morrer. Por isso o filho era agressivo. Eu disse a ela: "Quando olho para você, vejo que quer morrer". Ela respondeu: "É verdade".

Mas por que queria morrer? Obviamente, porque era uma criança boa. Não entrei diretamente no problema; em vez disso, constelei primeiro sua mãe. Ela logo olhou para o chão, ou seja, para um morto. Perguntei à mulher: "Para quem sua mãe está olhando? Ela quer ir até um morto". Ela respondeu: "Minha mãe tinha um namorado de quem gostava muito. Ele morreu em um acidente de automóvel". Em seguida, dispus um representante para esse namorado. Foi possível ver que havia um grande amor entre ela e o morto. Ele a puxou em sua direção. Ela foi até ele, e ambos se abraçaram. Em seguida, o morto fechou os olhos e ficou satisfeito. A mãe da mulher voltou para seu lugar e respirou profundamente.

Em seguida, coloquei a mulher diante da mãe e deixei que esta lhe dissesse: "Agora vou ficar". A mulher sentiu-se muito feliz, e ambas se abraçaram. Estava claro que antes queria morrer no lugar da mãe. Depois, apoiou as costas nela e pareceu radiante. Constelei o filho diante dela e deixei que ela lhe dissesse: "Agora vou ficar, e me alegro se você ficar". O filho enterneceu-se e aninhou-se na mãe. Assim, tudo estava em ordem. De repente, tornou-se uma criança amorosa.

As crianças problemáticas são aquelas com o maior amor. Só que muitas vezes não sabemos para onde estão olhando.

Por isso, nas constelações também fica claro que um professor perde força quando olha apenas para o problema do aluno. No entanto, se olhar para o aluno e, atrás dele, enxergar seus pais, se considerar a história de sua família e as condições em que essa criança cresceu, estará em sintonia com o destino da criança e de sua família. Ao mesmo tempo, também poderá sentir e considerar seus próprios pais em seu passado e vincular-se à sua própria força. Desse modo, o professor poderá permanecer na missão que lhe cabe e conquistar a confiança necessária dos pais. Somente assim conseguirá dar aulas às crianças. Deixa a criança e seus pais em sua dignidade e assume seu devido lugar como professor.

Na pedagogia Hellinger, as escolas são dirigidas de maneira sistêmica e fenomenológica. Assim, o diretor tem sempre de deixar que todos os colegas se expressem para depois tomar uma decisão adequada a todos.

Também é importante a coesão entre os professores e o nível hierárquico logo acima deles, ou seja, os diretores. Quando um professor trabalha contra o diretor, ele se torna insustentável para a escola. O mesmo acontece quando o professor se alia aos alunos contra outro professor.

O corpo docente é um sistema submetido a determinadas ordens. Primeiro vem o diretor, depois os professores, que estão em pé de igualdade. Contudo, nesse nível há uma distinção: o professor que começou a trabalhar primeiro na escola tem prioridade em relação àqueles que chegaram depois. Muitas vezes, os professores novos querem mostrar aos antigos como as coisas devem ser feitas, e o problema se instala. É importante reconhecer as capacidades e a competência dos outros, pois nelas todos são diferentes. Quando se percebe que cada um é bom à sua maneira, mas ensina com sua habilidade especial, a harmonia pode reinar entre todos.

Para evitar a temida Síndrome de Burnout, o professor tem de assumir o lugar que lhe cabe. Primeiro vêm sempre os pais, depois os alunos e somente no fim o professor. A posição mais baixa é a mais segura para ele. Nela ele tem a maior força. Somente então se cria a base necessária para a aula. Desse modo, o professor já não se sente sozinho, partilha o fardo, pode recuar um passo e continuar seu trabalho com alegria, pois o respeito mútuo é a base de uma boa educação.

A constelação familiar segundo Hellinger teve um reconhecimento especial em 2006. Desde esse ano, a Hellingerschule é membro associado da Universidade Europeia Jean Monnet, em Bruxelas. Graças à cooperação com a Hellingerschule, os consteladores já podem obter diploma universitário. No mesmo ano, a Hellingerschule também foi reconhecida pelo governo da Alta Baviera como método escolar e de ensino no campo da formação continuada de adultos.

Também na saúde pública o efeito da constelação familiar em doenças recebeu grande atenção. Desse modo, em março de 2018, a constelação familiar segundo Hellinger foi oficialmente reconhecida pelo Ministério da Saúde brasileiro como tratamento integrativo e complementar e incorporada ao Sistema Único de Saúde (SUS).

O Brasil também é o país em que, pela primeira vez, a justiça recorreu à constelação familiar. Graças a ela, conseguiu-se alcançar um índice de quase cem por cento de conciliação durante as audiências nos tribunais. Em razão do grande interesse por essa temática, em junho de 2018 ocorreu em São Paulo o "Primeiro Congresso Internacional Hellinger de Direito Sistêmico", com cerca de 2 mil participantes.

Até hoje, a constelação familiar é ensinada, apresentada e praticada em seminários no mundo inteiro por Sophie e por mim. Sobretudo na China a constelação desenvolveu um movimento impressionante, que levou milhares de interessados a nossos eventos. Por isso, sobretudo Sophie viaja regularmente, algumas vezes acompanhada por mim, para cursos no Império do Centro.

No entanto, também na Alemanha a constelação familiar continuou a ter lugar, ainda que menos do que no exterior, devido às hostilidades ocorridas no passado. Assim, além dos diversos cursos, todos os anos, no mês de outubro, ocorre a Jornada Internacional Hellinger em Bad Reichenhall, organizada em sete idiomas e com cerca de mil participantes de 45 a 55 nações.

Entretanto, recentemente passei a sofrer com dores na coluna. Em 2013, devido a uma gripe, tive uma forte nefrite, que afetou meu coração e quase provocou insuficiência renal. Passei três semanas no hospital, duas delas lutando contra a morte. Nossa boa amiga Christina Niederkofler, diretora da Hellingerschule na Itália, viajou imediatamente para a Alemanha e, com minha esposa, ficou ao meu lado nesse difícil período. Com o intuito de auxiliar os médicos no hospital, minha Sophie fez vir da América do Sul um especialista da área de nefrologia. Quando voltei para casa, buscou assistência junto a diferentes médicos da China, que me trataram com métodos da medicina tradicional chinesa. Assim, surpreendentemente, eu logo estava em pé de novo.

O dia 26 de setembro de 2016 foi fatídico. Não longe de nossa casa, eu estava dirigindo e saí acidentalmente da rua, batendo a toda velocidade contra um muro. Fiquei vários dias internado na unidade de terapia intensiva com fraturas no osso esterno e em várias costelas, tendo uma delas causado um derrame pericárdico. Mais uma vez, Sophie chamou médicos da China, e mais uma vez Christina Niederkofler veio nos ver. Após o período de internação hospitalar, fui transferido para um departamento de reabilitação, onde, porém, só aguentei ficar por três dias. Tudo era muito apertado e monótono, e a comida não era boa. Contudo, meu pedido para receber alta antecipadamente foi negado. Por isso, acabei chamando um táxi e voltei para casa. Afinal, já estava conseguindo andar. Sophie ficou muito surpresa quando me viu parado de roupão na frente da porta de nossa casa. Porém, mais uma vez, tive sorte: superei bem o acidente.

No início de 2018, deleguei todas as atividades a Sophie. Entre elas, a Hellingerschule e minha editora Hellinger Publications, que fundei em 2006 e, a partir de então, passou a publicar a maioria de meus livros, mas também os de outros autores. Senti que aos poucos estava enfraquecendo com o avançar da idade. Por isso, há algum tempo acompanho minha esposa não apenas na organização de nossas múltiplas tarefas, mas também no desenvolvimento da constelação familiar, que inclui, por exemplo, o conhecimento de Sophie sobre a relação entre a epigenética – atualmente a área de pesquisa mais fascinante da biologia – e a constelação familiar. Nesse meio-tempo, também deixei de aparecer em público com publicações de livros, pois Sophie assumiu essa tarefa. Portanto, essa autobiografia pode ser vista como minha última obra abrangente.

O que significa "Põe em ordem a tua casa"*? Significa que você a organiza para que possa partir sem que alguém espere mais alguma coisa de você. Significa que a organiza para que algo que deve e precisa continuar depois de você, porque por seu intermédio também foi dado aos outros, também possa continuar para eles. Portanto, ponha em ordem a sua casa, de modo que esse presente para os outros permaneça como tal, sem que você tenha de se preocupar com isso.

"Põe em ordem a tua casa!" também significa que algo pode continuar sem você, sem sobrecarregar ninguém e dando espaço às pessoas para que elas recebam algo de você, podendo aceitá-lo como

---

\*    Isaías 38,1. (N. T.)

próprio e continuá-lo em conformidade com aquilo que também lhes foi dado e requerido.

A casa em ordem permanece habitada e recebe novos moradores. Existe porque é posta em ordem com amor, porque se destina ao futuro e serve à vida e ao amor. É posta em ordem e fica pronta para o novo que virá.

Quando faço uma retrospectiva da minha vida, sinto uma profunda alegria. Pude aproveitá-la em toda a sua plenitude. Pude ajudar milhões de pessoas no mundo inteiro com minha constelação familiar. Inclino-me perante essa graça com profunda humildade e perante a força que me foi concedida para escrever mais de cem livros, traduzidos para 37 idiomas. Meu trabalho foi reconhecido em inúmeras homenagens, por exemplo, com a entrega da cidadania honorária da Cidade do México e do título de doutor *honoris causa* da Universidade de Colombo, no Sri Lanka, bem como da Universidade CUDEC, no México. Também sou grato por isso.

Também sinto que tive uma grande sorte por meu estado de saúde ter permitido, apesar da minha idade avançada, que eu acompanhasse minha esposa Sophie no desenvolvimento da constelação familiar. Mesmo tendo me retirado cada vez mais da vida pública para conceder-me a necessária tranquilidade, com um sorriso nos lábios posso continuar vinculado ao novo como "o velho". Assim, todo dia que me é concedido torna-se um presente.

Quem tem em vista o próprio fim tem tempo. Quer e planeja apenas o que seu fim permite. Por isso, permanece perto do que está para acontecer naquele momento e lhe permite prever o fim. Em seguida, olha para o próximo momento. Desse modo, mantém uma visão geral sobre o que é previsto e possível para ele naquele momento.

Meu fim ainda não chegou. Está diante dos meus olhos. Diante deles também está o tempo que me resta. É sobretudo a ele que se dirige o olhar. Diante do fim, o tempo que me resta torna-se precioso e essencial. Preencho-o em todos os sentidos. Para mim, ele se torna um tempo preenchido. Acima de tudo, durante esse período não faço planos sobre como olhar para os limites impostos a ele. Permaneço no momento imediato e próximo, porém com toda a energia, sem desperdiçá-la com coisas secundárias.

Se também anseio pelo fim? Tenho o direito de ansiar por ele? O que aconteceria, então, com o tempo que me foi dado? Ainda o tenho? Ainda o recebo?

O que acontece quando o fim desejado e temido por mim se deixa esperar? Quando ele finalmente chega, é um fim pleno que vem ao final do tempo plenamente vivido?

Portanto, olho para o fim sem ter de me dirigir até ele. Ele vem por conta própria. Não o tenho, ele vem primeiro.

Algo diferente acontece com o tempo que ainda me resta. Tenho-o agora e plenamente.

# 23
## O Futuro

—∿—

Qual a última coisa que vem antes da chegada do fim? Uma dor? Uma centelha de esperança? Uma revolta? Uma dança?

A última coisa se anuncia? Ou aparece de repente? Espera por muito tempo ou pega minha mão em um segundo e impede que eu siga meu caminho? Submeto-me a ela, não importa como me toque e pelo tempo que for.

Espero por ela sem esperar. Meu olhar e minha vontade são atraídos por outra coisa que me toca direta e temporariamente, como se eu tivesse tempo.

Contudo, seja quem ou o que for essa última coisa nesse período, permanece oculta para mim enquanto estiver presente. Tudo o que a precede é superado por ela.

Estarei pronto quando essa última coisa chegar? Ou serei surpreendido?

Ela não precisa chegar. Está sempre perto de mim, sem se mostrar. É uma acompanhante. Segue comigo aonde vou, a um braço de distância, sem me tocar. Quando me toca, começa a passagem, longa ou curta.

Se eu já souber muito antes a respeito da última coisa, se mesmo sem vê-la já a tiver vivenciado de maneira intuitiva em diversas situações, como amiga e ajudante, não me afastarei muito dela em tudo o que fizer. Estou familiarizado com ela.

Como decorre minha vida? De maneira tranquila, com uma paz concentrada, que sempre vem ao meu encontro.

Participo menos da vida plena? Ou participo dela de maneira mais abrangente, mais concentrada, essencial, ampla, atenta, voltada a tudo, independentemente do modo como ela se apresentar a mim? Desde o início, em tudo percebo também o seu fim, sem me deixar desviar daquilo que está à minha frente. Neste momento, aceito-o em sua plenitude.

No entanto, faço-o de maneira temporária, como algo que logo vai passar. Sinto-me mais leve. Nada me detém nem refreia. Estou aberto a tudo o que vier, até para a última coisa.

Há algo mais que me ajuda a encarar essa última coisa. Olhar para além dela e para uma força que tudo governa, no modo que vier. Para ela há sempre o começo, algo que continua após todo fim.

Para onde, não sei. No entanto, já nesta vida sinto que a todo instante sou conduzido por outras forças. Acredito que me conduzem para além de meu último momento e para outro começo, para outra plenitude, bem distante da atual. Em harmonia com essa nova plenitude, estou aberto para meu último momento nesta vida, sabendo que ele me leva para outro lugar, que não imagino qual seja.

A morte sempre vem no momento oportuno, seja porque não há lugar para nós neste mundo, seja porque nosso tempo expirou e cumprimos nossa missão, seja porque chegou o momento de dar lugar a outras pessoas. Assim, por meio da morte, somos levados de volta à base primordial, a partir da qual a vida se ergue e na qual tornamos a afundar.

A própria base primordial é preservada para nós ao longo da vida. Nela se fundamenta tudo o que ocorre e se torna possível em nossa vida, e nela permanece preservado o que acontece e depois passa. Portanto, quem torna a afundar na base primordial não perde nada, e quem vive por mais tempo não ganha mais no final do que os que morreram precocemente. Assim, aquele que durante a vida lança raízes na base primordial torna-se uno com o começo e o fim e, do mesmo modo, com aqueles que foram, que virão e que são. Passado e futuro concentram-se em sua vida, assim como também repousam e permanecem concentrados na base primordial.

A base primordial como começo e fim obriga aqueles que agora veem sua vida como única e máxima coisa a se lembrarem de seus limites, uma vez que, pelo destino ou por alguma enfermidade, ela os conduz a esses limites e a refletir sobre ela própria e sobre o que permanece. Em seguida, a morte também aparece em nosso campo de visão, mas não nos assusta, pois não olhamos diretamente para ela, e sim para a base primordial à qual ela serve. Vida e morte são idênticas, pois em ambas estamos em harmonia com o que permanece.

Por essa razão, viver na presença da morte é viver na presença da despedida. Contudo, essa despedida não é uma perda, e sim uma antecipação da plenitude que está por vir. Além disso, possibilita o futuro. Também podemos dizer que nos conduz de volta ao começo, assim como a morte. Nesse sentido, tudo é igual.

Conseguimos nos despedir quando celebramos o todo, vida e morte, ir e vir, passar e permanecer como um cântico de louvor.

# Em Vez de um Posfácio

—∿—

Ao longo da vida, escrevi muitas histórias. São histórias meditativas, por assim dizer. Conduzem o leitor ou ouvinte pelo caminho e, quando ele se sente familiarizado com um trecho desse percurso, elas realizam o que narram ainda enquanto ele as ouve. Ao final deste livro, eu gostaria de me despedir de vocês com a seguinte história:

**A festa**
Alguém se põe a caminho e, ao olhar para a frente, vê ao longe a casa que lhe pertence. Caminha em sua direção e, ao chegar a ela, abre a porta e entra em uma sala arrumada para uma festa.

A essa festa comparecem todos que foram importantes em sua vida. E cada um que chega traz alguma coisa, fica um pouco e depois vai embora, assim como fazem os desejos ou o sofrimento. Trazem alguma coisa, ficam um pouco e depois vão embora. Assim como também faz a vida, que nos traz alguma coisa, fica um pouco e vai embora.

Portanto, todos comparecem à festa, cada um com um presente especial, pelo qual pagou o preço integral, seja ele qual for: a mãe, o pai, os irmãos, um avô, uma avó, o outro avô, a outra avó, os tios e as tias, todos que abriram espaço para ele, todos que cuidaram dele, talvez os vizinhos, amigos, professores, parceiros, filhos: todos que foram e ainda são importantes em sua vida.

Após a festa, a pessoa se vê com os muitos presentes que ganhou e na companhia apenas daqueles convidados para os quais não há inconveniente em permanecer mais um pouco. Em seguida, vai até a janela e olha para fora, vê as casas e sabe que um dia também nelas haverá uma festa à qual irá, levará uma lembrança, ficará um pouco – depois partirá.

Nós também estivemos em uma festa, trouxemos e levamos uma lembrança. Ficamos e partimos. Como? Plenos e ricos.

# Agradecimentos de Bert Hellinger e de Hanne-Lore Heilmann

—◠◠—

Nosso agradecimento especial a Bettina Traub, diretora de programação da editora Ariston. É raro ver em alguém o entusiasmo e o empenho com que você acompanhou este livro. Além disso, sempre esteve disponível e demonstrou seu interesse pessoal pela vida e pelos conhecimentos de Bert Hellinger.

Um obrigado muito caloroso a nossa agente Lianne Kolf. Com sua equipe, você resolveu todas as questões contratuais com o máximo profissionalismo e sempre esteve disponível para responder às nossas perguntas – mesmo tarde da noite, nos finais de semana e durante as férias. Não é à toa que é considerada um cometa no céu estrelado dos agentes literários alemães.

Muito obrigado também à nossa revisora Diane Zilliges, que tratou o manuscrito com extrema delicadeza e em muitos trechos lhe conferiu um brilho adicional.

Somos especialmente gratos a Sophie Hellinger. Você foi incansável ao contribuir para o êxito deste livro com o tesouro de suas memórias. Apesar de suas inúmeras tarefas, não deixou de nos mimar. Com seus grandes dotes culinários, cuidou da nossa alimentação; com sua paciência, deu-nos segurança em nossas indagações; com sua tranquilidade e seu equilíbrio, deu-nos força. Além disso, leu com a máxima atenção cada página do manuscrito, evitando que algum erro pudesse escapar.

Um agradecimento especial de Bert Hellinger a

Christina Niederkofler: graças à sua mediação com Hanne-Lore Heilmann, você teve uma participação essencial no surgimento da minha autobiografia. Também em outras ocasiões foi uma amiga presente, sobretudo nas horas difíceis. Quando fiquei doente e após meu acidente, você compareceu imediatamente para ajudar Sophie a cuidar de mim, primeiro no hospital e depois em casa. Sou grato a você por sua amizade e sua assistência.

Doutor Rüdiger Rogoll: como meu amigo mais antigo e próximo, você logo se mostrou disponível quando precisei de seu auxílio para minha autobiografia. Passou muitos dias em nossa casa, o que me deu muita alegria. Mesmo que agora este livro esteja pronto, espero que continue a nos visitar com frequência, pois a companhia de um amigo como você está entre os lados mais belos e plenos da vida.

Um agradecimento especial de Hanne-Lore Heilmann a

Christina Niederkofler: graças a seu empenho, pude participar de um livro muito especial, um trabalho inesperado, que enriqueceu minha vida de uma maneira maravilhosa. Sinto-me muito ligada a você.

Doutor Rüdiger Rogoll: meu orientador, o grande jornalista Claus Jacobi, falecido nesse meio-tempo, intitulou sua autobiografia de *Fremde, Freunde, Feinde* [Estranhos, Amigos, Inimigos], pois, quando conhecia alguém, sempre se perguntava o que esse estranho se tornaria para ele. Você, que conheci na casa dos Hellinger como um estranho, tornou-se um amigo para mim. Sua inteligência, seu humor e sua humanidade me impressionaram profundamente. Você ajudou o trabalho com este livro não apenas partilhando suas memórias com Bert Hellinger, mas também ao não se intimidar perante o esforço de rever o manuscrito. Acima de tudo, pude aprender muito com você, que é um exímio especialista na área da psiquiatria e da psicologia. Por tudo isso, sou-lhe muito grata ou, para dizê-lo com uma de suas frases: foi uma honra!

Ralf Hornberger: como colaborador no escritório de Hellinger, você foi meu interlocutor em muitas questões organizacionais. Quer se tratasse do envio de fotos para a editora, da transmissão de textos a Bert e Sophie Hellinger ou da reserva dos meus voos, você sempre resolvia tudo com rapidez e bom humor. Nunca vou me esquecer do seu alegre "Pfiati",* típico da Baviera, que você enviava para mim no norte, perto de Hamburgo, ao final de nossos telefonemas.

Bidaya Heilmann: obrigada por sua compreensão, pois enquanto colaborei com a autobiografia tive pouco tempo para lhe dedicar. Você soube resolver tudo muito bem sozinha no período em que fiquei hospedada na casa de Bert e Sophie Hellinger. Tenho orgulho de você. Nossos amigos também merecem um agradecimento especial nesse sentido, pois durante minha ausência ficaram de prontidão para você, caso precisasse de ajuda, e de várias maneiras me apoiaram na colaboração com este livro. Obrigada Bärbel Drabant, Marion Horn e doutora Angela Krogmann; obrigada Ute e Kai Lindenau, Sven Kreinath, Ginky Spelman e professor Jacques Schumacher.

---

\* Termo do dialeto bávaro utilizado em despedidas e que equivale a "fique com Deus". (N.T.)

# Bibliografia

## Livros de Bert Hellinger

*Finden, was wirkt.* Kösel-Verlag, Munique, 1993.

*Vom Himmel, der krank macht, und der Erde, die heilt.* Kreuz-Verlag, Stuttgart, 1993.

*Familienstellen mit Kranken.* Carl-Auer-Verlag, Heidelberg, 1995.

*Die Mitte fühlt sich leicht an.* Kösel-Verlag, Munique, 1996. [*No Centro Sentimos Leveza*, publicado pela Editora Cultrix, São Paulo, 2004.]

*Verdichtetes.* Carl-Auer-Verlag, Heidelberg, 1996.

*Anerkennen, was ist.* Com Gabriele ten Hövel. Kösel-Verlag, Munique, 1996. [*Constelações Familiares – O Reconhecimento das Ordens do Amor*, publicado pela Editora Cultrix, São Paulo, 2001.]

*Schicksalsbindungen bei Krebs.* Carl-Auer-Verlag, Heidelberg, 1997. [*Desatando os Laços do Destino*, publicado pela Editora Cultrix, São Paulo, 2006.]

*In der Seele an die Liebe rühren.* Carl-Auer-Verlag, Heidelberg, 1998.

*Haltet mich, dass ich am Leben bleibe.* Carl-Auer-Verlag, Heidelberg, 1998.

*Wo Schicksal wirkt und Demut heilt.* Carl-Auer-Verlag, Heidelberg, 1998.

*Wenn ihr wüsstet, wie ich euch liebe.* Knaur-Verlag, Munique, 1998.

*Love's Hidden Symmetry.* Com Gunthard Weber e Hunter Beaumont, Zeig,

Tucker & Co., Phoenix, Arizona, 1998. [*A Simetria Oculta do Amor*, publicado pela Editora Cultrix, São Paulo, 1999.]

*Wie Liebe gelingt.* Carl-Auer-Verlag, Heidelberg, 1999. [*Para Que o Amor Dê Certo*, publicado pela Editora Cultrix, São Paulo, 2004.]

*Was in Familien krank macht und heilt.* Carl-Auer-Verlag, Heidelberg, 2000.

*Wo Ohnmacht Frieden stiftet.* Carl-Auer-Verlag, Heidelberg, 2000.

*Kindliche Not und kindliche Liebe.* Carl-Auer-Verlag, Heidelberg, 2000.

*Wir gehen nach vorne.* Carl-Auer-Verlag, Heidelberg, 2000.

*Religion, Psychotherapie, Seelsorge.* Kösel-Verlag, Munique, 2001. [*Religião, Psicoterapia e Aconselhamento Espiritual*, publicado pela Editora Cultrix, São Paulo, 2005] (fora de catálogo)

*Mitte und Maß.* Carl-Auer-Verlag, Heidelberg, 2001.

*Heilt Demut – wo Schicksal wirkt?* Profil-Verlag, Munique, 2001.

*Liebe am Abgrund.* Carl-Auer-Verlag, Heidelbergm 2001.

*Der Abschied.* Carl-Auer-Verlag, Heidelberg, 2001.

*Entlassen werden wir vollendet.* Kösel-Verlag, Munique, 2001.

*Ordnungen der Liebe.* Carl-Auer-Verlag, Heidelberg, 2001. [*Ordens do Amor*, publicado pela Editora Cultrix, São Paulo, 2003]

*Die größere Kraft.* Carl-Auer-Verlag, Heidelberg, 2001.

*Die Quelle braucht nicht nach dem Weg zu fragen.* Carl-Auer-Verlag, Heidelberg, 2001.

*Mit der Seele gehen.* Herder-Verlag, Freiburg im Breisgau, 2001.

*Liebe auf den zweiten Blick.* Herder-Verlag, Freiburg im Breisgau, 2002.

*Der Austausch.* Carl-Auer-Verlag, Heidelberg 2002.

*Der Friede beginnt in den Seelen.* Carl-Auer-Verlag, Heidelberg, 2003.

*Liebe und Schicksal.* Kösel-Verlag, Munique, 2003.

*Ordnungen des Helfens.* Carl-Auer-Verlag, Heidelberg, 2003.

*Gedanken unterwegs.* Kösel-Verlag, Munique, 2003.

*Gottesgedanken.* Kösel-Verlag, Munique, 2004.

*Das andere Sagen.* Carl-Auer-Verlag, Heidelberg, 2004.

*Rachel weint um ihre Kinder.* Herder-Verlag, Freiburg im Breisgau, 2004.

*Der große Konflikt.* Goldmann-Verlag, Munique, 2005. [*Conflito e Paz*, publicado pela Editora Cultrix, São Paulo, 2007]

*Ein langer Weg.* Kösel-Verlag, Munique, 2005.

*Liebes-Geschichten.* Hellinger-Publications, Bischofswiesen, 2006.

*Dankbar und gelassen.* Herder-Verlag, Freiburg im Breisgau, 2006.

*Erfülltes Dasein.* Herder-Verlag, Freiburg im Breisgau, 2006.

*Innenreisen.* Kösel-Verlag, Munique, 2007.

*Natürliche Mystik.* Kreuz Verlag, Stuttgart, 2008.

*Glück, das bleibt.* Kreuz Verlag, Stuttgart, 2008.

Die Liebe des Geistes. Hellinger Publications, Bischofswiesen, 2008.

*Alles ist weit.* Hellinger Publications, Bischofswiesen, 2008.

*Gedanken, die gelingen.* Hellinger Publications, Bischofswiesen, 2008.

*Meine Geschichten.* Hellinger Publications, Bischofswiesen, 2009.

*Wahrheit in Bewegung.* Hellinger Publications, Bischofswiesen, 2009.

*Das reine Bewusstsein.* Hellinger Publications, Bischofswiesen, 2009.

*Worte, die wirken 1.* Hellinger Publications, Bischofswiesen, 2009.

*Worte, die wirken 2.* Hellinger Publications, Bischofswiesen, 2009.

*Erfolge im Leben, Erfolge im Beruf.* Hellinger Publications, Bischofswiesen, 2010.

*Erfolgsgeschichten im Unternehmen und im Beruf.* Hellinger Publications, Bischofswiesen, 2010.

*Themenbezogene Unternehmensberatung.* Hellinger Publications, Bischofswiesen, 2010.

*Geführt.* Hellinger Publications, Bischofswiesen, 2010.

*Erfüllt.* Hellinger Publications, Bischofswiesen, 2010.

*Angekommen.* Hellinger Publications, Bischofswiesen, 2010.

*Gelebte Mystik.* Hellinger Publications, Bischofswiesen, 2010.

*Aufgewacht.* Hellinger Publications, Bischofswiesen, 2010.

Einblicke. Hellinger Publications, Bischofswiesen, 2010.

*Rilkes Deutung des Daseins in den Sonetten an Orpheus.* Hellinger Publications, Bischofswiesen, 2010.

*Das geistige Familienstellen.* Hellinger Publications, Bischofswiesen, 2010.

*Ordnungen der Liebe.* Hellinger Publications, Bischofswiesen, 2010.

*Die Heilung.* Hellinger Publications, Bischofswiesen, 2011.

*Sonntagspredigten.* Hellinger Publications, Bischofswiesen, 2011.

*Meditationen.* Hellinger Publications, Bischofswiesen, 2011.

*Lebenshilfen aktuell.* Hellinger Publications, Bischofswiesen, 2011.

*Spurensuche.* Hellinger Publications, Bischofswiesen, 2011.

*Wegbegleiter.* Hellinger Publications, Bischofswiesen, 2011.

*Glück, das bleibt.* Neuauflage, Herder spektrum Verlag, Freiburg im Breisgau, 2012.

*Mitgenommen.* Hellinger Publications, Bischofswiesen, 2012.

*Offen.* Hellinger Publications, Bischofswiesen, 2012.

*Das neue Bewusstsein.* Hellinger Publications, Bischofswiesen, 2012.

*Lichtblicke.* Hellinger Publications, Bischofswiesen, 2012.

*Nehmen.* Hellinger Publications, Bischofswiesen, 2012.

*Die Kirchen und ihr Gott.* Hellinger Publications, Bischofswiesen, 2013.

*Erweiterte Lebenshilfen.* Hellinger Publications, Bischofswiesen, 2013.

*Wege in eine andere Weite.* Hellinger Publications, Bischofswiesen, 2013.

*Kindern in die Seele schauen.* Hellinger Publications, Bischofswiesen, 2013.

*Erziehung heute.* Hellinger Publications, Bischofswiesen 2013.

*Neue Geschichten 1.* Hellinger Publications, Bischofswiesen, 2014.

*Neue Geschichten 2.* Hellinger Publications, Bischofswiesen, 2014.

*Neue Geschichten 3.* Hellinger Publications, Bischofswiesen, 2014.

*Neue Wege des Familienstellens.* Hellinger Publications, Bischofswiesen, 2015.

Das Familienstellen im Dienst des Friedens. Hellinger Publications, Bischofswiesen, 2015.

*Höre, mein Herz.* Hellinger Publications, Bischofswiesen, 2015.

*Lauter Liebe.* Hellinger Publications, Bischofswiesen, 2015.

## Livros de Sophie Hellinger

*Das eigene Glück Band I. Einführung in die Grundlagen des klassischen Familienstellens mit Ausblick und Anbindung an die Entwicklung des Neuen Familienstellens.* Hellinger Publications, Bischofswiesen, 2018.

*Das eigene Glück Band II. Die Praxis der klassischen Familienaufstellung.* Hellinger Publications, Bischofswiesen, 2018.

*Transgenerationale Trauma-Resolution: Original Hellinger Familienstellen trifft Wissenschaft.* Hellinger Publications, Bischofswiesen, 2018.

*Die Paarbeziehung.* Hellinger Publications, Bischofswiesen, 2018.

*Hellinger-Jahrbuch 2018 zur Entwicklung des Familienstellens.* Hellinger Publications, Bischofswiesen, 2019.

*Abtreibung, Kaiserschnitt und Pille danach. Wie Kinderseelen leiden und heilen.* Hellinger Publications, Bischofswiesen, 2019.

*Antworten auf Fragen zum Original Hellinger Familienstellen.* Hellinger Publications, Bischofswiesen, 2019.